U0775308

“十二五”职业教育国家规划教材
经全国职业教育教材审定委员会审定
高等职业教育汽车类专业活页式新形态创新教材

汽车文化

第3版

主　编　郑锦汤　蔡兴旺
副主编　夏红阳　蔡跃锋
参　编　杨丹丹　易　琰　周　恒

机械工业出版社
CHINA MACHINE PRESS

本书分10个项目21个任务，从多个视角介绍了汽车车标文化、汽车发明文化、汽车工业发展史、汽车企业文化、汽车科技文化、用车文化、汽车展览文化、汽车运动文化、汽车组织文化和汽车名人趣事等内容，深刻地揭示了汽车文化的丰富内涵，并通过大量的史实，给人以深刻的启迪。本书融入教学法，采用项目导向、任务驱动的教学形式，加强学生实践技能的培养与训练，注重专业教育与人文社会教育、职业素养教育的融合，有助于提高学生的综合素质。

本书图文对照，直观明了，配套视频二维码链接和课件，可方便教师授课和学生课外学习。

本书可以作为高职高专及普通高等院校公选课教材及汽车专业的文化课教材。对广大汽车爱好者而言，本书也是一本值得收藏的书籍。

图书在版编目（CIP）数据

汽车文化 / 郑锦汤，蔡兴旺主编. -- 3版. -- 北京 : 机械工业出版社，2024. 11. --（高等职业教育汽车类专业活页式新形态创新教材）. -- ISBN 978-7-111-76813-5

Ⅰ. U46-05

中国国家版本馆CIP数据核字第20244BL320号

机械工业出版社（北京市百万庄大街22号　邮政编码100037）

策划编辑：丁　锋　　　　责任编辑：丁　锋　章承林

责任校对：郑　婕　张昕妍　　封面设计：张　静

责任印制：常天培

固安县铭成印刷有限公司印刷

2025年1月第3版第1次印刷

184mm×260mm・16.25印张・359千字

标准书号：ISBN 978-7-111-76813-5

定价：59.90元

电话服务　　　　　　　　　网络服务

客服电话：010-88361066　　机　工　官　网：www.cmpbook.com

　　　　　010-88379833　　机　工　官　博：weibo.com/cmp1952

　　　　　010-68326294　　金　　书　　网：www.golden-book.com

　　　　机工教育服务网：www.cmpedu.com

前言

汽车从1886年诞生到现在的100多年里，发展异常迅速，2023年全球汽车保有量已经达到14.74亿辆，美国千人汽车保有量高达848辆，我国千人汽车保有量也达238辆。汽车已经完全融入了我们的生活，极大地改变了我们的生产生活方式和社会形态，改变了我们的思想意识，诞生了丰富的汽车文化。

“汽车文化”一般理解为人类在研究、生产和使用汽车的过程中所产生的精神活动及其活动产品总和，如对汽车的认知、行为、习俗、法规、艺术、法律、道德、准则和观念等，范围极其广泛。学习汽车文化，可以开阔视野、拓展知识、陶冶情操、美化生活、提高安全科学用车的技能和技巧等。

本书由2014年9月出版的《汽车文化》改编而来，该教材经全国职业教育教材审定委员会审定，被评为“十二五”职业教育国家规划教材，十年来重印了十几次，受到同行专家认可和广大师生欢迎。

本次修订以国务院（国发〔2019〕4号）《国家职业教育改革实施方案》和教育部（教材〔2019〕3号）《职业院校教材管理办法》为指导，吸收了近年来新能源汽车、智能网联汽车等新技术、新成果、新标准，以及高职教育教学改革所取得的新经验。

为推进党的二十大精神进教材、进课堂、进头脑，本书紧跟行业理念、技术发展和社会对人才的需求，将立德树人作为根本任务，提炼教材所蕴含的思政元素和承载的德育功能，将专业技能、职业素养，与爱国情怀、工匠精神、科技创新、环境保护、工程伦理、传统文化和企业文化深度融合，优化教材内容供给，形成集知识、能力、课程思政于一体的内容体系，确保学生在学习的各阶段都能得到思想的引领。本书以学生为本，以提高综合素质和就业能力为目标，采用项目导向、任务驱动的形式，根据广大学生要求，精选学生终身受用的基础理论、基本知识和汽车应用等基本技能，突出实用性、新颖性，按照学生的认知规律，组织教材体系，使理论紧密联系实际，将知识性、趣味性、娱乐性、历史性融为一体，将专业教育、人文教育、职业素质教育与思政教育紧密结合，以激发学生学习兴趣、提高学生的实践技能和综合素质。

本书排版新颖、图文对照、直观明了、通俗易懂、深入浅出、言简意赅，更具生活化、情景化、动态化、形象化。本书配套课件下载，提供了大量的文本、彩图、动画和视频资料，形象、生动地展示了历史名车的风采，现代汽车（含新能源汽车和智能网联汽车）的基本构造原理与使用维护，以及扣人心弦的汽车竞赛和争奇斗艳的汽车展览，可方便教师授课和学生课外学习。

本书建议学时为36~54学时，可根据专业要求确定。教学中注意围绕任务，组织学生分组学习、检索信息和讨论，加强实践环节，可安排较多时间进行汽车现场观摩、维护等，组织学生参观汽车博物馆、汽车展览会，走访汽车制造厂、4S店、维修厂，观看汽车比赛、汽车电影等。

本书由校企联合编写，由郑锦汤和蔡兴旺担任主编。编写分工如下：蔡兴旺教授负责对全书进行策划和审阅统稿，项目1、2、5、10由郑锦汤副教授编写，项目6、7由蔡跃锋老师编写，项目4由夏红阳博士编写，项目9由杨丹丹工程师编写，项目8由易琰老师编写，项目3由周恒老师编写。

本书在编写及课件制作过程中，得到了广东省教育厅、机械工业出版社、广州华商职业学院、韶关学院、北汽（广州）汽车有限公司、广东技术师范大学、广东省华立技师学院等单位的多位专家的大力支持与帮助，书中还引用了大量汽车网站及汽车教材、论文资料，难以全部注明出处，特向原作者表示深深的谢意和歉意。

由于本书涉及的知识面广，限于编写水平和能力，书中错漏之处难免，诚恳期望得到同行专家和广大读者的批评指正，编者邮箱：zhjt_hsxy@sina.com。

编　者

目　录

项目 03 充满哲理的汽车工业发展史

项目 04 出奇制胜的汽车企业文化

项目05 神奇奥妙的汽车科技文化

项目06 安全科学的用车文化

项目07 争奇斗艳的汽车展览文化

01

项目 寓意深刻的汽车车标文化

汽车车标是汽车的重要标志，蕴含着汽车品牌和企业的形象以及深刻的历史文化，是汽车科技与社会、历史、文化、艺术和心理的融合。每家汽车公司对汽车车标都是精心设计、精雕细琢。汽车车标经过多次修改，寓意深刻。

项目 01

任务 1 辨认欧洲汽车车标及其含义

学习目标

- 能描述欧洲汽车公司汽车车标的含义。
- 能辨认欧洲汽车公司汽车车标。
- 培养学生一丝不苟、精益求精的工匠精神。

任务描述

说出图 1-1 所示汽车的车标是哪家公司的车标？车标在哪个位置？车标的形状特征与含义是什么？讨论车标的意义与设计。

图 1-1 辨认汽车及车标

知识参考

1.1 梅赛德斯－奔驰集团股份公司汽车车标文化

1. 奔驰汽车车标（图 1-2）

奔驰汽车车标是在两个嵌套的圆之间加月桂枝树叶，像一顶桂冠，代表优异、成功、荣誉和辉煌，喻示奔驰公司在汽车领域独占鳌头，勇夺“桂冠”。

圆环中心的“BENZ”是奔驰公司创始人卡尔·本茨（Karl Benz）的姓氏。

奔驰车标

图 1-2 奔驰汽车车标

2. 戴姆勒汽车车标（图 1-3）

戴姆勒汽车车标是一个圆环围着一颗三叉星。三叉星形似简化了的汽车方向盘，表示在陆海空领域全方位的机动性，圆环显示其汽车营销全球的发展势头。

历史记载公司创始人戈特里布·戴姆勒（Gottlieb Daimler）1873 年给妻子的明信片中画了颗三叉星，并特别声明：总有一天，这颗吉星会照耀我毕生的工作。1890 年，这颗星开始用于戴姆勒公司的产品。

图 1-3 戴姆勒汽车车标

3. 梅赛德斯汽车车标（图 1-4）

1899 年，奥地利驻匈牙利总领事埃米尔·耶利内克（Emil Jellinek）驾驶戴姆勒公司的汽车在法国的“尼斯之旅”世界汽车大赛中获头奖，建议采用他女儿“梅赛德斯”（Mercedes）（图 1-5）的名字作为品牌车标，被戴姆勒接受。梅赛德斯汽车车标将一颗大三叉星和四颗小三叉星及“MERCEDES”置于圆环之中。“梅赛德斯”是温文尔雅的意思。

4. 梅赛德斯 – 奔驰汽车车标（图 1-6）

1926 年，奔驰与戴姆勒两家公司合并，改名为戴姆勒 – 奔驰公司。戴姆勒 – 奔驰公司生产的所有汽车都命名为“梅赛德斯 – 奔驰”（Mercedes Benz），其车标由奔驰和戴姆勒车标组合而成，目前也常用图 1-3 所示的戴姆勒汽车车标作为公司车标。2022 年 2 月 1 日，戴姆勒 – 奔驰公司更名为“梅赛德斯 – 奔驰集团股份公司”。

5. 迈巴赫汽车车标（图 1-7）

威廉·迈巴赫（Wilhelm Maybach）（图 1-8）是戴姆勒汽车公司的创始人之一，担任总工程师。

迈巴赫汽车车标由两个交叉的 M 围绕在一个球面三角形组成，两个 M 是“Maybach Motorenbau”（迈巴赫汽车）的首字母缩写。迈巴赫是戴姆勒 – 奔驰汽车公司的超豪华顶级轿车品牌。

图 1-4 梅赛德斯汽车车标

图 1-5 梅赛德斯

图 1-6 梅赛德斯 – 奔驰汽车车标

图 1-7 迈巴赫汽车车标

图 1-8 威廉 · 迈巴赫

1.2 宝马汽车公司汽车车标文化

1. 宝马汽车车标（图 1-9）

宝马汽车公司前身是巴伐利亚发动机制造厂，其车标采用蓝天（蓝色）、白云和飞机螺旋桨（白色）的元素。宝马汽车车标中的字母 BMW 为公司名缩写，喻示宝马汽车公司源远流长的历史，既象征该公司过去在航空发动机技术方面的领先地位，又象征公司的一贯宗旨和目标：在广阔的时空中，以最新的科学技术、最先进的观念，满足顾客的最大愿望，反映了公司蓬勃向上精神和日新月异的新面貌。

宝马车标

图 1-9 宝马汽车车标

2. 劳斯莱斯汽车车标（图 1–10）

劳斯莱斯汽车公司的创始人是查尔斯·斯图亚尔特·劳斯（Charles Stewart Rolls）和弗雷德里克·亨利·莱斯（Frederick Henry Royce）。100 多年前，英国汽车商查尔斯·斯图亚特·劳斯（皇家贵族）与制造起重机和汽车的工程师弗雷德里克·亨利·莱斯在一列火车上邂逅，并一见如故。两人达成协议，由弗雷德里克·亨利·莱斯负责生产汽车，查尔斯·斯图亚特·劳斯负责营销，给汽车起名为劳斯莱斯（ROLLS–ROYCE）。劳斯莱斯车标中的双 R 为劳斯莱斯汽车公司创始人的姓氏第一个字母，两个字母交叉，表示你中有我、我中有你、团结奋斗、携手共进。

图 1–10　劳斯莱斯汽车车标

3. 劳斯莱斯飞翔女神车标（图 1–11）

图 1–11　劳斯莱斯飞翔女神车标

劳斯莱斯车前的“飞翔女神”像的创意取自巴黎卢浮宫艺术走廊的一尊有两千多年历史的胜利女神雕像，其两臂后伸、身披带纱，表示速度之神。当时的总经理为“飞翔女神”像写广告词：这是一位优雅无比的女神，她代表着人类的崇高理想和生活的欣狂之魂，她将旅途视为至高无上的享受。“飞翔女神”像早期采用 85% 的铜、7.5% 的锌和 7.5% 的锡制成，抛光镀银，以后逐步变化，也有的用黄金制成。

经典传承——匠心所在

“劳斯莱斯汽车之家”坐落于英格兰古德伍德。在这里，劳斯莱斯将传统艺术与科技完美融合，打造出令人惊叹的传奇汽车。在这里所能见证的，是在成就劳斯莱斯杰作的过程中，对设计细节与品质的不懈追求，以及对品牌经典的坚定传承。不论是手工绘制腰线、马车式对开车门，还是在无尘洁净车间里，每一个精密组件、艺术珍品、极致材料与优雅绝伦的仪表盘完美装配，都使今天的拥有者依然能够体验到具有历史传统的尊贵与奢华，彰显地位和身份。

4. MINI 汽车车标（图 1–12）

1959 年，英国汽车公司推出著名的“迷你”（MINI）型微型汽车。它以小巧玲珑、节油著称，备受女性青睐。如今的 MINI 汽车车标由两扇翅膀、圆形徽标以及黑底英文 MINI 构成，设计独树一帜，体现赛车血统，翅膀代表着速度、力量和自由。

图 1–12　MINI 汽车车标

1.3 大众汽车公司汽车车标文化

1. 大众汽车车标（图 1–13）

大众汽车车标采用德文 Volkswagens Werk（大众汽车制造厂）的“V”在上，“W”在下，又像 3 个“V”，表示公司产品“必胜 – 必胜 – 必胜”。大众汽车

大众车标

图 1–13　大众汽车车标

顾名思义是为大众生产的汽车。大众汽车车标简捷、鲜明、引人入胜，令人过目不忘。

奥迪车标

2. 奥迪（Audi）汽车车标（图 1–14）

奥迪汽车公司是大众汽车公司的子公司，最初由奥迪、霍希（Horch）、漫游者（Wanderer）和小奇迹（DKW）4 家公司联合组成，公司名字是创始人奥古斯特·霍希以前所办公司的拉丁文名称的字头 Audi。奥迪汽车车标是四个半径相等的连环圆圈，表示当初公司是由四家公司合并而成，如兄弟手挽手，共创大业，平等、互利、协作，意味“团结就是力量”。

图 1–14　奥迪汽车车标

3. 兰博基尼（Lamborghini）汽车车标（图 1–15）

兰博基尼汽车车标是一头蛮劲十足的斗牛，正准备向对手发动猛烈的攻击。据说，公司创始人弗鲁西欧·兰博基尼（Ferruccio Lamborghini）（其星座是金牛座）就是这种不甘示弱的牛脾气，同时，这也体现了兰博基尼汽车大功率、高速的运动型轿车的特点。

图 1–15　兰博基尼汽车车标

4. 宾利（Bentley）汽车车标（图 1–16）

宾利汽车车标以公司名的第一个字母“B”为主体，生出一对翅膀，似凌空翱翔的雄鹰，喻示着宾利汽车公司在全球范围内的飞跃发展。

图 1–16　宾利汽车车标

5. 保时捷（Porsche）汽车车标（图 1–17）

保时捷汽车车标采用公司所在地斯图加特市的盾形市徽，上面是公司创始人费迪南德·保时捷（Ferdinand Porsche）的姓氏“PORSCHE”。车标中间是一匹骏马，表示斯图加特这个地方出产的一种名贵种马，喻示保时捷跑车的出类拔萃；车标的左上方和右下方是鹿角的图案，表示斯图加特曾是狩猎的好地方；车标左上方和右下方的黄色条纹代表成熟了的麦子颜色，喻指五谷丰登，车标中的黑色代表肥沃土地，红色象征人们的智慧和对大自然的热爱，由此组成一幅精湛意深、秀气美丽的田园风景画，展现了保时捷公司辉煌的过去，预示了保时捷公司美好的未来。

图 1–17　保时捷汽车车标

保时捷汽车车标

6. 布加迪（Bugatti）汽车车标（图 1–18）

重塑后的布加迪车标去除了椭圆框和红色圆点，只留下简洁雅致的 BUGATTI 字标，以体现品牌的现代感与高端奢华品位。

图 1–18　布加迪汽车车标

7. 斯柯达（Skoda）汽车车标（图 1-19）

斯柯达汽车车标中的元素含义：巨大的圆环象征着斯柯达为全世界生产无可挑剔的产品；鸟翼象征着技术进步的产品行销全世界；向右飞行着的箭头，象征着先进的工艺；外环中朱黑的颜色象征着斯柯达公司百余年的传统；中央铺着的绿色，则表达了斯柯达人对资源再生和环境保护的重视。

图 1-19　斯柯达汽车车标

1.4 雷诺汽车公司汽车车标文化（图 1-20）

雷诺汽车车标由独特的菱形组成，类似一颗钻石的图案，象征雷诺三兄弟与汽车工业融为一体，表示“雷诺”能在无限的（四维）空间中竞争、生存、发展。

雷诺车标

图 1-20　雷诺汽车车标

1.5 斯特兰蒂斯集团汽车车标文化

1. 标致（PEUGEOT）汽车车标（图 1-21）

标致汽车车标是一头威武霸道的成年雄狮，是因为标致的祖先到美洲、非洲探险，在哪里发现了惊人的动物——狮子，为此以狮子作为家族徽章，后来用到汽车上。这尊小狮子后来成为标致汽车公司所在地蒙贝利亚尔省的省徽。

标致汽车车标中的雄狮，象征着成长与地位的鬃毛看上去威风凛凛，尖利的牙齿已然露出锋芒，凶狠犀利的眼神中透射出了它的自信与实力。

标致车标

图 1-21　标致汽车车标

2. 雪铁龙汽车车标（图 1-22）

创始人安德烈·雪铁龙（A.Citroen），1900 年发明了人字斜齿轮并获得专利。雪铁龙汽车车标是两个“人”字，显示人字形齿轮，以宣扬其创新，也反映出法国人生性开朗、爱赶时髦、喜欢新颖和漂亮的性格，散发着法国人的浪漫气息。雪铁龙轿车有“法国第一夫人”的美称。

雪铁龙车标

图 1-22　早期雪铁龙汽车车标

3. 菲亚特（FIAT）汽车车标（图 1-23）

菲亚特汽车车标几经变迁，现在车标只留下“FIAT”字样，“FIAT”为菲亚特汽车公司全称“Fabbrica Italiana Automobili Torino”这四个单词的第一个大写字母。“FIAT”在英语中具有“法令”“许可”的含义，因此在用户的心目中，菲亚特汽车具有较高的合法性与可靠性，深得用户的信赖。菲亚特曾经使用五根短柱斜置平行排列的新车标，五条倾斜平行的图案，像飞行在天空中飞机留下的轨迹，越飞越高，象征该公司生产的汽车遍布世界五大洲。

菲亚特车标

图 1-23　菲亚特汽车车标

4. 阿尔法 · 罗密欧（Alfa Romeo）汽车车标（图 1–24）

Alfa Romeo 中的“Alfa”是“Anonima Lombarda Fabbrica Automobili”的缩写。阿尔法·罗密欧汽车车标是中世纪意大利米兰的领主维斯康泰公爵的家徽，也是现在米兰市的市徽。车标中的十字部分来源于十字军从米兰向外远征的故事；右边部分关于蛇正在吞食撒拉逊人的图案，传说之一是维斯康泰的祖先曾经击退了使该城人民遭受苦难的“恶龙”。

图 1–24 阿尔法 · 罗密欧汽车车标

5. 法拉利（Ferrari）汽车车标（图 1–25）

法拉利汽车车标由字母和图案组成：下面的字母为创始人恩佐·法拉利的姓氏；图案“腾马”原来是红色，后来为纪念意大利飞行员巴拉克（生前最喜欢腾马）作战勇敢，屡建战功，为国捐躯而改为黑腾马。

法拉利车标

腾马作为跑车车标和赛车吉祥物，比喻奔腾向前、搏击长空、一定取胜，与法拉利跑车的刚劲和经典红色造型相结合，更显法拉利跑车令人晕眩的震撼力。

图 1–25 法拉利汽车车标

6. 玛莎拉蒂（Maserati）汽车车标（图 1–26）

玛莎拉蒂汽车车标采用三叉戟造型。相传这个兵器是罗马神话中的海神尼普顿（Neptune，在希腊神话中则称波赛顿海神）手中的武器。它显示出海神巨大无比的威力。这个车标也是公司所在地意大利博洛尼亚市的市徽。该车标表示玛莎拉蒂汽车就像三叉戟一样威力无比，所向披靡。

玛莎拉蒂车标

图 1–26 玛莎拉蒂汽车车标

1.6 欧洲其他汽车车标文化

1. 欧宝（Opel）汽车车标（图 1–27）

“Opel”来自于公司创始人——德国人亚当·欧宝（Adam Opel）。欧宝汽车车标为“闪电”图案，代表了公司的技术进步与发展，又像闪电一样划破长空，震撼世界，即喻示欧宝汽车如风驰电掣，力量和速度无与伦比，同时也炫耀公司在空气动力学方面的研究成就。

图 1–27 欧宝汽车车标

2. 萨博（Saab）汽车车标（图 1–28）

萨博汽车车标由文字“SAAB”和“头戴王冠的鹰头飞狮”组成，王冠象征着轿车的高贵，狮子为欧洲人崇尚的权力象征。半鹰、半狮的怪兽图案象征着一种警觉，这是瑞典南部两个县流行的一种象征，而萨博汽车和航空器的生产就起源在这里。

图 1–28 萨博汽车车标

3. 沃克斯豪尔汽车车标（图 1–29）

沃克斯豪尔汽车车标图案为 13 世纪英国沃克斯豪尔地区的土地主使用的狮身鹫首的怪兽，它矫健的翅膀展开，即将腾飞，并显露出锋利的前颚，体现了英国传统文化理念中的征服与霸气。

图 1–29　沃克斯豪尔汽车车标

4. 阿斯顿 · 马丁汽车车标（图 1–30）

阿斯顿·马丁汽车车标是一只展翅飞翔的大鹏，分别加以 ASTON MARTIN 或 LACONDA（拉贡达）字样（因为阿斯顿·马丁公司原来是与拉贡达公司合并而成），喻示着公司如大鹏般远大的志向。

图 1–30　阿斯顿 · 马丁汽车车标

5. 捷豹（Jaguar）汽车车标（图 1–31）

捷豹汽车车标为一只正在跳跃前扑的美洲虎雕塑，它矫健勇猛、怒目咆哮、盛气凌人、形神兼备，具有时代感与视觉冲击力。它既代表了公司的名称，又表现出向前奔驰的力量与速度，象征该车如美洲虎一样驰骋于世界各地。

图 1–31　捷豹汽车车标

6. 路虎（Rover）汽车车标（图 1–32）

路虎全称是兰德·路虎（Land Rover），曾译为罗孚。“Rover”的英语中包含流浪者、航海者的意思。Rover Mascot（吉祥物）源自世界上最著名的流浪族“维京人”的双关语。所以路虎的旧车标采用了一艘海盗船的图案，张开的红帆象征着公司乘风破浪、所向披靡的大无畏精神。

图 1–32　路虎汽车车标

7. 莲花（LOTUS）汽车车标（图 1–33）

莲花汽车（路特斯）车标是由 C、A、B、C 几个英文字母重叠在一起组成的，这是公司创始人柯林·查普曼（Colin Anthony Bruce Chapman）名字的缩写。优雅、灵动、恒久、精炼、圣洁的莲花，是莲花汽车的高雅象征。

图 1–33　莲花汽车车标

8. 沃尔沃（VOLVO）汽车车标（图 1–34）

沃尔沃（VOLVO）汽车的车标由图标和文字两部分组成，图标画成车轮形状，并有指向右上方的箭头，文字“VOLVO”为拉丁语，是滚滚向前的意思，寓意着沃尔沃汽车的车轮滚滚向前和公司兴旺发达，前途无量。

图 1–34　沃尔沃汽车车标

9. 世爵汽车车标（图 1–35）

世爵汽车车标是由一个水平的飞机螺旋桨穿越镌刻公司名称和座右铭的辐轮组成。螺旋桨显示其制造飞机的历史；“NULLA

图 1–35　世爵汽车车标

TENACI INVIA EST VIA”的中文意思是“执着强悍、畅行无阻”，体现了公司为车主制造出全球最先进、设计最独特的跑车。

10. 伏尔加汽车车标（图 1-36）

图 1-36　伏尔加汽车车标

伏尔加汽车制造厂原为高尔基汽车厂（GAZ），过去常将其译为“嘎斯”汽车。伏尔加汽车车标是盾牌中有 GAZ 标志和一只梅花鹿，预示生产的汽车像盾牌一样坚固，像梅花鹿一样善于奔跑。

任务小结

1. 汽车车标是汽车的重要标志，蕴含着汽车品牌和企业的形象以及深刻的历史文化，是汽车科技与社会、历史、文化、艺术和心理的融合。每家汽车公司都对其精心设计、精雕细琢。

2. 本任务主要介绍梅赛德斯－奔驰、宝马、大众、雷诺、标致、雪铁龙、菲亚特、阿斯顿·马丁、伏尔加和世爵等主要欧洲汽车公司的汽车车标文化。

课后测试

1. 不定项选择题

（1）1899 年，奥地利驻匈牙利总领事埃米尔·耶利内克驾驶戴姆勒公司汽车在法国的“尼斯之旅”世界汽车大赛中获头奖，建议采用他女儿（　　）名字作为品牌车标。

A. 索菲娅　　B. 乔伊斯　　C. 梅赛德斯　　D. 奥德莉

（2）劳斯莱斯车前的“飞翔女神”像的创意取自（　　）艺术走廊的一尊有两千年历史的胜利女神雕像，其两臂后伸、身披带纱，表示（　　）之神。

A. 英国大英博物馆　　B. 巴黎卢浮宫　　C. 速度　　D. 自由

（3）莲花汽车车标是由哪几个英文字母重叠在一起组成的？（　　）

A. DABC　　B. GABC　　C. FABC　　D. CABC

2. 填空题

（1）萨博汽车车标由文字“SAAB”和“头戴王冠的鹰头飞狮”组成，王冠象征着________的高贵，狮子为欧洲人崇尚的________象征。

（2）法拉利汽车车标为纪念意大利飞行员巴拉克作战勇敢，屡建战功为国捐躯图案，将“腾马”从原来的________色而改为________色。

3. 思考题

（1）请回答任务描述所提出的问题。

（2）检索欧洲消失的汽车品牌，分析它们为什么会被时代抛弃。

任务 2　辨认美国汽车车标及其含义

学习目标

- 能描述美国汽车公司汽车车标的含义。
- 能辨认美国汽车公司汽车车标。
- 培养学生审美鉴赏能力、陶冶学生情操。

任务描述

图 2–1　辨认汽车车标

说出图 2–1 所示车标是哪个汽车公司的什么汽车上的车标，并说明其形状特征与含义。

知识参考

2.1 通用汽车公司汽车车标文化

1. 通用汽车公司车标（图 2–2）

图 2–2　通用汽车公司车标

车标“GM”用公司英文名称“General Motors Corporation”的前两个单词的第一个大写字母组成，蓝底白字，简洁明快。“m”表示对电插头形状的认可，“m”有个下划线则是向其 Ultillm 电池平台致敬，蓝色字母位于一个同色的圆形盒子内。

2. 凯迪拉克汽车车标

早期的凯迪拉克汽车车标由“冠”和“盾”组成（图 2–3），其中：“冠”上有 7 颗明珠，象征凯迪拉克的皇家贵族尊贵血统，隐喻汽车高贵、豪华、气派、风度；“盾”象征凯迪拉克的军队是一支金戈铁马、英勇善战、攻无不克、无坚不摧的英武之师，隐喻其生产的汽车拥有巨大的市场竞争能力。“盾”被两根深褐色棒平分为四个区域，第二和第三区域有两根相互交叉的褐色棒，表示十字军战士在遥远战场上富有骑士般的勇猛。第一和第四区域中各有三只黑色的鸟，这两个区域又被黑色棒一分为二，并把三只相同的鸟分开，两只在上，一只在下，按照当时的风俗，没有腿和嘴的鸟，如

凯迪拉克车标

图 2–3　早期凯迪拉克汽车车标

果以三只同时出现，就表示神圣，还表示大胆和热情的武士和智慧、富有、聪敏的头脑及完美的品德。“盾”中的各种颜色也有深刻的含义，如：红色表示勇猛和赤胆；银色表示婚姻、纯洁、博爱和美德；黄色表示丰收和富有；蓝色表示创新和探险；黑色表示土地。

21 世纪初，凯迪拉克再次对汽车车标进行了一系列令人耳目一新的革新（图 2-1），新汽车车标色彩明快、轮廓鲜明，突出了凯迪拉克品牌的经典、尊贵和突破精神。

3. 别克汽车车标（图 2-4）

别克汽车新车标保留了“三色盾”，分别代表了别克品牌“安全、质感、舒适”的产品基因。三个“盾牌”依次排开、相互守望、相辅相成，是进取者前行路上的坚实后盾。“三色盾”平行开放的设计，展现出进取的姿态和引领的实力，寓意别克品牌将在智能电动时代破茧新生，驾乘体验全面升级，并以更开阔的眼界、更热烈的激情与创造力，不断自我突破、释放无限可能。

图 2-4 别克汽车车标

4. 雪佛兰（Chevrolet）汽车车标（图 2-5）

雪佛兰汽车车标是抽象化了的蝴蝶领结，象征雪佛兰汽车的大方、气派和风度。

雪佛兰车标

图 2-5 雪佛兰汽车车标

5. 庞蒂克汽车车标（图 2-6）

庞蒂克汽车车标由“PONTIAC”和带十字标记的箭头组成。十字标记表示庞蒂克是通用汽车公司的重要成员，也象征旁蒂克汽车安全可靠；箭头则代表旁蒂克的技术超前和攻关精神。庞蒂克是一个印第安酋长的名字，18 世纪他曾率部在底特律附近抵抗英法殖民者，为纪念他，靠近底特律的一座小城被命名为庞蒂克市。

图 2-6 庞蒂克汽车车标

6. 土星汽车车标（图 2-7）

土星汽车车标由图形和文字组成。“SATURN”是土星的英文名。图形是在红色背景前的土星两条轨迹，给人一种高科技、新观念、超时空的感觉，寓意土星汽车技术先进，设计超前且极具时代魅力。

图 2-7 土星汽车车标

2.2 福特汽车公司汽车车标文化

1. 福特汽车公司车标（图 2-8）

亨利·福特（Henry Ford）是福特汽车公司创始人。福特汽车公司车标采用蓝底白字，选用艺术化的“Ford”英文字母，形似一只活泼可爱、充满活力的小白兔奔向前方，以象征福特汽车奔驰在世界各地，令人爱不释手，也暗示了福特对动物的宠爱。

图 2-8 福特汽车公司车标

2. 福特·野马和眼镜蛇汽车车标（图 2-9）

“野马”牌跑车是美国名牌跑车，其车标采用了一匹正在奔驰的野马，这种野马是墨西哥和美国加利福尼亚州出产的名贵野马，身强力壮、善于奔跑。车标中的野马形象强劲有力，热情奔放，表示该车的速度极快。“眼镜蛇”跑车由“野马”牌跑车改装而成，“野马”车标仍在车的前面，“眼镜蛇”车标在车的两侧，像是“眼镜蛇”追击“野马”不得不急驰，形容跑车速度之快，给人留下极深的印象。

图 2-9 福特·野马和眼镜蛇汽车车标

车标鉴赏——陶冶情操

美国的福特·野马、意大利的法拉利、德国的保时捷、中国的宝骏等在车标中使用了马的造型。马既是速度的化身，也曾经是人类生活中重要的交通工具，与“马”相关的词汇（如一马当先、马到成功、策马奔腾等）也具有领先、顺利、豪爽、洒脱、无拘无束等人们所喜爱的含义。

汽车车标不仅是塑造汽车品牌形象的利器，还是识别汽车品牌个性的视觉符号。企业将动物造型元素运用于汽车车标设计，借用动物形象来体现汽车的性能、品质，以及品牌的精神、理念、文化内涵与地位。

3. 林肯（Lincoln）汽车车标（图 2-10）

亚伯拉罕·林肯是美国第 16 任总统，林肯汽车则是借助总统的名字来树立公司的形象。林肯汽车车标是一个矩形中含有一颗闪闪放光的星辰，表示林肯总统是美国联邦统一和废除奴隶制度的启明星，也喻示林肯汽车光辉灿烂，是顶级汽车。

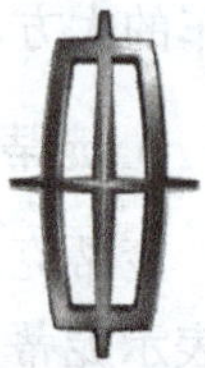

图 2-10 林肯汽车车标

4. 水星汽车车标（图 2-11）

水星汽车车标取自太阳系中的水星，在一个圆中有三个行星运行轨迹，很容易让人联想到福特汽车具有太空科技和超时空的创造力。

图 2-11 水星汽车车标

2.3 FCA 美国有限责任公司汽车车标文化

1. 克莱斯勒（Chrysler）汽车车标（图 2-12）

克莱斯勒老汽车车标像五角星勋章，体现了克莱斯勒人的远大抱负，正五边形为五星分割成五个部分，寓意克莱斯勒的汽车遍布亚、非、欧、美、澳五大洲。

20 世纪 90 年代中期开始使用飞翼车标，增加了一对跃跃欲飞的翅膀，象征着克莱斯勒的欣欣向荣。

2009 年更新车标，将三层羽翼合一，强化了金属质感，中间“CHRYSLER”字样衬以蓝底，显得更为清爽。

图 2-12 克莱斯勒汽车车标

2. 道奇（Dodge）汽车车标（图 2–13）

车标“Dodge”源于道奇兄弟的姓氏，银色字母为特色，末端有两条红色斜条纹，象征着敏捷和速度，是道奇品牌运动特性的化身。

图 2–13 道奇汽车车标

3. 普利茅斯（Plymouth）汽车车标（图 2–14）

普利茅斯汽车车标是为了纪念一批英国移民在 1620 年乘坐“五月花”号船自“Plymouth”港口登船前往美洲而设计的。车标中采用了他们所乘坐的帆船——“五月花”号的船形图案。

图 2–14 普利茅斯汽车车标

4. 吉普（Jeep）汽车车标（图 2–15）

吉普英文是 Jeep。Jeep 名称的由来众说纷纭，流传着这么一个说法：Jeep 是源于漫画《大力水手》中的宠物名字“Eugene the Jeep”（尤金吉普），它的叫声是“Jeep，Jeep”。它机智勇敢并且善于应付各种突如其来的险境且屡屡化险为夷，正如吉普车那样，帮助士兵克服困难，这种积极进取的精神符合吉普车的内涵。于 1955 年，Jeep 车标首次在威利斯汽车公司生产的车型 Jeep CJ–5 上使用。

图 2–15 吉普汽车车标

2.4 特斯拉公司汽车车标文化（图 2–16）

特斯拉汽车车标是为纪念发明家尼古拉·特斯拉（Nikola Tesla）而设计的。“T”是 Tesla 的首字母，还代表着电动机的横截面，主体部分代表电动机转子的一部分，而顶部的第二条线则代表了外围定子的一部分。

特斯拉车标

图 2–16 特斯拉公司汽车车标

任务小结

本任务介绍了美国的通用公司、福特公司、FCA 公司、特斯拉公司等主要汽车公司的汽车车标文化。

课后测试

1. 不定项选择题

（1）别克车标新车标保留了“三色盾”，分别代表了别克品牌（　　）的产品基因。

A. 安全　　B. 质感

C. 舒适　　D. 优雅

（2）福特车标采用（　　），选用艺术化的“Ford”英文字母，形似一只活泼可爱、充满活力的（　　）奔向前方，以象征福特汽车奔驰在世界各地，令人爱不释手。

A. 蓝底白字　　B. 灰底白字

C. 小白兔　　D. 小松鼠

（3）特斯拉汽车车标主体部分代表（　　），而顶部的第二条线则代表了外围（　　）的一部分。

A. 轮辋　　B. 电动机转子

C. 感应线圈　　D. 定子

2. 填空题

（1）雪佛兰汽车车标是抽象化了的________，象征雪佛兰汽车的大方、气派和风度。

（2）林肯车标是一个________中含有一颗________，表示总统是美国联邦统一和废除制度的启明星。

3. 思考题

（1）请回答任务描述所提出的问题。

（2）细数美系车标的变迁，说说你最喜欢哪款车标和喜欢的原因。

任务 3 辨认亚洲汽车车标及其含义

学习目标

- 能描述亚洲汽车公司汽车车标的含义。
- 能辨认亚洲汽车公司汽车车标。
- 坚持立德树人，传承中华文明、坚持文化自信。

任务描述

说出图 3-1 所示车标是哪个汽车公司的什么汽车上的车标，并说明其形状特征与含义。

图 3-1 辨认汽车车标

知识参考

3.1 中国汽车车标文化

1. 一汽集团车标（图 3-2）

一汽集团车标取阿拉伯数字“1”和汉字“汽”，通过巧妙布置构成一只展翅翱翔的雄鹰。“1”代表第一，外围椭圆代表全球，寓意一汽集团展翅高飞，走向世界，勇夺第一的雄心壮志。

图 3-2 一汽集团车标

一汽集团的货车产品在车前标有“FAW”，是第一汽车制造厂的英文名称“First Automobile Workshop”的缩写。

2. 一汽东风龙车标（图 3-3）

1958 年 5 月 5 日，中国第一辆自己制造的东风牌轿车诞生，其车标是条中国龙。中国龙是古人结合了鱼、鳄、蛇、猪、马、牛等动物，以及云雾、雷电、虹霓等自然天象而产生的一种神物，至今约有八千年的历史。作为中华民族大融合的参与者和见证物，中国龙的精神也就是团结凝聚的精神；同时，中国龙又是水神，能够普降甘霖，中国龙的精神也就是造福人类的精神。现在，中国龙逐渐由神物演变为吉祥物，有腾飞、振奋、开拓、变化等寓意。

图 3-3 一汽东风龙车标

3. 一汽红旗车标（图 3-4）

一汽红旗轿车是我国最早的自主品牌轿车，其车标图案采用的是盾牌式立体造型，以飘扬的红旗为基础，由红旗和经纬线组成，颜色为金红色，在边框处用银色加以勾勒。车标给人以强大而又充满自信的感觉，更体现出东方古典的韵律之美。

一汽红旗车标

图 3-4　一汽红旗车标

4. 东风集团车标（图 3-5）

东风汽车集团车标“风神”是一对燕子在空中飞翔的尾翼，喻示双燕舞东风，给人以启迪和力量。东风集团前身是第二汽车制造厂，二汽的“二”字寓意于双燕之中，象征着东风牌汽车的车轮不停地旋转，奔驰在祖国大地，奔向全球。“风神”在世界大多数国家也视为“吉祥”和“美好”。

图 3-5　东风集团车标

5. 上汽集团车标（图 3-6）

SAIC 既是上汽集团英文名称的缩写，也是上汽集团的价值观。SAIC 的含义：S—Satisfaction from customer，满足用户需求；A—Advantage through innovation，提高创新能力；I—Internationalization in operating，集成全球资源；C—Concentration on people，崇尚人本管理。

图 3-6　上汽集团车标

6. 荣威汽车车标（图 3-1）

荣威（ROEWE）的命名取意于“创新殊荣，威仪四海”，以两只站立的东方雄狮为核心形象与字母“RW”的融合形成了经典盾形车标，充分体现经典、尊贵的气质，整体形象中西合璧，包蕴自信内涵，充分阐释了上汽集团以自主掌控、自主创新的信念，传承世界先进技术，全新塑造中国的国际品牌的决心和信心。

荣威汽车车标

7. 长安集团车标（图 3-7）

长安集团的老乘用车车标的图形以天体运行轨迹“椭圆”为基础（图 3-7a），捕充“CHANG AN”中“C”和“A”两个关键发音字母作为其造型设计的基本元素，经过抽象、组合、变形而成一个永恒运行的天体、一个攀升的箭头、一个精致的方向盘，又如一辆轻巧的汽车奔驰于阡陌纵横的公路之上。图 3-7b 为长安集团的新乘用车车标。新车标将两个外圈的细化合并，保留了长安汽车一直沿用的“V”。“V”有 Variety（多元）、Value（价值）、Velocity（高效）、Vision（洞见）和 Vitality（活力）之意，寓意长安集团致力于打造世界一流汽车企业，为消费者和股东创造价值。

a）　b）

图 3-7　长安集团乘用车车标

8. 北汽集团车标（图 3-8）

北汽集团车标中的“北”指北京，被简化成两个把手，连成一个方向盘，意指敞开大门，融世界，创未来，产品走向世界各地。

图 3-8　北汽集团车标

9. 广汽集团车标（图 3-9）

广汽集团车标中的“G”，是广汽集团英文缩写“GAC”的首字母。新车标代表着广汽集团的精湛品质与全球视野，是对“至精·志广”企业精神的全新演绎，意味着广汽集团将立足国内、放眼全球，以更博大的胸襟，融合全球科技与人才，创造更大的成就与辉煌，成为卓越的国际化企业集团。

图 3-9 广汽集团车标

10. 奇瑞公司车标（图 3-10）

奇瑞的英文名称是 Chery，“奇”在中文里有“特别的”之意，“瑞”有“吉祥如意”之意，合起来是“特别吉祥如意”的意思。

a） b） c）

图 3-10 奇瑞公司车标

原车标如图 3-10a 所示。2013 年改为图 3-10b，将原来分割的椭圆形外环与 A 字母（CAC 三个字母，是奇瑞汽车公司“Chery Automobile Company”的缩写）变成了一个整体，喻示奇瑞汽车从初期的快速发展，到专注技术、注重品质、依靠科学体系和国际标准流程的战略转型，正在走上追求品牌、品质和效益的理性发展之路。2022 年换标为图 3-10c，全新车标传递出奇瑞跃山而攀、更富精神力和创造力的品牌形象，更容易与当代年轻人产生情感共鸣。

11. 比亚迪公司车标（图 3-11）

比亚迪公司车标中的 BYD 是“build your dreams”的 3 个首字母，意思是“成就您的梦想”，通过字母变形打开了 B、Y、D 三个字母封闭空间，让线条末端如同开放的触点，表示以开放的胸怀和创新的姿态连接更多的用户和伙伴，共建新价值汽车品牌，让强大的中国车向新而行。

比亚迪汽车车标

a）比亚迪汽车车标

b）王朝系列车标

图 3-11 比亚迪公司车标

启示角

从 2012 年“秦”开创了比亚迪“王朝系列”（图 3-11b）以来，比亚迪陆续采用唐、宋、元、汉这些中国古代朝代名称命名车型并作为车标。车标也都采用古代书体之一的篆体汉字作为标识，以体现中国博大精深的文化，展现民族品牌的自信和对中华文化的自信。

12. 华晨金杯汽车车标（图 3-12）

华晨金杯汽车车标中的金杯预示公司秉承“汇融天下，精铸金杯，卓越品质，回报社会”的经营理念，为用户提供性能先进、质量可靠、造型美观、经济实用的产品和一流的服务，而外框的五边形表示汽车走向世界五大洲。

图 3-12 华晨金杯汽车车标

13. 华晨中华汽车车标（图 3–13）

华晨中华汽车车标是“中”字外加国环，像方向盘，又像个奖杯，威仪中透出华贵典雅的内敛，象征华晨中华汽车将跻身世界级汽车之列。

图 3–13　华晨中华汽车车标

14. 吉利集团车标（图 3–14）

吉利集团新车标沿用了此前的盾牌式设计，由六块“无界蓝”的宝石组成，整体设计进行一次扁平化的更迭，其中：“六”代表六六大顺，与“吉利”相互呼应；宝石色彩引入了代表源自孕育生命的海洋以及浩瀚的宇宙星空的“无界蓝”，意味着新时代的吉利，将打破传统思维的束缚，以无边界的创新思想探索未来，以科技引领，不断突破自我，释放无限潜能。

吉利汽车车标

图 3–14　吉利集团车标

15. 长城汽车公司车标（图 3–15）

长城汽车公司车标有多种。图 3–15a 是长城汽车车标：呈椭圆外形，表示立足中国，走向世界；烽火台象征中国长城；剑锋箭头预示敢于亮剑、无坚不摧、充满活力、蒸蒸日上；立体“1”显示快速反应，永争第一。

图 3–15b 是哈弗车标：英文是“HAVAL”，即“自由翱翔”的意思；由红底银色金属字组成，有 have all 的含义；红色给人热烈、奔放、激情，整体长方造型，代表着中国品牌。

a）　b）　c）

图 3–15　长城汽车公司车标

图 3–15c 是魏牌车标：在名称方面，“WEY”来源于长城汽车创始人魏建军的姓氏；旗杆设计灵感来自魏建军的家乡保定古城的直隶总督府门前曾经矗立着全国最高的旗杆，表达了魏建军对故乡的敬意，同时也包含了他对品牌的美好愿景、追求和承诺，以及树立中国豪华 SUV 的旗帜与标杆的期望。

16. 小鹏汽车公司车标（图 3–16）

小鹏汽车公司车标的图形向四方延伸，形似一个大写字母“X”，这个“X”代表探索者“explorer”中“X”，寓意小鹏汽车突破边界，勇于探索科技无人区，以领先的科技给车主带来更便捷愉悦的出行体验。

图 3–16　小鹏汽车公司车标

小鹏汽车公司车标图形又似舒展开的两翼，仿佛在太阳光映射下的海天相接之处，一尾大鲲羽化成鹏，鹏振起双翅，飞向更广阔的未来，寓意小鹏汽车以智慧远见和科技实力，推动出行向更智能、更多维、更低碳的美好未来持续变革。

17. 蔚来汽车公司车标（图 3–17）

图 3–17　蔚来汽车公司车标

蔚来，寓意“Blue Sky Coming”，车标的上下两部分分别象征蔚来的愿景和行动：上半部分代表天空，象征开放、未来与目标；下半部分代表延伸向地平线的路面，象征方向、行动与向前的动力。

18. 理想汽车车标（图 3-18）

理想汽车源于对用户需求的用心思考和对技术研发的扎实投入。作为一个纯正的智能电动车品牌，理想汽车将史无前例地为用户打造没有里程焦虑的智能电动车。理想汽车车标中的“LI”灵感来自英文品牌名称“LEADING IDEAL”的首字母。

图 3-18 理想汽车车标

3.2 日本汽车车标文化

1. 丰田汽车车标（图 3-19）

丰田汽车公司名称取自创始人丰田喜一郎的姓氏（TOYOTA）。丰田汽车车标将三个外形近似的椭圆巧妙地组合在一起，每个椭圆都是以两点为圆心绘制的曲线组成，象征用户的心与汽车厂家的心是连在一起的，具有相互信赖感。而且使图案具有空间感，并将“TOYOTA”的字母寓于图形车标之中。大椭圆内的两个椭圆垂直交叉组合成一个“T”，代表丰田汽车公司；大椭圆表示地球，中间的“T”与外面的椭圆重叠，使“T”最大限度地占据了椭圆空间，更显突出，喻示丰田汽车面向未来，走向世界。

丰田汽车车标

图 3-19 丰田汽车车标

2. 雷克萨斯（Lexus）汽车车标（图 3-20）

雷克萨斯汽车车标是在一个椭圆中镶嵌英文“Lexus”的第一个大写字母“L”，喻示该车像一匹黑马，驰骋在世界各地的道路上。因为雷克萨斯（Lexus）的读音与英文豪华（Luxe）一词相近，使人联想到该车是豪华轿车的印象。

图 3-20 雷克萨斯汽车车标

3. 大发汽车车标（图 3-21）

大发汽车车标是向上发展的流线型字母“D”，取自于“大发”拼音“DAIHATSU”的首字母。车标把字母“D”图案化，寓意着大发汽车公司“永葆青春活力”，显示着公司的向上发展。

图 3-21 大发汽车车标

4. 日野汽车车标（图 3-22）

日野汽车车标由一个艺术化了的“H”和“日野”拼音“HINO”组成。艺术化了的“H”看似一个轴对称图形，由一主轴连接两端，喻示着日野将在丰田公司的领导下向前发展，整个图形成半闭合状态，又喻示着公司将前途无量。

图 3-22 日野汽车车标

5. 本田汽车车标（图 3-23）

本田汽车车标中的“H”是“本田”拼音“HONDA”的第一个字

母，采用三弦音箱式设计，体现了本田公司年轻、技术先进、设计新颖的特点，把技术创新、团结向上、经营有力、紧张感和轻松感表现得淋漓尽致。

本田汽车车标

图 3-23　本田汽车车标

6. 讴歌（Acura）汽车车标（图 3-24）

“Acura”意为“高速、精密、准确”。讴歌汽车车标是英文字母“A”的变形，犹如一把卡钳（专门用于精确测量的工具），体现了企业汽车制造“精确”的主题。

图 3-24　讴歌汽车车标

图 3-25　三菱汽车车标

7. 三菱汽车车标（图 3-25）

三菱汽车车标是岩崎家族的家族标志“三段菱”和土佐藩家族标志“三柏菱”的结合，后来逐渐演变成今天的三菱钻石标志，以突显其深邃灿烂的菱钻式的造车艺术和公司的三条原则：承担对社会的共同责任、诚实与公平、通过贸易促进国际谅解与合作。

8. 日产汽车车标（图 3-26）

“日产”两个字的日语读音为“NISSAN”，是日本产业公司的简称，车标中的圆表示太阳，中间的字是“日产”两字的日语拼音形式。新的日产汽车车标代表了日产充满独特性、创新的汽车与服务的理念。

日产汽车车标

图 3-26　日产汽车车标

9. 铃木汽车车标（图 3-27）

铃木汽车车标是用铃木道雄姓氏的拼音“SUZUKI”和第一个字母“S”设计而成，给人以力量的感觉，象征着发展中的“铃木”。

图 3-27　铃木汽车车标

图 3-28　斯巴鲁汽车车标

10. 斯巴鲁汽车车标（图 3-28）

斯巴鲁汽车车标采用六连星的昴宿星座的形式，象征组成其母公司富士重工的各分公司。

11. 五十铃汽车车标（图 3-29）

五十铃（ISUZU）汽车公司现使用双柱车标，左边那根柱子象征着和用户并肩前进的五十铃汽车公司，右边那根柱子象征着与世界各国合作发展的五十铃汽车公司。

图 3-29　五十铃汽车车标

3.3 韩国汽车车标文化

1. 现代汽车车标（图 3-30）

现代汽车车标是在椭圆中的斜体字“H”。“H”是现代汽车公司名“Hyundai”的第一个大写字母。椭圆既代表汽车的方向盘，又可以看作是地球，与其间的“H”结合在一起，代表了现代汽车遍布全世界，体现了现代汽车公司在世界上腾飞这一理念，象征现代汽车公司在和谐与稳定中发展。

现代汽车车标

图 3-30　现代汽车车标

2. 起亚汽车车标（图 3-31）

起亚的名字，源自汉语，“起”代表起来，“亚”代表在亚洲。因此，起亚的意思，就是“起于东方”或“起于亚洲”，走向世界。

起亚全新车标依旧是“Kia”英文字母的变体，但是整体的造型更加简洁和现代化。新车标的设计源于三大设计理念——均衡（Symmetry）、律动（Rhythm）和向上（Rising）。全新标识表明了起亚志在以变革和创新成为行业标杆的承诺和决心。

图 3-31　起亚汽车车标

3.4 印度汽车车标文化

塔塔集团车标（图 3-32）由集团名称“TATA”和图案组成，图案用 T 字母形成高速公路图案，喻示 TATA 汽车走向世界。

图 3-32　塔塔集团车标

3.5 马来西亚汽车车标文化

宝腾汽车公司车标（图 3-33）为盾牌上镶嵌一个马来虎侧面的图案，突显宝腾汽车的强劲与威风。

图 3-33　宝腾汽车公司车标

任务小结

本任务主要介绍了中国、日本、韩国、印度等亚洲国家主要汽车公司的汽车车标文化。

课后测试

1. 不定项选择题

（1）（　　）前身是第二汽车制造厂，二汽的“二”字寓意于双燕之中，喻示双燕舞（　　）。

A. 东风汽车集团　　B. 东南汽车集团

C. 南风　　D. 东风

（2）荣威（ROEWE）的命名取意于“创新殊荣，威仪四海”，以两只站立的（　　）为核心形象与字母（　　）的融合形成了经典盾形徽标。

A. 东方雄狮　　B. 华南虎

C. RW　　D. RE

（3）一汽红旗车标采用的是盾牌式立体造型，由飘扬的（　　）和（　　）组成，颜色为金红色，在边框处用银色加以勾勒，给人感觉强大而又充满自信，更体现出东方古典的韵律之美。

A. 彩旗　　B. 红旗　　C. 波浪线　　D. 经纬线

2. 填空题

（1）1958 年 5 月 5 日，中国第一辆国产的________牌轿车诞生，车标是条________。

（2）奇瑞汽车公司名称中的“奇”在中文里有“________”之意，“瑞”有“________”之意。

（3）蔚来，寓意“Blue Sky Coming”，车标的上下两部分分别象征蔚来的________和________。

3. 思考题

（1）请回答任务描述所提出的问题。

（2）请为您的奋斗目标设计一个 LOGO，并进行交流。

项目 02

源远流长的汽车发明文化

汽车为人类立下了不朽的功勋，但汽车的发明和发展却经历了漫长的年代，经过了无数发明家、科学家的努力，绝非一人所为、一日之功。人类在对“代步工具”的探索历程中，尽管经历了无数的失败，但他们那种坚韧的创造精神和严谨的科学态度，是永远值得后人敬仰和学习的。

任务 4　非机动车发明史检索

学习目标

- 通过检索能制作一份非机动车发明史的思维导图。
- 能举例说明中国古代对汽车发明的历史贡献。
- 培养学生敢为天下先的创新精神和创新思维。

任务描述

汽车发明来源于非机动车。请同学们自己通过相关资料检索，厘清非机动车的发明历史。通过本任务的学习，请按时间轴制作一份非机动车发明史的思维导图，同时掌握我国对非机动车发明的历史贡献，并能举例说明。

知识参考

4.1 人畜运输

1. 人力运输

从人类起源至公元前 5000 年左右，此阶段没有运输工具，全靠手提、头顶、肩扛（图 4–1）、背负完成。

2. 畜力运输

公元前 5000 年—公元前 4000 年左右，人类驯服马、牛来驮运物品（图 4–2）。

北欧已经使用鹿拉雪橇（图 4–3）。

图 4-1　肩扛

图 4-2　畜力运输

图 4-3　原始雪橇架

4.2 古代战车

1. 车轮的发明

公元前 4000 年左右，美索不达米亚（Mesopotamia，古巴比伦的所在之处）的苏美尔人发明了车轮（图 4–4），使滑动摩擦变为滚动摩擦。车轮的演变进程见图 4–5。

2. 非机动车诞生

公元前 3300 年，苏美尔已出现战车（图 4–6）。

图 4-4　发现最早的车轮

图 4-5　车轮的演变进程

图 4-6　苏美尔战车

3. 轩辕黄帝

我国有“轩辕黄帝造车”的传说。轩是古代一种有帷幕而前顶较高的车，辕是车的基本构件，是指车前驾牲畜的两根横木。

4. 我国设立“车正”

约在公元前 2000 年，我国出现了辁（指没有轮辐的车轮，见图 4–7，图中木制车轮上固定上了横木，可防止木纹裂开）和各种有辐条的车轮；设立了“车正”，即车辆总管。《左传》记载，奚仲曾做过夏王朝“车正”（图 4–8）。

5. 象形文字“车”

约在公元前 1000 多年前，我国的甲骨卜辞中，已出现象形文字“车”（图 4–9、图 4–10），我们从“車”字本身的形象不难看出它由车轮、车轴、车篷组成的痕迹。

6. 春秋时期战车

公元前 770 年—公元前 476 年的春秋时期，我国出现古代战车，图 4–11 是春秋时期战车复原图。

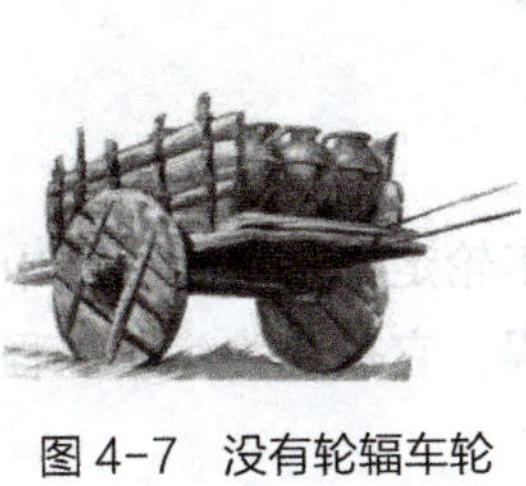
图 4-7　没有轮辐车轮

图 4-8　奚仲“车正”

图 4-9　甲骨文

图 4-10　金文

图 4-11　我国春秋时期战车

7. 秦始皇陵铜车马（图 4-12）

秦始皇陵铜车马在公元前 248 年—公元前 207 年制造。秦始皇陵一号铜车马高 1.52m、长 2.25m，由 3000 多个零件组成，用了铸造、镶嵌、焊接、铆接、子母扣连接等十几种工艺手法，全部可以自由开合。所有窗板均镂空铸成菱形花纹小孔，用来调节空气，具有通风保温的作用。马络头装饰的缨络采用青铜拔丝法，直径只有 0.3~0.5mm。代表了我国当时铸造技术、金属加工和组装工艺的高超水平。

秦始皇陵一号
铜车马

图 4-12　秦始皇陵一号铜车马

公元 13 世纪左右，我国高超的马车制造技术通过丝绸之路传到欧洲，比欧洲早 1000 多年。

历史的记忆——中国古文明

中国古代的青铜冶炼、制作和雕刻技术长期位居世界前列，从后母戊鼎到曾侯乙编钟，古代的前辈们为我们留下了太多曾经惊艳过全世界的青铜器具。其中还原之后的秦始皇陵铜车马，全车都是由铜打造，从战马、车手到服饰、纹饰再到缰绳、箭箙、弓弩等，无一不逼真精美。铜车马上的伞的设计，充满了细致繁复的机械结构，如：伞柄内部有多重锁，里面还有卯榫的结构；伞顶端与伞盖连接处，是一个青铜制大齿轮（可自由拆卸），齿轮与伞骨连接，能均匀承载铜制伞盖压力；伞座、伞柄之间是自锁式闭锁结构，伞座包括活铰、曲柄销式闭锁，有暗槽，可以锁死，也可以轻松打开；为了稳固伞柄，伞柄还有扣锁杆，杆上的活扣就好比今天的活动插销，可以固定伞柄中部，防止车马行进时刮风，使伞柄折断。秦始皇陵铜车马淋漓尽致地展示了古代工匠具备的十足的设计思维和产品的实用性，也证明了我国古代的青铜冶炼、铸造工艺和雕刻技术的高超。

8. 记里鼓车（图 4-13）与指南车（图 4-14）

记里鼓车和指南车在汉代（公元前 206 年—公元 220 年）出现。

图 4-13　记里鼓车

图 4-14　指南车

记里鼓车利用齿轮原理，由车轮带动大小不同的一组齿轮，使车轮走满一里时，其中一个齿轮刚好转动一圈，该轮轴拨动车上木人打鼓或击钟以报告行程。它被誉为汽车里程表和减速装置的先驱。

指南车的车上立一个木人伸臂南指，只要一开始行车的时候木人的手臂向南指，此后不管车向东或向西转弯，由于齿轮系的作用，木人的手臂始终指向南方。

创新精神——敢为天下先

在车辆发展的过程中，从机械结构方面而言，指南车和记里鼓车可以说是现代车辆上减速装置和里程表的先驱。通过对齿轮传动系统改进与创新，东汉的张衡、三国时代的马钧，以及南北朝时祖冲之等名家巧匠竞相研制，成功制造了指南车和记里鼓车。有了它们，古人可以随时知道车辆行驶的方向以及路程。

记里鼓车的机械装置的科学原理与现代汽车上的里程表基本相同。指南车上这种利用差动齿轮装置来指示方向的机械，在今日仍有现实意义。

通过剖析古人在机械制造方面的成果，努力学习古人敢为天下先的创新精神和创新思维。

9. 独轮车

公元前 1 世纪，中国人发明了独轮手推车（图 4-15），而西方到公元 11 世纪才使用独轮车，比中国晚了 1200 年。独轮车能在极其狭小的路面行驶，比用肩膀挑担省力。

公元 3 世纪，三国时代的诸葛亮发明"木牛流马"（图 4-16），用其在崎岖的栈道上运送军粮，且"人不大劳，牛不饮食"。至于"作一木牛，牛仰双辕，人行六尺，牛行四步"的"木牛流马"究竟属何形态，利用何种原理，仍是一个千古之谜。

图 4-15　独轮手推车

图 4-16　"木牛流马"假想图

4.3 近代马车

图 4-17 所示是 19 世纪美国康科德城的公共马车。

马车的历史极为久远，从公元前 700 多年一直到 19 世纪汽车诞生之前，马车就是城市交通的主要工具。

图 4-17　公共马车

任务小结

1. 汽车发明是社会进步和科技发展的必然产物，它经历了人畜运输、非机动车、蒸汽汽车到内燃机汽车的长期发展完善过程。

2. 中国发明了秦始皇陵铜车马、记里鼓车、指南车等，为世界汽车的发明和发展做出了伟大贡献。

课后测试

1. 不定项选择题

（1）秦始皇陵铜车马主要采用了以下哪几种工艺手法？（　　）

A. 铸造　　B. 镶嵌　　C. 焊接

D. 铆接　　E. 子母扣连接

（2）以下哪种非机动车被誉为汽车里程表和减速装置的先驱？（　　）

A. 记里鼓车　　B. 指南车

C. 秦始皇陵铜车马　　D. 独轮车

（3）三国时代的（　　）发明“木牛流马”，用其在崎岖的栈道上运送军粮。

A. 马钧　　B. 诸葛亮

C. 李撰　　D. 毕岚

2. 填空题

（1）车的发明始于________，它使________摩擦变为________摩擦。

（2）轩是古代一种有帷幕而前顶较高的________，辕是指车前驾牲畜的两根________。

3. 思考题

（1）请按时间轴制作一份非机动车发明史的思维导图。

（2）中国为世界汽车发明做出了哪些伟大的贡献？

任务 5　机动车发明史检索

学习目标

- 通过检索能制作一份机动车发明史的思维导图。
- 能描述内燃机汽车发明史的重要事件。
- 引导学生学会运用“量变与质变是辩证统一”的马克思主义哲学观点分析问题。

任务描述

汽车由来经历了漫长年代，请同学们通过相关资料检索，梳理机动车的发明过程。通过本任务的学习，请按时间轴制作一份机动车发明史的思维导图，并预测未来汽车的发展趋势。

知识参考

5.1 机动车初探

1. 设想汽车

我国唐代天文学家僧一行（原名张遂，683—727 年）（图 5-1），第一个提出“激铜轮自转之法，加以火蒸汽运，名曰汽车”。他是世界上设想汽车的第一人。

2. 发条车

15 世纪，意大利文化巨人达·芬奇（Leonardo Da Vinci）（图 5-2）开始设计发条车（图 5-3）。他神奇地预测了现代社会的文明，是汽车、飞机、潜水艇、自行车、蒸汽机等机械的初始设计者。

图 5-1　僧一行

图 5-2　达·芬奇

图 5-3　根据达·芬奇的设计图制造的发条车

3. 赫丘的发条车（图5-4）

1649年，德国的钟表匠汉斯·赫丘根据达·芬奇的设计图试制成功一辆依靠发条驱动的四轮车，行驶速度达1.6km/h，每走230m要上一次发条。该发条车在当时是一件稀世珍宝，被瑞典王子卡尔·古斯塔夫用重金购买。

4. 双桅风力帆车（图5-5）

1600年，荷兰物理学家西蒙·斯蒂芬制造双桅风力帆车。他把木轮装到船上，凭借风力驱动帆车行进，试验时行驶速度达到24km/h。但是没有风，车就不能开动，况且风和道路的方向会不断变化，所以这是一辆“不听话的车”。

图5-4　赫丘的发条车

图5-5　双桅风力帆车

蒸汽机发明史

5.2 蒸汽汽车发明史

1. 冲动式汽轮机和蒸汽射流原理

1629年，意大利工程师布兰卡（Branca）发明了利用蒸汽冲击风轮旋转的机器，这是冲动式汽轮机的雏形（图5-6）。

1663年，英国大科学家艾萨克·牛顿（Isaac Newton）（图5-7）提出按“蒸汽射流”原理制造蒸汽机汽车。

2. 蒸汽射流式的蒸汽汽车（图5-8）

1668年，比利时传教士南怀仁（康熙皇帝的数学老师）在北京成功制造一辆蒸汽射流式的蒸汽汽车，车身中安装一个煤炉，加热水，利用一定温度和压力的水蒸气的喷射作用，推动叶轮旋转，从而带动车轴转动，推动汽车前进。

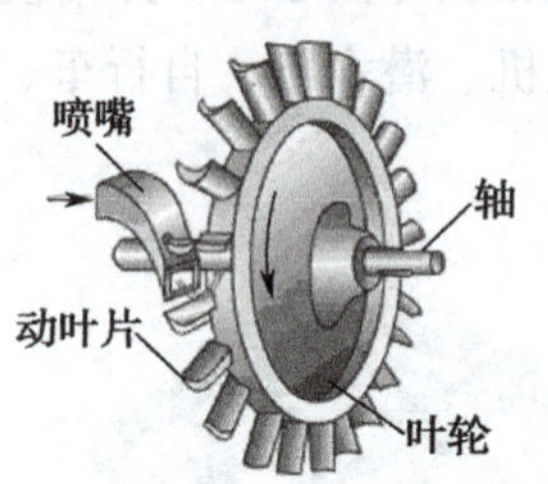

图5-6　冲动式汽轮机原理

图5-7　艾萨克·牛顿

图5-8　蒸汽射流式蒸汽汽车

3. 纽柯门蒸汽机（图5-9）

1712年，英国工程师托马斯·纽柯门（Thomas Newcomen）综合前人试验，成功制造第一台实用的大气式蒸汽机。蒸汽通入气缸后推动活塞上行，接着在气缸内部喷水使它冷凝，造成气缸内部真空，气缸外的大气压力推动活塞向下，再通过杠杆、链条等机构带动水泵活塞提升做功。该蒸汽机热效率低，燃料消耗量大，在欧洲流行 60 年，主要用于矿井排水。

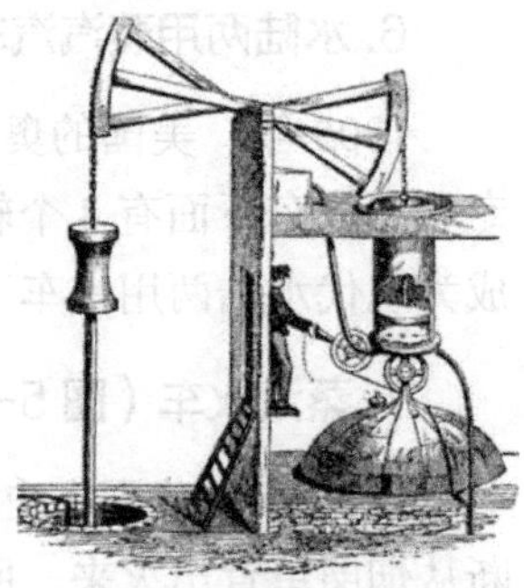
图 5-9 纽柯门蒸汽机

4. 瓦特蒸汽机

1765 年，英国的詹姆斯·瓦特（James Watt）（图 5-10）在修理纽柯门蒸汽机时，发现气缸一会儿被加热，一会儿又被冷却，白白浪费了很多热量，于是研制成功分离冷凝器的单动式蒸汽机，让气缸始终是热的，负责做功，让另一个容器始终是冷的，负责使蒸汽冷凝，比纽柯门的蒸汽机节约煤 75%。瓦特于 1769 年取得发明专利，之后他又研究制造了蒸汽机的曲柄连杆机构、行星齿轮机构、四连杆机构、配气机构、飞轮、离心调速器、压力表等，历经 20 余年不懈研究，取得了多个专利。1781 年，瓦特的双作用式蒸汽机（图 5-11、图 5-12）广泛运用于火车、轮船、采矿、冶金等行业，极大地推动了世界各国生产力发展。恩格斯评论“蒸汽机是第一个真正国际性的发明”。为了纪念这位伟大的发明家，人们把功率的国际单位定为“瓦特”（W）。

图 5-10 詹姆斯·瓦特

图 5-11 瓦特发明的蒸汽机

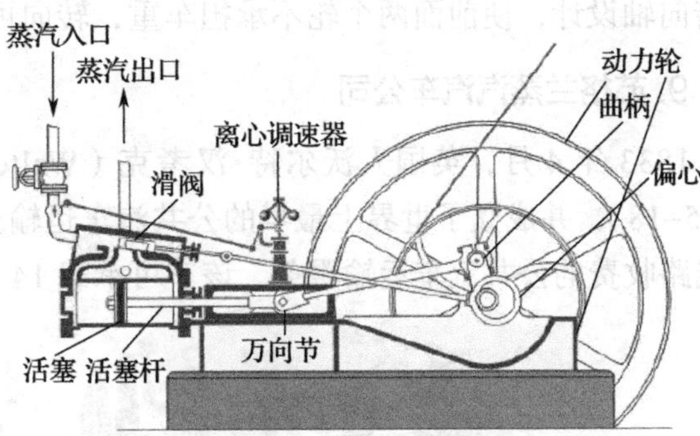

图 5-12 双作用式蒸汽机

5. 第一辆蒸汽三轮汽车（图 5-13）

1769 年，法国炮兵大尉卡格诺（N.J.Cugnot）在奉命研制大炮的牵引车时，研制出第一辆蒸汽三轮汽车，被命名为“卡布奥雷”。该车长 7.32m，高 2.20m，前轮直径 1.28m，后轮直径 1.50m。该车前面支撑着一个梨形大锅炉，后边有两个气缸，锅炉产生的蒸汽送进气缸，推动气缸里面的活塞上下运动，再通过曲柄把动力传给前轮前进，行驶速度为 3.5~3.9km/h。试车时，由于下坡操纵不灵，撞到兵工厂墙上，成为世界上第一起机动车车祸。

图 5-13 第一辆蒸汽三轮汽车

6. 水陆两用蒸汽汽车（图 5-14）

1805 年，美国的奥利弗·爱文思（Oliver Evans）制造了水陆两用蒸汽汽车，并申请了专利。该车下面有 4 个轮子，后面还有一个蹼轮，在陆地靠车轮行走，在水里靠蹼轮驱动，成为现代水陆两用汽车（图 5-15）的先驱。

7. 蒸汽火车（图 5-16）

1814 年，英国人史蒂芬逊（G.Stephenson）制造了蒸汽火车。由于蒸汽机在前进时不断从烟囱里冒出火来，所以人们称它为“火车”，它能拖得动 30 多吨的货物。

图 5-14　水陆两用蒸汽汽车

图 5-15　现代水陆两用汽车

图 5-16　蒸汽火车

8. 第一辆正式运营的蒸汽公共汽车（图 5-17）

1825 年，英国的嘉内（G.Gurney）公爵制造了世界上第一辆正式运营的蒸汽公共汽车（图 5-17），18 座，车速 19km/h。该车采用发动机后置、后轴驱动，前轴采用了巧妙的专用转向轴设计，使前面两个轮不承担车重，转向可以轻松自如。

9. 苏格兰蒸汽汽车公司

1833 年 4 月，英国人沃尔特·汉考克（Walter Hancock）制造了“企业”号蒸汽汽车（图 5-18），并成立了世界上最早的公共汽车运输公司——“苏格兰蒸汽汽车公司”，进行固定线路收费的公共汽车运输服务。该车可承载 14 名乘客，车速可达 32km/h。

图 5-17　第一辆正式运营的蒸汽公共汽车

图 5-18　“企业”号蒸汽汽车

10. 英国政府的“红旗条例”

1861 年，由于蒸汽汽车存在的缺点和保守势力的反对，英国政府通过了一项《机动车道路法案》，规定蒸汽车辆的车速在乡村不得超过 16km/h，在城镇不得超过 8km/h。4 年以后，这种车速限制就降低到乡村不超过 6.4km/h，城镇不超过 3.2km/h。同时规定，一辆车必须有 3 名驾驶员，手执红旗的车务员（“红旗条例”由此得名）必须走在车前 20m 处警告行人注意安全（图 5-19），并负责限制车速；严格限制驾驶员鸣笛放汽，以免惊吓马匹；与马车“狭路相逢”时，要为马车让路。

图 5-19　英国政府的“红旗条例”实施场景

5.3 内燃机发明史

内燃机发明史

1. 火药机（图 5-20）

17 世纪 80 年代，荷兰物理学家、天文学家、数学家克里斯蒂安·惠更斯（Christiaan Huygens）（图 5-21）设计出一台火药机。该火药机靠少量的火药在气缸里燃烧来提升活塞，当气体冷却时，大气压力便将活塞向下推，靠此来提起重物做功。这种火药机被认为是内燃机的鼻祖。由于火药危险性大，火药机没有成功，但为后来的内燃机的问世准备了条件。

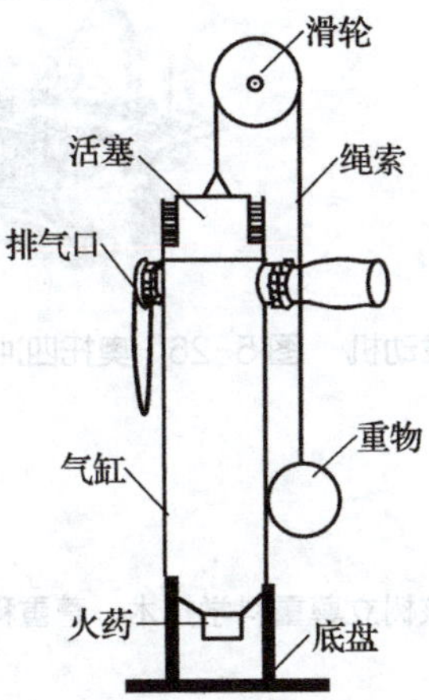

图 5-20　火药机

图 5-21　克里斯蒂安·惠更斯

2. 煤气机（图 5-22）

1860 年，法国工程师勒努瓦（E.Lenoir）（图 5-23）制成了用电火花点燃煤气和空气混合物的煤气机，结构类似蒸汽机，由水平放置的一个气缸和双侧做功的活塞组成，用滑阀开闭控制进气和排气，没有压缩，热效率只有 3%。

图 5-22　煤气机

图 5-23　勒努瓦

3. 四冲程原理和自由活塞发动机

1861 年，法国工程师罗彻斯（A.B de Rochas）提出了著名的内燃机四冲程原理，即活塞在气缸中上下移动四次，完成进气、压缩、做功、排气一个循环，可以有效提高热效率。100 多年来的汽车发动机，几乎都是采用该四冲程原理。

1866 年，德国发明家奥托（N.Otto）（图 5-24）和兰根（E.Langen）合作制造了大气发动机，也称自由活塞发动机（图 5-25）。

4. 奥托四冲程内燃机（图 5-26）

1876 年，奥托制成了一台往复活塞式、单缸、卧式、3.2kW 的四冲程煤气内燃机，压缩比为 2.66，热效率达到 14%，比没有压缩冲程的发动机提高了三倍，有力证明了科学技术是第一生产力这个真理，也结束了 200 年来人们寻找小型车辆动力的历史。

图 5-24　奥托

图 5-25　自由活塞发动机

图 5-26　奥托四冲程内燃机

启示角

科技兴则民族兴，科技强则国家强。当代青年应该树立尊重科学技术、尊重科学家的意识，努力学习，增长知识，让科学的种子在中国的大地上生根发芽。

5. 奥托四冲程内燃机专利与放弃

奥托四冲程内燃机于 1877 年 8 月 4 日获得德国专利，专利号 532。新型内燃机在 1878 年巴黎万国博览会上赢得了工程技术界的普遍称赞，认为它是“自瓦特以来在动力方面取得的最大成就”。然而奥托却在 1886 年放弃自己所获得的四冲程内燃机专利，提出任何人都可根据需要随意制作，因为他看到了法国工程师罗彻斯写的一本小册子，在他发明四冲程内燃机之前已经比较完整地提出了四冲程内燃机的原理。奥托的高尚品德博得了人们的高度赞誉。同时，大家认为第一个研制出这种内燃机的人是奥托，因此后来人们一直将点燃式发动机四冲程循环称为奥托循环。

名人事迹

奥托放弃四冲程内燃机专利，不计个人得失，淡泊名利，在科学发明面前尊重客观事实，坚持实事求是的世界观，值得学习和弘扬。

6. 第一台四冲程往复式汽油机

1883 年 8 月 15 日，德国的发明家戈特利布·戴姆勒（图 5–27）与威廉·迈巴赫（图 5–28）合作，成功制造出世界上第一台四冲程往复式汽油内燃机，此内燃机上安装了迈巴赫设计的化油器，还用白炽灯管解决了点火问题。它最突出的特点是高速，当时其他内燃机的转速不超过 200r/min，它却一跃而达到 800 ~ 1000r/min。它具有功率大、质量轻、体积小、转速快和效率高等优点，特别适用于交通工具。

7. 世界上第一台摩托车（图 5–29）

1885 年，戴姆勒与迈巴赫又研制出世界第一台风冷立式单缸二冲程汽油机，功率 809W，并于 1885 年 4 月 3 日获得专利。由于外形缘故，该专利又被称为“老爷钟”（Grandfather Clock）。之后他们又把它装在两轮自行车上，制成世界上第一台摩托车，于 1885 年 8 月 25 日获得德国专利，成为世界摩托车的鼻祖，而迈巴赫成为第一位摩托车手。该摩托车采用橡木车架、真皮座垫、木制车轮，利用压带轮控制传动带转动，通过一级齿轮变速，最高车速可达 11.2km/h。

图 5–27　戈特利布·戴姆勒

图 5–28　威廉·迈巴赫

图 5–29　世界上第一台摩托车

8. 鲁道夫·狄塞尔发明柴油机

1890 年，德国工程师鲁道夫·狄塞尔（Rudolf Diesel）（图 5–30）第一个提出压燃式内燃机原理，于 1892 年 2 月 27 日取得了专利（图 5–31）。他在 1894 年造出样机（图 5–32），并在 1898 年投入商业性生产，热效率达 26%，比汽油机高得多。这是一项震惊世界的卓越发明。

遗憾的是，狄塞尔晚年穷困潦倒，债务重重，他在 1913 年 9 月 29 日突然失踪。人们为了纪念这位伟大发明者，将柴油机称为“狄塞尔发动机”，并在 1958 年发行了纪念狄塞尔诞生 100 周年的邮票（图 5–33）。

图 5–30　鲁道夫·狄塞尔

图 5–31　专利证书

图 5–32　样机

图 5–33　狄塞尔诞生 100 周年纪念邮票

量变产生质变——“骐骥一跃，不能十步；驽马十驾，功在不舍”

内燃机发展至今，有 160 年的历史。同其他科学一样，内燃机的每一个进步都是人类生产实践经验的概括和总结，正是奥托和狄塞尔对内燃机的工作循环提出了较为完善的奥托循环和狄塞尔循环，才使得几十年间无数人的实践和创造活动得到了一个科学的总结，并有了质的飞跃。不难发现，如果没有前人的发明和创造，无论奥托和和狄塞尔多么天才，也不可能凭空造出具有实用价值的内燃机。技术的进步需要继承、发展，以及经年累月的积累，同时，需要数辈人的努力，才有可能实现突破。

5.4 内燃机汽车发明史

1. 世界上第一辆三轮汽车（图 5–34）

1886 年 1 月 29 日，德国工程师卡尔·本茨（Karl Benz）（图 5–35）将其研制的汽油机装在一辆三轮车上，制造了世界上第一辆三轮汽车，并申请了专利，专利号为 DRP 37435（图 5–36），专利名称“气态发动机”，类别属于空气及气态动力机械类。为此，这一天被后人称为现代汽车诞生日，本茨也被誉为“汽车之父”。

图 5–34　世界上第一辆三轮汽车

图 5–35　卡尔 · 本茨

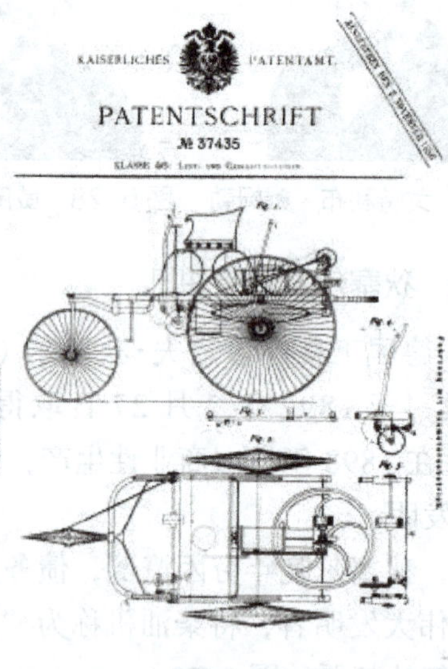

图 5–36　第一辆三轮汽车专利

该汽车采用单缸四冲程汽油机，排量 0.954L、发动机转速 400r/min、功率 550W，蓄电池与高压线圈点火，有散热器，发动机放在后面车架上。车身采用金属管架，辐条式橡胶胎车轮，前面一个小轮，靠操纵杆控制方向，首次采用齿轮齿条转向器；后面两个大轮，装有世界上最早的差动齿轮装置（差速器），还装有变速器和制动器；在车架和车轴之间，首次装有弹簧悬架，使乘坐舒适。该车已经具备了现代汽车的一些基本特点，最高车速达 15km/h。

2. 世界上第一辆四轮汽车（图 5-37）

1886 年，德国发明家戴姆勒成功制造了第一辆四轮汽车，后人把他与本茨同称为“汽车之父”。

该汽车采用单缸四冲程汽油机，排量 0.462L、功率 820W，发动机后置，后轮驱动，前轮转向杆转向，最高车速达 16km/h。

图 5-37　世界上第一辆四轮汽车

5.5 车身变化史

1. 马车形车身

从 19 世纪末到 20 世纪初，早期生产的汽车外形沿用了马车的造型。因此当时人们把汽车称为“无马的马车”。

图 5-38 是标致工厂 1891 年为摩洛哥王族生产的马车形汽车，图 5-39 是 1901—1905 年在美国最畅销的奥兹莫比尔弯挡板马车形汽车。

图 5-38　标致马车形汽车

图 5-39　奥兹莫比尔弯挡板马车形汽车

2. 箱形车身

为了提高发动机的功率和汽车的速度，发动机的尺寸越变越大，在座位下面已经无法容纳，只好布置在汽车的最前面。这使得汽车的形状变成发动机舱和客舱两个方正部分，像个箱子，这就是箱形汽车。

图 5-40 是戴姆勒汽车公司在 1901 年推出的梅赛德斯箱形汽车，图 5-41 是福特汽车公司在 1908 年推出的采用箱形车身的福特 T 型车，其 20 年间累计生产量达到 1500 多万辆。

图 5-40　梅赛德斯箱形汽车

图 5-41　福特 T 型车

3. 甲壳虫形汽车

随着车速日益提高，箱形车身空气阻力大的缺点突出表现出来。汽车空气动力学的研究表明，汽车风阻随汽车速度呈级数增长，当车速超过 100km/h 后，汽车发动机功率大部分消耗在空气阻力上。流线型车身可以大大降低风阻。1934 年，德国著名汽车设计大师费迪南德·保时捷（Ferdinand Porsche）（图 5–42）仿照甲壳虫外形设计了一款汽车，人们称这种车为“甲壳虫”汽车。1935 年制造出第一辆样车，1939 年正式投产。由于其外观时尚（图 5–43、图 5–44）、价格便宜，共生产 2150 多万辆，创单车型产量世界纪录。

图 5–42　费迪南德 · 保时捷

图 5–43　第一代甲壳虫汽车

图 5–44　2019 年款甲壳虫汽车

4. 船形汽车（图 5–45）

福特汽车公司在 1949 年推出具有历史意义的 V8 型汽车，明显地分为发动机舱、乘客舱、行李舱三个部分，中部突起，就像一条船，人们称之为“船形”汽车，开启了现代三厢式（Three Box Type）轿车的先河。

图 5–45　船形汽车

福特船形汽车的出现，成为当时压倒一切的轰动事件，在经销商正式销售前便收到了 130 万张订单。从 20 世纪 50 年代至今，船形汽车已成为世界上数量最多的一种车身类型。

5. 鱼形汽车

船形汽车的尾部过分地伸长，形成了阶梯状，高速行驶时会产生较强的空气涡流，因此影响了车速的提高。为克服这个缺点，设计者将汽车后窗倾斜，形成斜背式，类似鱼形，所以被称为“鱼形”汽车。

最初的鱼形汽车是 1952 年美国通用汽车公司生产的别克牌汽车（图 5–46），图 5–47 是 1960 年款的雪铁龙 DS19 鱼形汽车。

图 5–46　1952 年别克牌汽车

图 5–47　雪铁龙 DS19 鱼形汽车

6. 楔形汽车

楔形汽车的缺点是汽车后窗倾斜大、面积大，强度有所下降，而且汽车在高速行驶时易产生很大的升力。而楔形汽车在汽车尾部的处理，使之成为一个前低后高的“楔形”，从而可以克服部分升力（图 5-48）。

7. 现代汽车造型特点（图 5-49）

现代汽车造型是机械工程学、人机工程学、空气动力学和现代化制造方法的有机结合。作为轿车，其车身造型风格渐变圆润饱满，车身的各个构件尽量靠近车身表面，三厢车明显的阶梯感已弱化。

图 5-48　楔形汽车

图 5-49　现代汽车造型特点

5.6 电动汽车发明史

电动汽车是以电能驱动的汽车，其主要特点就是环保和节能，其发明更早于内燃机汽车。

1834 年，美国人托马斯·达文波特（Thomas Davenport）制造出第一辆直流电机驱动的电动汽车，并于 1837 年获得专利。

1839 年，苏格兰人罗伯特·安德森（Robert Anderson）使用不可充电电池制造了第一辆纯电动汽车。

1859 年，法国人普兰特（Gaston Plante）发明了蓄电池。

1881 年，诞生了世界第一辆以铅酸电池为动力的电动三轮汽车（图 5-50），发明人为法国工程师古斯塔夫·特鲁夫（Gustave Trouve）。

图 5-50　世界第一辆以铅酸电池为动力的电动三轮汽车

1899 年，一款电动汽车成为世界首辆车速超过 100km/h 的汽车，其速度为 105.88km/h。它就是由比利时工程师卡米乐·热纳茨（Camille Jenatzy）设计的名为“从不满意”（La Jamais Contente）的铝制车身汽车（图 5-51），采用炮弹外形，现在保存在法国贡批尼（Compiegne）

图 5-51　1899 年卡米乐 · 热纳茨设计的电动汽车

博物馆中。

电动汽车在历史上有过三个黄金发展期。

1）1885—1915 年。这一期间，由于车用内燃机技术还相当落后、行驶里程短、故障多、维修困难，因此内燃机汽车性能远远不及电动汽车。电动汽车具有体积小、重量轻、成本低、耗电少、操作维修简便等优点，被普遍认可。在世纪之交，美国有 40% 的汽车采用蒸汽机，38% 的汽车采用电力驱动，22% 的汽车采用汽油动力，电动汽车的销量在 1912 年达到了顶峰。

2）1967—1975 年。世界石油危机促使各国开发新能源汽车，在一些国家掀起了研究电动汽车的热潮。1967 年，美国通用汽车公司与福特汽车公司分别研发了新型电动汽车；通用汽车公司在底特律附近的兰辛市建成 EV-1 电动汽车（图 5-52）总装厂；雪铁龙汽车公司、标致汽车公司则将现有车型改装成小型电动汽车，全球掀起了电动汽车热潮。

3）20 世纪 90 年代至今。随着世界环保、节能的迫切需要，电动汽车的研发有了质的飞跃，而最为关键的是在关键部件——电池上的突破。人们改变了一直使用铅酸电池的方案，在电动汽车上应用氢镍电池、锂离子电池等，从而确保汽车拥有足够的动力和续航能力，加上大幅降低成本，使得电动汽车迅速发展。2022 年，全球电动汽车销量达到创纪录的 1000 万辆，其中纯电动汽车销量达到 780 万辆，相比 2021 年增长 68%。与传统燃油车市场的“凄风苦雨”相比，电动汽车销量高速增长。我国 2022 年仅纯电动汽车销量就达到 536.5 万辆，同比增长 81.6%。图 5-53 为我国的比亚迪“汉”纯电动汽车。

图 5-52　通用 EV-1 电动汽车

图 5-53　比亚迪“汉”纯电动汽车

5.7 智能网联汽车发明史

智能网联汽车在传统车辆基础上增加了先进的传感器、控制器、执行器等装置，通过车载传感系统和信息终端实现与人、车、路等的智能信息交换，使车辆具备辅助驾驶员操纵车辆、降低驾驶难度的功能，甚至可以替代人类驾驶员自主完成行驶或载运任务。随着电子工业、信息技术、人工智能等行业的蓬勃发展，智能网联汽车也有了长足的进步，其发展历史可以分为四个阶段。

1. 无线电遥控时代

智能网联汽车的初期形态更接近于“轮式机器人”，最早可追溯到 1921 年美国军方在俄亥俄州空军基地研发的无人三轮拖车和 1925 年工程师 Francis 研发的远程遥控汽车等（图 5-54）。这些早期无人驾驶车辆均基于无线电控制系统实现远程操控，已初具无人驾驶雏形。20 世纪 50 至 60 年代，科研人员做了更多的无人驾驶尝试，如通用的 Firebird Ⅱ概念车、克莱斯勒的定速巡航驾驶系统、斯坦福大学开发的火星探测推车（图 5–55）。

图 5–54　基于无线电控制系统的无人小车

图 5–55　斯坦福大学开发的火星探测推车

2. 单片机控制时代

20 世纪 80 年代，得益于半导体工业与集成电路的发展，车辆的电气化和智能化有了快速发展。图 5–56 为 1986 年戴姆勒 – 奔驰汽车公司研发的自动巡航测试车，该车通过在面包车上安装计算机以及一系列传感器和摄像头，在校园内完成了无人驾驶测试。图 5–57 为 1980 年 ALV 公司开发的无人驾驶测试车，该车可以在封闭道路上以最高 30km/h 的速度定速巡航。

20 世纪 90 年代后，车企陆续为车辆增加了智能化的电子控制系统（如 ABS、ESP、TCS、CCS 等），车辆的操纵稳定性和安全性都得到了大幅提升。

图 5–56　戴姆勒 – 奔驰公司研发的自动巡航测试车

图 5–57　ALV 公司开发的测试车

3. 高级驾驶辅助时代

随着车辆智能化程度越来越高，驾驶辅助系统的功能也更加丰富且强大。相比于传统的驾驶辅助系统，这些系统智能化程度更高且具有一定的车辆控制权限。这一类的驾驶辅助系统被称为高级驾驶辅助系统（ADAS）。ADAS 可以帮助驾驶员实现自动制动（图 5–58）、自动泊车（图 5–59）、并线辅助（图 5–60）、车道偏离辅助（图 5–61）等很多

图 5–58　自动制动

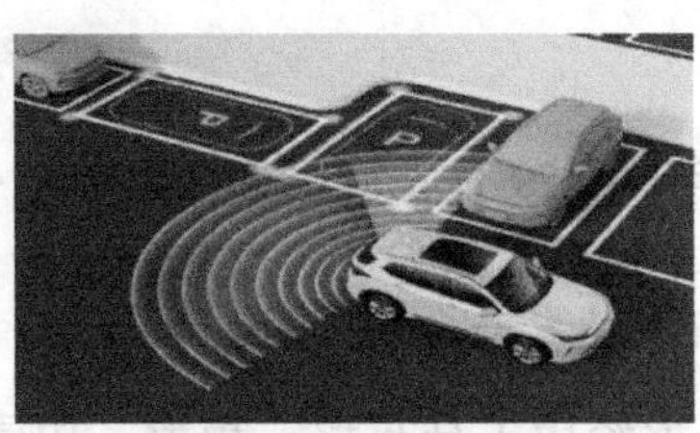

图 5–59　自动泊车

操作，极大地降低了操作难度且提升了车辆的安全性。

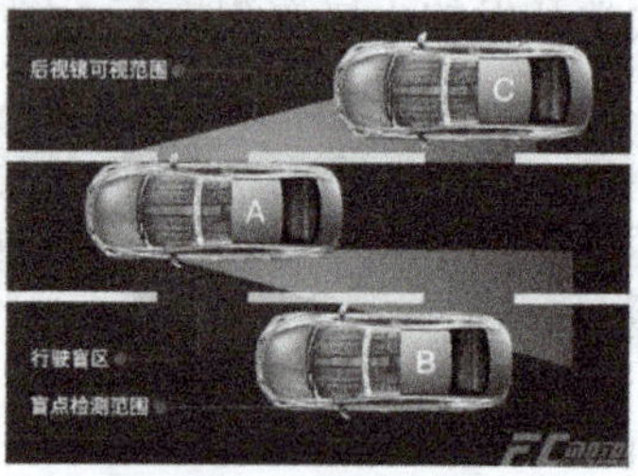

图 5-60　并线辅助

图 5-61　车道偏离辅助

4. 智能网联时代

图 5-62　特斯拉 Autopilot

人工智能和5G通信的兴起带动智能车辆走向如今的智能网联时代。随着人工智能的应用，车辆具有更强大的感知、决策、控制能力，可以自主完成各项驾驶任务，大部分操作甚至全部操作都可以由车辆独立完成。目前商业量产车型中部分车辆已具备L3级别的自动驾驶能力，如装备Autopilot（图5-62）的特斯拉Model系列车辆、广汽集团与百度公司联合开发的智能车（图5-63）。此外，智能网联汽车车载设备通过无线通信技术可以实现和外部终端（车辆、行人、交通设施、云端）的实时通信及数据共享（图5-64），进一步提升车辆整体的智能驾驶水平，为用户提供安全、舒适、智能、高效的驾驶感受与交通服务，同时提高交通运行效率，提升社会交通服务的智能化水平。

图 5-63　广汽集团与百度公司开发的智能车

图 5-64　智能网联汽车 V2X 示意图

任务小结

1. 1886年1月29日，德国工程师卡尔·本茨成功发明世界上第一辆三轮汽车，并申请了专利，这一天被后人称为现代汽车诞生日。同年，德国人戈特利布·戴姆勒制成第一辆四轮汽车，与卡尔·本茨同称为“汽车之父”。

2. 汽车外形经历了马车形、箱形、甲壳虫形、船形、鱼形、楔形和现代汽车造型等变化。

3. 电动汽车是以电能驱动的汽车，其主要特点就是环保和节能。

4. 智能网联汽车发明史可分为无线电遥控时代、单片机控制时代、高级驾驶辅助时代和智能网联时代四个阶段。

课后测试

1. 不定项选择题

（1）1876年，（　　）制成了一台往复活塞式、单缸、3.2kW的四冲程煤气内燃机。

A. 惠更斯　　B. 奥托

C. 狄塞尔　　D. 勒努瓦

（2）在内燃机汽车发明史中，以下（　　）被誉为“汽车之父”。

A. 奥托　　B. 狄塞尔

C. 戈特利布·戴姆勒　　D. 卡尔·本茨

（3）以下（　　）车型开启了现代三厢式（Three Box Type）轿车的先河。

A. 甲壳虫形　　B. 船形

C. 鱼形　　D. 楔形

2. 填空题

（1）唐代天文学家________是第一个提出“激铜轮自转之法，加以火蒸汽运，名曰________”。

（2）恩格斯评论“________是第一个真正国际性的发明”，后人为了纪念詹姆斯·瓦特这位伟大的发明家，把________的国际单位定为“瓦特”。

3. 思考题

（1）请按时间轴制作一份机动车发明史的思维导图。

（2）检索资料，预测未来汽车的发展趋势。

项目 03

充满哲理的汽车工业发展史

汽车诞生于德国，却成长于法国、成熟于美国、兴旺于欧洲、挑战于亚洲，充满了神奇色彩，而又遵循着经济社会发展规律，蕴含着深刻的哲理。

项目 03

任务 6　世界汽车工业发展史检索

学习目标

- 能描述世界汽车工业发展的历史。
- 学会分析汽车发展的重要哲理。
- 追寻百年汽车工业发展史，重温人类为理想而不断进取的探索精神。

任务描述

德国与法国地图见图 6-1。通过相关检索，说明为什么汽车诞生于德国，却成长于法国？

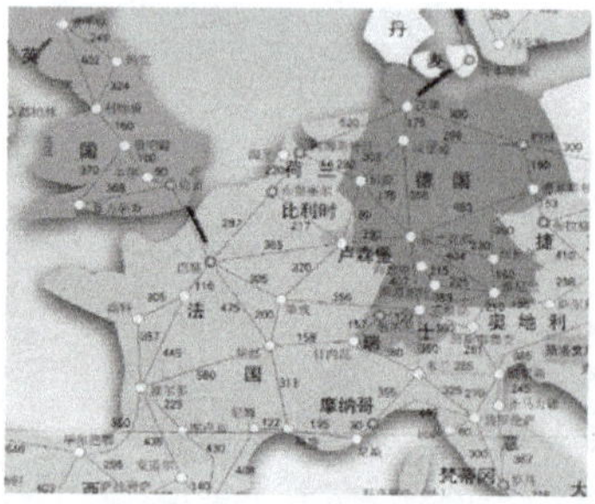

图 6-1　德国与法国地图

知识参考

6.1 汽车诞生于德国（1876—1890）

1. 现代汽车发动机的发明来自德国

1876 年，德国发明家奥托制成了往复活塞式四冲程内燃机，为现代内燃机汽车的发明奠定了基础。

1892 年，德国工程师狄塞尔发明了柴油机，取得了专利。

2. 现代汽车的发明来自德国

1886 年，德国工程师本茨发明了世界上第一辆三轮汽车；同年，德国发明家戴姆勒制造了世界上第一辆四轮汽车。

3. 世界最早的汽车制造公司来自德国

1883 年 10 月，本茨成立了奔驰公司和莱茵燃气发动机厂。

1890 年，德国戴姆勒汽车公司创立。1901 年，第一辆梅赛德斯轿车（图 6-2）诞生，年产量 96 辆。1894 年，奔驰汽车公司开始生产威罗（Velo）牌汽车（图 6-3），至 1899 年累计生产了 1200 辆。

图 6-2　第一辆梅赛德斯轿车

图 6-3　邮票中的威罗（Velo）牌汽车

6.2 汽车成长于法国（1891—1907）

1. 法国的社会经济环境

当时德国刚统一，经济不如法国，人们购买力低，公路差。而法国经济实力雄厚，修建公路网，举行汽车赛（图 6-4）并进行宣传。奔驰汽车公司和戴姆勒汽车公司把大部分生产线移植到法国。从 1891 年起，法国占据了汽车制造的领先地位。

图 6-4　法国举行汽车赛

2. 法国较早出现了著名的汽车及其配件公司（图 6-5）

1889 年，米其林公司成立。

1896 年，法国标致汽车公司正式成立。

1898 年，法国雷诺汽车公司成立。

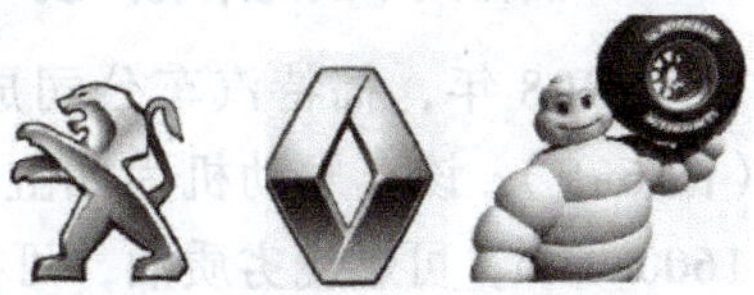

图 6-5　法国著名的汽车及其配件公司

3. 法国人善于学习和创新

1889 年，法国的标致公司成功研制了齿轮变速器和差速器。图 6-6 是该公司 1891 年生产的安装有 4 档变速器的标致Ⅲ型汽车。

1891 年，法国 P&L 公司采用了前置发动机、后轮驱动的标准形式，开发出摩擦式离合器，改善了汽车行驶性能，被全世界广泛仿效。图 6-7 是 1891 年法国 P&L 公司生产的汽车。

1895 年，法国人米其林兄弟发明充气式橡胶轮胎，为汽车的性能提高做出了重要贡献。

1898 年，法国雷诺汽车公司采用了箱式变速器，将万向节首先应用在汽车传动系统中，还发明了锥齿轮式主减速器。

图 6-6　标致Ⅲ型汽车

图 6-7　1891 年法国 P&L 公司生产的汽车

4. 法国的汽车产量增长较快

1900 年，标致汽车公司第 1000 辆汽车下线。图 6-8 是 1900 年生产的标致 28 型汽车，其车速已达 35km/h。

1904 年，法国汽车厂达到 350 家，年产量达 17000 辆。

图 6-8　标致 28 型汽车

6.3 汽车成熟于美国（1908—1946）

1. 美国的社会经济发展

美国人口众多，地大物博。美国通过独立战争结束了殖民统治，并通过南北战争扫除了奴隶制度。随着社会经济的发展，美国对汽车的需求量越来越大。

2. 美国三大汽车公司创立

1903 年，美国福特汽车公司成立。

1908 年，美国通用汽车公司成立。

1925 年，美国克莱斯勒汽车公司成立。

世界上第一条汽车流水生产线

3. 福特汽车公司成功开发 T 型车

1908 年，福特汽车公司成功开发了举世闻名的 T 型车（图 6-9），该车发动机为四缸、15kW，排量 2.884L，转速 1600r/min，可燃烧劣质油，可拆卸，用于抽水、锯木等作业。整车尺寸小，重量轻，易修理，经济实用，朴实无华。《福特传》称“这种车只有骨头和肌肉，没有一点脂肪”。每辆 T 型车售价最终降到 265 美元，一个工人工作不到四个月就可以买一辆 T 型车，因此深受人们欢迎，供不应求。

图 6-9　福特汽车公司生产的 T 型车

T 型车至 1927 年共生产 1546 万辆，创下当时汽车单车型产量世界纪录。从 1908—1920 年，全世界汽车保有量的 50% 是 T 型车，为“装在汽车轮子上的美国”立下了不朽功勋。福特也被誉为美国“汽车大王”。图 6-10 是当时美国街头 T 型车盛况。

图 6-10　T 型车盛况

4. 福特汽车公司的流水生产线

1913 年，福特汽车公司建成了世界上第一条汽车流水生产线（图 6-11），创造了日产汽车 10877 辆的世界纪录。每辆 T 型汽车的组装时间由原来的 12h30min 缩短至 90min，生产效率提高了约 8 倍，创造了世界汽车生产史上的奇迹。

图 6-11　T 型汽车流水生产线

5. 通用汽车公司组建现代化集团公司

通用汽车公司（图 6-12）先后兼并凯迪拉克、别克、雪佛兰、庞蒂克、欧宝等 30 多个汽车公司，进行集团化生产管理，政策集中制定、分散执行，分工协作，跨国综合经营。通用汽车公司先后推出数十个品牌汽车，在全球 30 多个国家建立了汽车制造业务。自 1928 年以来，该公司一直是美国乃至世界最大的汽车公司。

图 6-12　美国通用汽车公司总部

6. 克莱斯勒汽车公司汽车品牌

克莱斯勒汽车公司不断创新：推出闻名于世的汽车品牌及独特的工程理念；率先采用液压式制动系统；开发了流线型小汽车（图 6-13）、高压缩比发动机；作为世界上越野车的开山鼻祖，其 Jeep 系列的越野车（图 6-14）和运动型多功能车（SUV）已奔驰在 100 多个国家，超过 900 万辆；首创的厢式旅行车车型，已畅销全世界，超过 1100 万辆。

图 6-13　流线型小汽车

图 6-14　Jeep 系列越野车

7. 美国汽车产量与普及

1918 年，美国登记客车数超过 500 万辆，居世界第一。

1920 年，美国每 7 个人就拥有一辆汽车，普及率居世界第一。

1939 年，美国汽车产量达到 750 万辆，居世界第一。

6.4 汽车兴旺于欧洲（1947—1975）

1. 第二次世界大战结束后欧洲著名汽车公司重振雄风

欧洲著名汽车公司有德国的大众、戴姆勒 – 奔驰、宝马、保时捷等公司，法国的标致、雪铁龙、雷诺等公司，意大利的菲亚特、法拉利、阿尔法·罗密欧、兰博基尼等公司，英国的劳斯莱斯、摩根、莲花、罗孚等公司，瑞典的沃尔沃等公司。第二次世界大战结束后，各公司都在战争的废墟上大力重建汽车工业，为欧洲汽车兴旺做出重要贡献。

2. 欧洲微型汽车开发取得重大成功

针对美国车型体积大、油耗高、价格贵等缺点，欧洲汽车公司开发了多种多样的微型汽车，符合第二次世界大战后欧洲的经济条件和人们需要。

法国雷诺汽车公司在 1946 年开发了著名的四缸 0.760L 排量的 4CV 微型汽车（图 6-15），十分畅销，1954 年的产量达到 50 万辆。

法国雪铁龙公司在 1948 年开发了 0.375L 排量的 2CV（Deux Chevaux Vehicle，意思是指两匹马拉的车）微型汽车，俗称丑小鸭（图 6-16）。它丑而不陋，功能多，乘车空间宽敞、舒适，车窗、发动机舱盖、翼子板等都能随意拆解，车顶的布篷则可以后卷，被誉为“四个轮子一把伞”。该车维修容易，价格便宜，推出后风靡世界市场数十年。该车在1949—1990年累计产量500余万辆。

意大利菲亚特公司在1955年开发了0.479~0.597L排量的500微型汽车（图6–17），尽管输出功率仅为9.6~15.4kW，极速却能达到85~105km/h。从1955年到1972年，该车一共生产了360多万辆，与大众甲壳虫、英国的“迷你”（Mini）、雪铁龙2CV被推举为欧洲四大民用经典车。

图6-15　4CV微型汽车

图6-16　雪铁龙2CV微型汽车

图6-17　菲亚特500微型汽车

英国罗孚汽车公司在1959年开发了Mini型微型汽车（图6–18）。该车长3.05m、宽1.41m、高1.35m，质量608kg，发动机排量0.8L、25kW，采用前轮驱动，溜背式的车尾和小得不能再小的车轮，整车风格简洁大方、动感十足，乘坐舒适。这一设计理念还被人们称为汽车技术发展史上的六大里程碑之一。该车在当时的售价为790美元，深受欢迎，40年来售出超过500万辆，成为英国历史上单一品牌车型产量最大的车型。

德国大众汽车公司在1973年开发出高尔夫（Golf）轿车（图6–19）。该车采用水冷四缸发动机，1.1L排量，前轮驱动，轻量化底盘，两厢溜背式造型，内部空间宽敞，最高车速达到140km/h。后来换装了1.5L发动机，极速上升到160km/h。由于性能良好，价格比较低廉，该车深受人们欢迎，在德国，几乎每个家庭都购买一辆高尔夫轿车。迄今为止，高尔夫轿车已生产第八代（图6–20），生产量超过4000万辆，创下了历史纪录。

图6-18　Mini型微型汽车

图6-19　第一代高尔夫轿车

图6-20　第八代高尔夫轿车

3. 欧洲汽车产量猛增

第二次世界大战结束后，仅西欧汽车产量就由战前的80万辆猛增到750多万辆，增长了近10倍。

1966年，欧洲汽车产量突破1000万辆，超过北美汽车产量。

1973年，欧洲汽车产量1500万辆，世界汽车工业中心由美国转回欧洲。

6.5 汽车挑战于亚洲（1976 至今）

1. 亚洲著名汽车公司

亚洲著名汽车公司有日本的丰田、日产、本田、马自达、铃木、三菱、五十铃等汽车公司，韩国的现代、起亚、大宇等汽车公司，中国的一汽、东风、上汽等汽车集团，印度的塔塔等汽车公司。

2. 日本汽车工业崛起

日本政府制定汽车保护和发展政策，在银行贷款和税收方面对汽车制造公司实行优惠，鼓励汽车大量出口。

丰田汽车公司创始人丰田喜一郎及其继承人创造了风靡全球的“丰田生产方式”（TPS），也称精益生产方式（LP），被世界各国企业界仿效。丰田汽车公司正确决策，不断创新，开发出皇冠（图 6–21）、雷克萨斯 LS（图 6–22）、凯美瑞等著名车型，获得极大成功。

图 6-21　第 14 代皇冠

图 6-22　雷克萨斯 LS

1980 年，日本汽车产量达 1104 万辆，占世界汽车总产量 30% 以上。

1980—1993 年以及 2006—2007 年，日本汽车年产量均居世界第一。

3. 韩国汽车工业崛起

韩国政府对汽车工业实行指导和扶持政策，在 20 世纪 70 年代实行“汽车国产化”政策，在 80 年代又实施出口导向战略。韩国汽车工业沿着“KD 装配→零部件国产化→自主开发”的发展道路，成功地实现技术跨越。其中，现代汽车公司开发出索纳塔（Sonata）（图 6–23）、雅绅特（Accent）等一批畅销车型。

图 6-23　第 11 代索纳塔轿车

2022 年，韩国汽车产量达 376 万辆，全球排名第五位。

4. 中国汽车工业崛起

我国的汽车工业发展主要得益于国家的重视。1985 年，我国在“七五”计划中，已把汽车工业列为国家支柱产业。

改革开放以来，我国引进了发达国家的汽车制造先进技术和管理经验，促进了我国汽车工业的重组和快速发展，形成了一汽、东风、上汽三大汽车集团和北汽、广汽等六大骨干轿车企业，出现了红旗（图 6–24）、比亚迪（图 6–25）、奇瑞（图 6–26）、吉利（图 6–27）等自主品牌汽车。

2009 年至今，我国汽车产量一直居世界第一（图 6–28），为全球汽车工业提供了强有力的支撑。

图 6–24　红旗 H9+

图 6–25　比亚迪汉 DM–i

图 6–26　奇瑞瑞虎 9

图 6–27　吉利星越 L

图 6–28　中国汽车产量

“双碳”目标的提出与产业政策的出台，我国新能源汽车领域蓬勃发展，国内优秀自主品牌如雨后春笋般涌现，并且表现出强劲势头。从图 6–29 中的数据显示可知，2022 年我国新能源汽车总产量达 705.8 万辆，同比增长 96.9%，渗透率达 26.1%。随着“三电”技术的不断创新，续航、安全性能的不断进步，以及充电配套设施的逐渐完善，我国新能源汽车市场还将继续保持增长的状态。

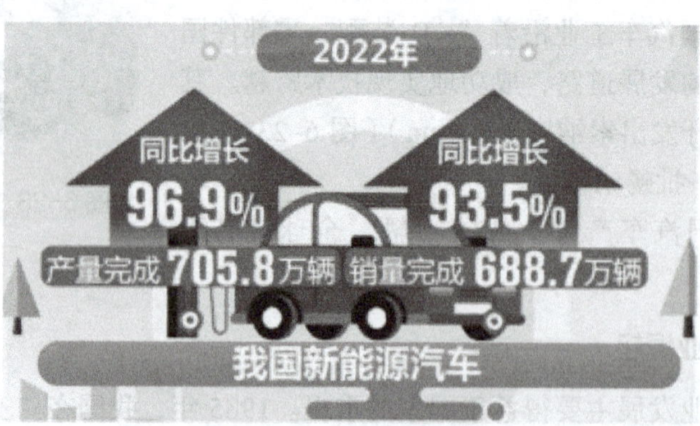

图 6–29　2022 年中国新能源汽车产销量

启示角

追寻汽车的足迹，我们看到了文明的演进，看到了由技术驱动的社会变革，看到了人类永不停止的创新和探索。从马车到汽车，从交通工具到艺术品，从公路的建设到城市的发展，它为人类带来激情与梦想，带来工业生产方式的革新，决定着国家经济的命运兴衰。当汽车的世界出现了中国的身影，历史即将见证中国制造的力量和一个民族的崛起。

任务小结

1. 汽车诞生于德国，却成长于法国、成熟于美国、兴旺于欧洲、挑战于亚洲。

2. 中国新能源汽车领域蓬勃发展，自 2017 年以来，新能源汽车产量及市场渗透率双双增长。

课后测试

1. 不定项选择题

（1）现代汽车的发明来自以下哪个国家？（　　）

A. 法国　　B. 美国　　C. 德国　　D. 英国

（2）福特汽车来自哪个国家？（　　）

A. 美国　　B. 日本　　C. 法国　　D. 英国

（3）我国从（　　）年开始把汽车工业列为重点发展产业。

A. 1970　　B. 1975　　C. 1980　　D. 1985

2. 填空题

（1）德国发明家________制成了四冲程往复式内燃机，奠定了现代内燃机的基础。

（2）世界上第一辆四轮汽车是由________制造的。

3. 思考题

（1）请回答任务描述所提出的问题。

（2）为什么我国在建国初期如此困难的条件下依然要坚持研发自主汽车品牌？

项目 03

任务 7　中国汽车工业发展史检索

学习目标

- 能阐述中国的汽车工业发展史。
- 能分析总结中国的汽车工业发展史的经验与教训。
- 摒弃固化思维，灵活运用所学知识，提升自己的创新能力。

任务描述

查阅资料，说说我国汽车的发展转折点是哪一年，并简单陈述原因。

知识参考

7.1 艰苦创业（1953—1992）

第一辆解放牌载货汽车　　第一辆东风牌轿车　　第一辆红旗牌轿车

1. 创建第一汽车制造厂

第一汽车制造厂于 1953 年 7 月在长春破土动工（图 7–1）。

1956 年 7 月，生产出第一辆解放牌载货汽车（图 7–2）。

1958 年 5 月，生产出第一辆东风牌轿车，8 月生产出第一辆红旗牌轿车（图 7–3）。

图 7-1　第一汽车制造厂

图 7-2　第一辆解放牌载货汽车

图 7-3　第一辆红旗牌轿车

2. 创建第二汽车制造厂

第二汽车制造厂于 1967 年 4 月在湖北十堰动工兴建（图 7–4）。

1975 年 6 月，东风牌 EQ240 越野车投产。1978 年 7 月，东风 EQ140 载货车（图 7–5）投产。

图 7-4　第二汽车制造厂

图 7-5　东风 EQ140 载货车

3. 两次“汽车热”

我国先后形成了两次“汽车热”，全国各省市自治区都办起了汽车厂。1976 年，全国汽车生产厂家增加到 53 家，专用改装厂增加到 166 家，但每个厂平均产量不足千辆。大多数汽车厂产品重复、“小而全”、质量差，且产品类型主要是中型货车，出现“缺重少轻，轿车基本空白”的局面。

4. 调整与改革

1985 年，中央在“七五”计划中，把汽车工业列为国家支柱产业。

1987 年，我国政府确定了重点发展轿车工业的战略决策。

一汽进行了产品升级换代，1987 年，解放 CA141 汽车（图 7–6）批量生产，结束了生产解放 CA10B 汽车 30 年一贯制的历史。其他举措还有增加重型汽车（图 7–7）生产、加强轻型（含微型）汽车（图 7–8、图 7–9）生产以及建设轿车工业。1985 年，上海大众公司成立（图 7–10），与德国大众合资生产桑塔纳系列轿车，拉开了大量生产轿车的序幕。其后，一汽 - 大众（图 7–11）、东风雪铁龙、广州本田等中外合资轿车项目纷纷启动，填补了我国轿车基本空白的局面。

图 7-6　解放 CA141 汽车

至 1992 年，历经 40 年，汽车年产量突破 100 万辆。

图 7-7　国产重型载货汽车

图 7-8　江铃轻卡

图 7-9　“长安之星”微型汽车

图 7-10　上海大众公司成立

图 7-11　一汽 - 大众公司签约

7.2 改革开放与改组兼并（1993—2000）

1994年，国务院颁布《汽车工业产业政策》，提出汽车产业“到2010年成为国民经济的支柱产业”的奋斗目标。

随着改革开放进一步深入，截至2000年，我国先后与大众、通用等十多家国际大汽车集团公司合资。

同时，各大国企改组兼并，扩大规模经营。一汽组建第一汽车集团公司（图7-12），二汽组建东风汽车集团公司（图7-13），两者与上汽等国企与德、美、日、英、法和意大利等国家的汽车企业建立合资公司。

1998年，国内14家企业集团（公司）生产汽车148.5万辆，占全国当年汽车产量的91.21%，初步形成了汽车产业的组织结构优化调整。从1992年至2000年，历经8年，我国汽车年产量翻一番，达到207.7万辆，全球排名第8位。

图7-12　一汽总部大楼

图7-13　东风总部大楼

7.3 汽车产量跨越式增长（2001—2009）

中国汽车年产量连续8年实现快速增长（图7-14），年均增长速度高达25%。

2004年，国家新《汽车产业发展政策》发布。

2009年，国家出台《汽车产业振兴规划》。同年，汽车年产量达1379万辆，居世界第一。

国内汽车企业进一步改组兼并，强强联合，十大汽车企业汽车产销量占全国总量的87%。汽车新产品、新技术大量推出，自主品牌汽车市场份额扩大，每年都有几十到上百款新车投放市场。2009年推出100多款轿车新车型。

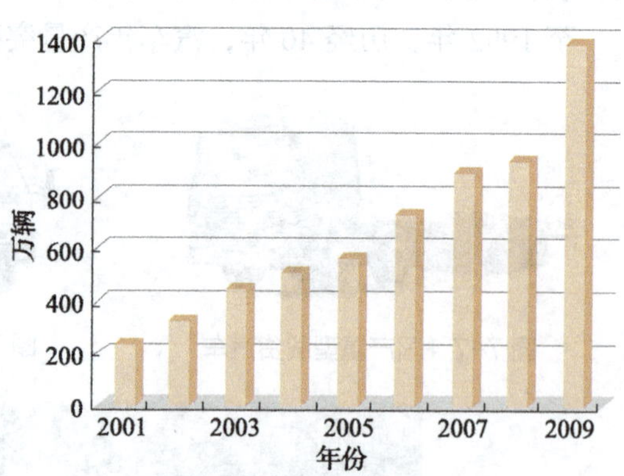

图7-14　汽车年产量跨越式增长

7.4 稳步发展与转型升级（2010 至今）

2022 年，中国汽车产销量分别为 2702.1 万辆和 2686.4 万辆，连续 14 年汽车产销量稳居世界第一（图 7-15）。

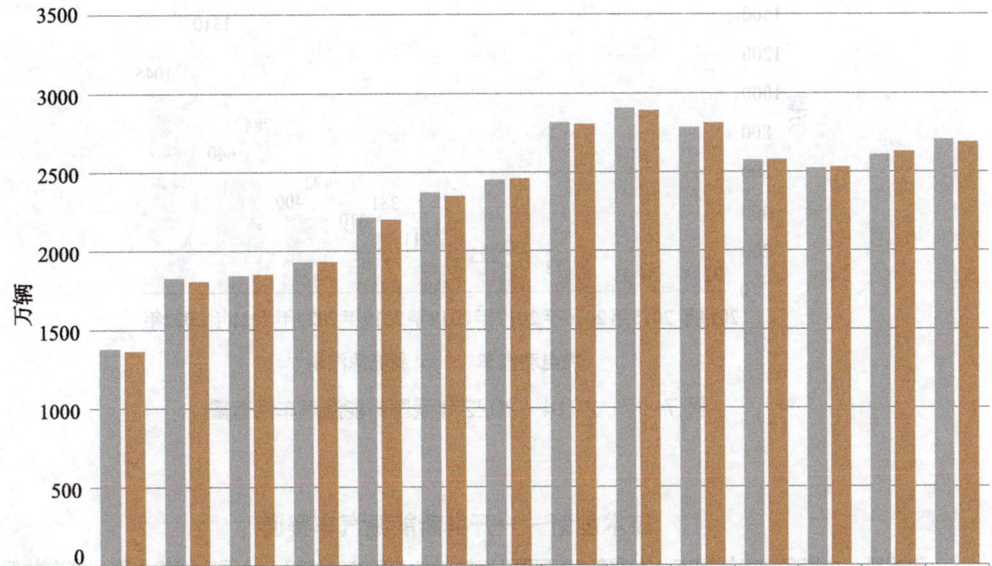

年份	2009	2010	2011	2012	2013	2014	2015	2016	2017	2018	2019	2020	2021	2022
■ 产量（万辆）	1379.1	1826.4	1841.8	1927.1	2211.6	2372.2	2450.3	2811.9	2901.5	2780.9	2572.1	2522.5	2608.2	2702.1
■ 销量（万辆）	1364.4	1806.1	1850.5	1930.6	2198.4	2349.1	2459.7	2802.8	2887.8	2808.1	2576.9	2531.1	2627.5	2686.4

图 7-15　2009—2022 年我国汽车产销量

汽车产业结构进一步优化，汽车企业进一步改组兼并。至 2022 年，上汽、东风、一汽、长安、北汽、广汽等 10 个骨干汽车企业年度汽车销售量为 2366.2 万辆（图 7-16），占汽车销售总量的 86.2%。

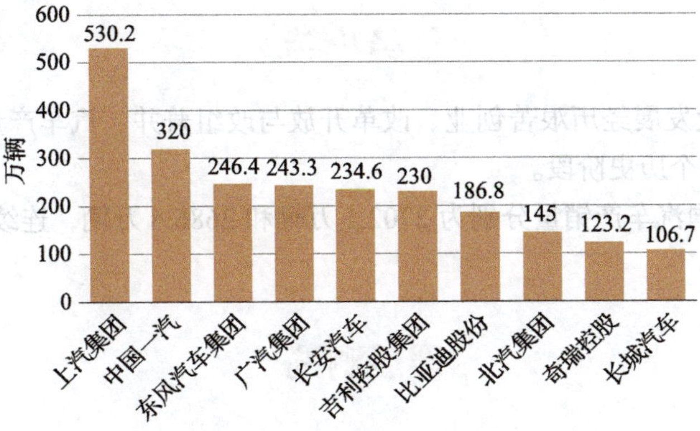

图 7-16　2022 年销量前十名的汽车企业

2014—2022 年新能源汽车保有量屡创新高（图 7-17），产业进入叠加交汇、融合发展的新阶段，汽车产品形态、交通出行模式、能源消费结构和社会运行方式正在发生深刻变革，为新能源汽车产业提供了前所未有的发展机遇。

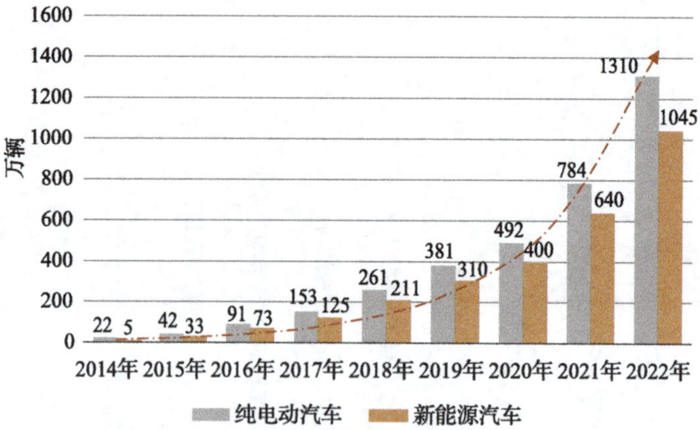

图 7-17　2014—2022 年我国新能源汽车保有量

技术创新——开辟新能源汽车赛道

我国是一个煤多油少的国家，发展新能源可以有效减少对石油的依赖，从国家战略上看，能有效保障能源安全和减少碳排放。加上我国汽车工业起步较晚，无论是发动机还是变速器技术的研发都落后于国外企业，尤其是变速器，其关键专利掌握在国外车企手中，我国自主品牌发展艰难。因此，要实现汽车工业的“弯道超车”，就必须开辟新的赛道。

为了跳出发达国家技术封锁的牢笼，国家果断转变思路，转向新技术，开拓新市场。从这里同学们应该学习到，在外部环境固化的时候，可以通过创新技术开拓新局面。因此在平时的学习中大家也应该摒弃固化思维，灵活运用所学知识，提升自己的创新能力。

任务小结

1. 中国汽车工业发展经历艰苦创业、改革开放与改组兼并、汽车产量跨越式增长、稳步发展与转型升级四个历史阶段。

2. 2022 年，中国汽车产销量分别为 2702.1 万辆和 2686.4 万辆，连续 14 年汽车产销量稳居世界第一。

课后测试

1. 不定项选择题

（1）下列哪些企业只生产新能源汽车？（　　）

A. 一汽　　B. 东风　　C. 小鹏

D. 长城　　　　E. 比亚迪

（2）我国生产的第一辆车被命名为（　　）。

A. 建国　　　　B. 胜利　　　　C. 解放　　　　D. 凤凰

（3）从（　　）年开始我国汽车产量达到世界第一。

A. 2007　　　　B. 2008　　　　C. 2009　　　　D. 2010

2. 填空题

（1）我国的第二汽车制造厂建于________省。

（2）从________年开始，我国汽车出口量达到世界第一。

3. 思考题

（1）请回答任务描述所提出的问题。

（2）与传统汽车相比，新能源汽车有什么优势？

04

项目

出奇制胜的汽车企业文化

历史潮流滚滚向前，汹涌澎湃，多少汽车企业退出历史舞台。只有遵循历史规律，掌握制胜法宝，与时俱进，坚韧不拔，才有希望到达胜利彼岸。

项目 04

任务 8　美国主要汽车公司发展历程探究

学习目标

- 能够阐述美国主要汽车公司发展史。
- 能够总结美国主要汽车公司发展经验和企业文化。
- 培养创新意识和科学精神，激发自主创新、民族振兴的信心。

任务描述

杜兰特是通用汽车公司创始人，他如何导致公司濒临倒闭？

知识参考

8.1 通用汽车公司

1. 公司现状

通用汽车公司总部（图 8–1）位于美国“汽车城”底特律。

图 8–1　通用汽车公司总部

通用汽车公司发展史

公司 2022 年总产量 593.9 万辆，居世界第六位。

通用汽车公司致力于汽车和汽车零件的设计、制造和销售，还通过通用汽车金融公司提供汽车融资服务。公司在全球的员工总数逾 15 万人，覆盖六大洲。公司汽车品牌及其车标见表 8–1。

表 8-1 通用汽车公司品牌及其车标

品牌	车标	品牌	车标	品牌	车标
凯迪拉克（Cadillac）		别克（Buick）		雪佛兰（Chevrolet）	
吉姆西（GMC）	GMC	土星（Saturn）		悍马（Hummer）	HUMMER
大宇（Daewoo）		庞蒂克（Pontiac）			

2. 公司发展简史

图 8-2 杜兰特

1904 年，美国最大的马车制造商杜兰特（图 8-2）买下了别克（Buick）汽车公司。

1908 年，杜兰特成立了通用汽车公司，收购了奥兹莫比尔（Oldsmobile）汽车公司。

1909 年，收购了奥克兰汽车公司并于 1932 年更名为庞蒂克（Pontiac）汽车公司，并购了凯迪拉克（Cadillac）等汽车公司。

1910 年，过快的发展，使公司产生财政危机，杜兰特被免职。

1915 年，杜兰特创立了雪佛兰汽车公司。他通过秘密收购通用汽车公司的股票，在 1917 年再次获得了通用汽车公司的控制权，重新担任公司总裁。

图 8-3 艾尔弗雷德·斯隆

1917—1920 年，杜兰特又先后购进了 17 家小汽车公司，4 年规模扩大了 8 倍，但各分公司各自为政、产品重复，一系列的失误导致通用汽车公司濒临倒闭。通用汽车公司被杜邦公司收购，皮埃尔·杜邦担任总裁，杜兰特再次被免职。

1923 年，著名“经营之神”艾尔弗雷德·斯隆（Alfred Sloan）（图 8-3）担任公司总经理。

1925 年，并购了沃克斯豪尔汽车有限公司。

1929 年，收购欧宝公司。

1939—1945 年，第二次世界大战期间，公司接受了大量军事订货，从而大大地壮大了公司的经济实力。

20 世纪 50 年代末到 90 年代，投资 700 亿美元进行设备和产品更新。

1984 年，公司从业人员达 81.3 万人。

1993 年，位居世界 500 强第 1 名，被誉为“世界汽车巨人”。

2009 年 6 月 1 日，通用汽车公司申请破产保护。同年 7 月 10 日更名为通用汽车有限公司，结束破产保护。

2010 年 2 月，通用汽车公司将萨博汽车品牌卖给荷兰世爵汽车公司。2010 年 2 月 29 日，与法国标致－雪铁龙（PSA）结成联盟。

2016 年，通用汽车公司以 5.81 亿美元收购了自动驾驶公司 Cruise Automation。

2017 年 3 月 6 日，通用汽车公司将旗下的欧宝沃克斯豪尔公司和通用汽车金融欧洲业务转让给 PSA 集团。

2019 年，宣布计划在 2023 年前投资 45 亿美元用于电动汽车和自动驾驶技术的研发和生产。

2021 年，与三菱汽车公司合资成立了一家电动汽车公司，旨在推出适用于亚洲市场的电动汽车。

3. 企业文化

对客户热忱，持续改进，诚信正直，团队合作，创造性，对个体的尊重和责任感。

图 8-4　亨利 · 利兰德

4. 公司主要汽车品牌

（1）凯迪拉克（Cadillac）

公司创始人：美国人亨利·利兰德（Henry Leland）（图 8-4）。

公司特色：公司以生产豪华汽车著称。

公司历史名车见图 8-5 ~ 图 8-7。

图 8-5　凯迪拉克封闭式车身汽车

图 8-6　凯迪拉克在华销量最高的 CT5

图 8-7　美国总统标准座驾——凯迪拉克 DTS

（2）别克（Buick）

公司创始人：美国人大卫·别克（David Dunbar Buick）（图 8-8）。

公司特色：主要设计制造中档家庭轿车，其销量位于通用公司第三位。

公司历史名车见图 8-9 ~ 图 8-11。

图 8-8　大卫 · 别克

图 8-9　1936 年别克 Roadmaster

图 8-10　1951 年别克 LeSabre

图 8-11　1996—2005 年别克林荫大道

（3）雪佛兰（Chevrolet）

图 8-12 路易斯·雪佛兰

公司创始人：通用汽车公司创始人威廉·杜兰特和瑞士赛车手、工程师路易斯·雪佛兰（Louis Chevrolet）（图 8-12）。

公司特色：主要生产经济型轿车及中、高级跑车，其产品被称为“地道美国车”。

公司历史名车见图 8-13~ 图 8-15。

图 8-13 1935 年雪佛兰 Suburban，是 SUV 鼻祖

图 8-14 1966 年雪佛兰第一代科迈罗

图 8-15 1977 年雪佛兰凯普瑞

8.2 福特汽车公司

1. 公司现状

福特汽车公司总部（图 8-16）位于美国密歇根州迪尔伯恩。

公司 2022 年全球销量达 367 万辆，位列全球第 8 名。

图 8-16 福特汽车公司总部

福特汽车公司发展史

2. 公司发展简史

图 8-17 亨利·福特

1903 年，亨利·福特（图 8-17）和 11 个股东用 28000 美元共同创立福特汽车公司。

1908 年，福特汽车公司成功开发了举世闻名的 T 型车（图 8-18），共生产 1546 万辆，创下当时汽车单产世界纪录。

1913 年，建成了世界上第一条汽车流水生产线。

1922 年，福特汽车公司收购了林肯（Lincoln）品牌。

1927 年，由于福特故步自封，坚持单一车型，无视富裕了的美国人民要求，没有进一步推出新的车型，使汽车市场占有率从最高时期的 70% 下降到不足 20%，T 型车被迫停产，福特汽车公司全国各地的工厂关闭半年。历史证明，逆水行舟、不进则退。

图 8-18　福特 T 型车

1935 年，自创水星品牌。

1949 年，推出福特 49 型汽车（图 8-19），拥有独立前悬架和可开启的新型后角窗。车身与翼子板的融合是一种创新。

1964 年，推出轮廓鲜明的四座福特野马（Mustang），成了美国的“宠儿”。时至今日，它在人们的心中还是魅力不减（图 8-20）。

图 8-19　福特 49 型汽车

图 8-20　1964 年福特野马

1987 年，收购阿斯顿·马丁（Aston Martin）公司，2007 年，转售给 Prodrive 公司老板大卫·理查兹。

1989 年，收购捷豹（Jaguar）汽车公司。2008 年，捷豹品牌被印度塔塔集团收购。

1991 年，推出既省油又标新立异的福特特使（Taurus），为汽车的空气动力设计潮流奠定了基础，在 1992—1996 年雄踞“全美最畅销汽车”的宝座（图 8-21）。

1993 年，推出福特首辆家庭型全球车福特蒙迪欧（图 8-22）。

图 8-21　1991 年福特特使（Taurus）

图 8-22　1993 年福特蒙迪欧

1996 年，收购马自达（Mazda），占其股份扩大到 33.4%，成为马自达最大的股东。

1999 年，收购沃尔沃（Volvo）轿车业务。2010 年 3 月 28 日，吉利集团收购沃尔沃轿车 100% 的股权。

2000 年，从宝马手中收购路虎（Land Rover）品牌。

2001 年 4 月，福特汽车公司参股中国长安集团。

2008 年，印度塔塔集团从福特手中以 23 亿美元收购了捷豹、路虎品牌。福特汽车抛售马自达 26.8% 的股份。

2021 年，福特汽车公司继续进行着全球业务重组计划：一是停止了亏损严重地区的汽车生产，二是进一步扩大了在中国市场的发展，三是公布了雄心勃勃的电气化投资计划——“Ford+”。

2022 年 3 月，福特汽车公司进行大规模重组，电动汽车和内燃机业务单独运营。

3. 企业文化

以生产为导向，具有全球化想法、注重顾客需求、持续追求成长，深信“领导者是老师”，关爱员工，全方位培训，精益求精。

4. 公司主要汽车品牌

公司主要汽车品牌及其车标见表 8-2。

表 8-2 福特汽车公司主要汽车品牌及其车标

品牌	车标	品牌	车标	品牌	车标
福特（Ford）		林肯（Lincoln）		水星（Mercury）	

8.3 FCA 美国有限责任公司

1. 公司现状

图 8-23 克莱斯勒汽车公司总部

该公司前身是美国克莱斯勒汽车公司，2014 年被菲亚特集团收购，成立菲亚特 - 克莱斯勒集团（FCA）。克莱斯勒汽车公司成立于 1925 年，总部（图 8-23）位于美国汽车城底特律。

2. 公司发展简史

图 8-24 瓦尔特 · 克莱斯勒

1925 年，公司成立，创始人瓦尔特·克莱斯勒（Walter Chrysler）（图 8-24）。同年，买下马克斯韦尔汽车公司。

1928 年，成立普利茅斯（Plymouth）分部，生产低档经济轿车。

1928 年 7 月，收购了道奇（Dodge）汽车公司。

1987 年，兼并美国汽车公司（AMC），成立鹰·吉普（Eagle Jeep）分部。

1998 年 5 月 7 日，与奔驰公司合并成立了戴姆勒 - 克莱斯勒汽车公司。

2007 年 5 月 14 日，戴姆勒 - 克莱斯勒汽车公司将克莱斯勒公司 80.1% 的股权出售给美国瑟伯勒斯（Cerberus）资本管理公司，并单独成立克莱斯勒控股公司（Chrysler Holding LLC）。

2014 年 1 月 21 日，菲亚特集团收购克莱斯勒 100% 股权。

2018 年 6 月，菲亚特集团宣布撤出中国市场。

2019年10月30日，菲亚特－克莱斯勒集团和标致－雪铁龙集团合并，成立斯特兰蒂斯集团。

3. 企业文化

渴望成为世界上最具包容性的公司，致力于通过创新、质量和多样性驱动进步，重视员工发展和社区参与，力求在全球市场上提供卓越的汽车体验。

4. 公司主要汽车品牌

公司主要汽车品牌及其车标见表8-3。

表8-3　FCA美国有限责任公司主要汽车品牌及其车标

品牌	车标	品牌	车标	品牌	车标
克莱斯勒（Chrysler）	CHRYSLER	道奇（Dodge）	DODGE	吉普（Jeep）	Jeep

（1）克莱斯勒（Chrysler）

公司历史名车见图8-25~图8-27。

图8-25　克莱斯勒300C

图8-26　克莱斯勒交叉火力

图8-27　克莱斯勒大捷龙

（2）道奇（Dodge）

公司创始人：道奇兄弟（图8-28）。

公司历史名车见图8-29、图8-30。

图8-28　道奇兄弟

图8-29　2013道奇Dart GT版

图8-30　2019道奇蝰蛇

（3）吉普（Jeep）

1987年，克莱斯勒汽车公司收购了美国汽车公司（AMC），成立鹰·吉普分部。该分部生产的大切诺基（Grand Cherokee）（图8-31）性能优越，享誉全球。

图8-31　2022款Jeep大切诺基

8.4 特斯拉公司

1. 公司现状

特斯拉（Tesla）公司是一家美国电动汽车及能源公司，生产电动汽车、太阳能板及储能设备。公司总部位于美国加利福尼亚州硅谷的帕罗奥多（Palo Alto），由马丁·艾伯哈德（Martin Eberhard）和马克·塔彭宁（Marc Tarpenning）（图 8-32）共同创立，将公司命名为“特斯拉汽车”（Tesla Motors），以纪念物理学家尼古拉·特斯拉（Nikola Tesla）。

图 8-32 马丁·艾伯哈德（左）和马克·塔彭宁（右）

2023 年在全球品牌价值 500 强中位列第 9 名。

2022 年交付量达 131.38 万辆。

2. 公司发展简史

2003 年 7 月 1 日，特斯拉汽车公司成立。

2004 年，埃隆·马斯克（Elon Musk）（图 8-33）进入公司并领导了 A 轮融资。

特斯拉汽车公司发展史

2008 年，发布第一款两门运动型跑车 Roadster；2012 年，发布第二款汽车产品，即四门纯电动豪华轿跑车 Model S（图 8-34）；2015 年 9 月，宣布推出第三款汽车产品，即豪华纯电动 SUV Model X；2016 年 4 月 1 日，发布第四款汽车产品 Model 3（图 8-35），2017 年 7 月交付使用。

图 8-33 埃隆·马斯克

图 8-34 2012 特斯拉 Model S

图 8-35 特斯拉 Model 3

2016 年 11 月 17 日，收购美国太阳能发电系统供应商 SolarCity。

2017 年 2 月 1 日，特斯拉汽车公司改名为特斯拉公司。

2018 年 10 月 17 日，特斯拉上海超级工厂在临港地区落地。

2019 年 3 月 15 日，特斯拉正式发布车型 Model Y。

2022 年 3 月 22 日，特斯拉柏林工厂正式开工。同年 10 月，有消息称，特斯拉首次展示 Megafactory 工厂，全力生产 Megapack 巨型电池。

2023 年 2 月 22 日，特斯拉全球工程总部于美国加州正式成立。

3. 企业文化

特斯拉以“加速全球向可持续能源的转变”为使命，逐步普及电动车，在全球范围内努力为每一个普通消费者提供其消费能力范围内的纯电动车辆。

4. 公司主要汽车品牌

特斯拉公司以生产高性能纯电动车而闻名于世，以造型别致、强大的续航能力、优异的动力性能等成为行业典范。主要车型有 Roadster、Model S、Model X、Model 3、Model Y 和 Semi 电动货车以及 Cybertruck 电动皮卡等。

他山之石，可以攻玉

回顾汽车 100 多年历史，从福特汽车公司建立了世界上第一条汽车流水生产线，凯迪拉克第一个提出电子启动点火系统并第一个使用独立前悬架系统，到克莱斯勒率先采用了液压式制动系统，再到从外到内均颠覆了传统的汽车设计、实现纯电动汽车创新的引领者特斯拉，美国汽车工业追求不凡品质的创新精神仍在延续。如今，我国新能源汽车市场蓬勃发展，但国内新能源汽车在“三电”技术方面还要不断进取和精进，而美国企业的颠覆式创新精神仍值得我们学习。

任务小结

1. 介绍了通用、福特、克莱斯勒、特斯拉等美国汽车公司的发展简史、现状和主要汽车品牌。

2. 介绍了通用、福特、克莱斯勒、特斯拉等美国汽车公司的企业文化。

课后测试

1. 不定项选择题

（1）通用主要生产了以下哪几种车型？（　　）

A. 凯迪拉克　　B. 别克　　C. 特斯拉　　D. 雪佛兰

（2）以下哪个不是美国三大汽车企业？（　　）

A. 通用　　B. 福特　　C. 克莱斯勒　　D. 菲亚特

（3）发明了世界上第一条汽车生产流水线是哪家公司？（　　）

A. 丰田　　B. 菲亚特　　C. 福特　　D. 通用

2. 填空题

（1）FCA 美国有限责任公司前身是________，它于 1987 年兼并了________汽车公司。

（2）通用汽车公司企业文化里体现了对个体的尊重和________。

3. 思考题

（1）请回答任务描述所提出的问题。

（2）特斯拉在成长为全球最大的电动汽车生产商的过程中，有哪些重要的发展机遇？

任务 9　欧洲主要汽车公司发展历程探究

学习目标

- 通过检索能阐述欧洲各大车企的核心企业文化。
- 能详述欧洲主要汽车公司发展史。
- 激发学生独立思考、提升透过现象看本质的洞察力。

任务描述

检索德国梅赛德斯 – 奔驰集团股份公司发展历史，并分析其至今仍存在的原因。

知识参考

9.1 梅赛德斯 – 奔驰集团股份公司

1. 公司现状

梅赛德斯 – 奔驰公司总部位于德国斯图加特市。

公司特色：以生产高质量、高性能豪华汽车闻名世界，也是世界上最著名的大客车和重型载货汽车生产厂家，与我国北汽集团等多家企业合资。

2022 年，奔驰乘用车全球销量为 204.39 万辆。

2. 公司发展简史

1883 年，奔驰汽车公司成立。1890 年，戴姆勒汽车公司成立。1926 年，奔驰与戴姆勒两家公司合并，改名为戴姆勒 – 奔驰汽车公司。

1954 年，推出 300 SL“鸥翼”式汽车（图 9–1），带有标志性的鸥翼门，成为奔驰系列跑车的代表。该车为折叠式硬篷，铝制的轻型车身，率先使用世界最先进的电子汽油喷射发动机，以及独特的操纵控制系统等。

图 9–1　300 SL“鸥翼”式汽车

1972 年，公司开发了一款全新的豪华车 280 SE（图 9–2），并且正式命名为 S 系列车。

1979 年，奔驰 G 型越野车（图 9–3）作为军车民用化的产物面世，强悍的越野性能使其一诞生就变成热卖车型。

1998 年，戴姆勒 – 奔驰汽车公司与克莱斯勒汽车公司合并，成立戴姆勒 – 克莱斯勒汽车公司。2007 年，戴姆勒 – 奔驰汽车公司和克莱斯勒汽车公司分开，各自独立经营。

2018 年 2 月 23 日，中国吉利集团收购了戴姆勒公司 9.69% 股份，成为戴姆勒公司的最大股东。

2022 年 1 月 31 日，戴姆勒公司正式更名为梅赛德斯 – 奔驰集团股份公司。图 9–4 为梅赛德斯 – 奔驰目前销量最高、最受欢迎的奔驰 E 级轿车。

图 9–2　奔驰 280 SE

图 9–3　1979 年奔驰 G 型越野车

图 9–4　2022 款奔驰 E 级轿车

2023 年 2 月 22 日，梅赛德斯 – 奔驰集团股份公司宣布与谷歌建立长期战略合作伙伴关系，其汽车操作系统将接入谷歌地图平台，以实现辅助驾驶与自动驾驶功能。

奔驰汽车公司发展史

3. 企业文化

企业精神：公平、尽责。

经营理念：传统理念、快乐感理念、共同责任理念。

价值观念：传统价值（安全、优质、舒适、可靠）、潮流价值、社会价值。

产品策略：以客户定产品。

4. 公司主要汽车品牌

主要汽车品牌有梅赛德斯 – 奔驰，分为 5 个系列共几十个品种。轿车分 A、B、C、E 和 S 级，还有迈巴赫、精灵（Smart）等。

9.2 宝马汽车公司

1. 公司现状

宝马汽车公司总部（图 9–5）位于德国慕尼黑市。2022 年，宝马乘用车全球汽车销量为 239.96 万辆。

图 9–5　宝马汽车公司总部

公司特色：以生产高性能豪华汽车闻名世界，与我国华晨公司等企业合资。

2. 公司发展简史

1916 年，宝马汽车公司前身——巴伐利亚发动机制造厂成立，创始人为吉斯坦·奥托（Gustan Otto），其父是鼎鼎大名的四冲程内燃机的发明家奥托。1917 年，公司更名为宝马（BMW）公司。

宝马汽车公司发展史

1928 年，BMW 推出首辆汽车。

1933 年，推出 BMW 303 型高性能双门四座轿车（图 9–6）。

1939 年，推出 BMW 328 型跑车，极速高达 160km/h，是当时速度最快的跑车。

1977 年，推出世界著名的宝马 7 系列豪华汽车（图 9–7）。

图 9–6 1933 年 BMW 303

图 9–7 1977 年宝马 7 系列

1998 年，购买劳斯莱斯汽车公司，从 2003 年开始生产劳斯莱斯轿车。

2005 年，推出宝马 H2R 燃料电池汽车（图 9–8），最高速度为 302.4km/h，0—100km/h 加速时间 6s 左右。

2018 年，推出搭载 S55 3.0L 双涡轮增压发动机的 BMW F80 M3 CS（图 9–9），0—100km/h 加速时间仅仅为 3.7s。图 9–10 为 2022 款宝马 3 系汽车。

图 9–8 宝马 H2R 燃料电池汽车

图 9–9 2018 款 BMW F80 M3 CS

图 9–10 2022 款宝马 3 系汽车

2018 年 7 月 10 日，与中国长城汽车股份有限公司正式签署了合资经营合同，合资成立光束汽车有限公司。

2020 年 10 月 26 日，与阿里巴巴签署战略合作备忘录。双方围绕品牌、营销、渠道、跨端运营、服务和信息技术等领域开展合作。

2022 年 9 月 9 日，宁德时代与宝马汽车公司宣布达成一项长期协议，从 2025 年开始，宁德时代将为宝马汽车公司“新世代”车型架构的纯电车型供应圆柱电池，宝马电动汽车的能量密度、充电速度及续航性能将提升。

3. 企业文化

企业的宗旨及目标：成为顶级品牌的汽车制造商。

经营方针：立足全球市场，以市场为中心，对社会和公民负责。

管理策略：柔性管理，相互尊重，超越国家和文化边界，团队合作。

4. 公司主要汽车品牌

宝马汽车公司主要汽车品牌有宝马、劳斯莱斯、迷你、奥斯汀等，见表 9–1。

表 9–1　宝马汽车公司主要汽车品牌

品牌	车标	品牌	车标
宝马（BMW）	BMW	劳斯莱斯（Rolls– Royce）	RR
迷你（Mini）	MINI	奥斯汀（Austin）	AUSTIN ROVER

（1）宝马（BMW）

汽车品牌主要有宝马 3、5、7 和 8 系列豪华小轿车，以及 i 系列的纯电动汽车。图 9–11 为 2022 款宝马 i7。

图 9–11　2022 款宝马 i7

（2）劳斯莱斯（ROLLS–ROYCE）

1906 年，劳斯莱斯汽车公司成立。创始人是英国汽车商查尔斯·斯图亚特·劳斯和英国汽车工程师弗雷德里克·亨利·莱斯。劳斯莱斯汽车以外形独特、古香古色、性能优越著称于世，是当今世界最豪华、最尊贵的汽车，被誉为“帝王之车”。由于被英国女王选用，故也被誉为“女王车”。图 9–12 为 2023 款劳斯莱斯幻影。

图 9–12　2023 款劳斯莱斯幻影

9.3 大众汽车公司

1. 公司现状

大众汽车公司总部位于德国沃尔夫斯堡。大众汽车公司是欧洲最大的汽车生产集团，是世界四大汽车集团之一。2022 年汽车销量 830 万辆，居世界第二。

公司特色：以生产物美价廉的平民家用车闻名世界。

大众汽车公司发展史

2. 公司发展简史

1938 年大众公司成立。

1933 年设计开发的“甲壳虫”经济型汽车（图 9–13），至 1978 年停产共生产 2150 万辆，打破了福特 T 型车创造的世界纪录。

图 9–13　大众甲壳虫

1964 年，收购德国的奥迪汽车公司。

1973 年，开发出高尔夫（Golf）牌轿车（图 9–14），迄今已生产到第八代，生产量超过 3500 多万辆，创单一车型世界冠军。

1983 年，收购了西亚特的大部分股份，使西亚特成为大众汽车公司的子公司。

图 9–14 1973 年大众 Golf

1991 年，收购斯柯达。

1998 年收购了布加迪、兰博基尼、宾利、劳斯莱斯（2002 年 12 月 31 日后归宝马汽车公司），成为欧洲第一大汽车公司。

2008 年，收购瑞典的斯堪尼亚汽车公司。

2009 年 5 月 7 日，并购保时捷汽车公司。

2013 年，奥迪亚洲研发中心落户北京，同年一汽大众全新捷达与奥迪 Q3 在深圳上市。

2020 年 5 月，大众汽车公司投资约 11 亿欧元获得电池生产企业国轩高科 26.47% 的股份。

2021 年，大众汽车公司发布全新企业社会责任战略，制定了低碳未来、教育、经济赋能三大战略领域。

3. 企业文化

尊重民主、自由；注重诚信、遵守法律；博爱、平等、勤俭、节制；以人为本，注重提高员工素质，开发人力资源；追求卓越，质量第一。

4. 公司主要汽车品牌

大众汽车公司主要汽车品牌有大众、奥迪、斯柯达等，见表 9–2。

表 9–2 大众汽车公司主要汽车品牌

品牌	车标	品牌	车标	品牌	车标
大众（Volkswagen）		奥迪（Audi）	Audi	兰博基尼（Lamborghini）	
宾利（Bentley）		保时捷（Porsche）		西亚特（Seat）	SEAT
斯柯达（Skoda）	SKODA	布加迪（Bugatti）	BUGATTI	斯堪尼亚（Scania）	

（1）大众

大众品牌的车型主要有甲壳虫（Beetles）、波罗（Polo）、高尔夫（Golf）、捷达（Jetta）、路波（Lupo）、桑塔纳（Santana）、帕萨特（Passat）、辉腾（Phaeton）等，畅销全世界。以下简要介绍其中几个。

1）路波（图 9–15）：1998 年推出的小型家庭用车，最著名的车型是 1.2L 柴油机轿车，油耗低至3L/100km，誉满全球，被称为“3升路波”。该品牌现已停产。

图9-15 路波柴油机轿车

2）桑塔纳（图9-16）：是大众汽车公司在美国生产的汽车。美国有一个桑塔纳山谷，以盛产名贵葡萄而享誉世界。并且，该山谷还经常刮起一股类似“科罗拉多”旋风，因此当地人就把这种旋风叫作“桑塔纳”。

3）帕萨特（图9-17）：自1973年诞生，40多年来大众帕萨特轿车以其高标准的安全、经典的设计、顶级的造车质量席卷全球汽车市场，共生产销售3000余万辆。

4）辉腾（图9-18）：是大众汽车公司在2002年推出的顶级旗舰产品，搭载W12发动机。

图9-16 2021大众桑塔纳

图9-17 2023款大众帕萨特

图9-18 2016款大众辉腾

（2）奥迪（Audi）

1910年，由奥迪（Audi）等4家公司联合成立汽车联盟股份公司，1964年被大众汽车公司收购，目前是大众汽车公司最大的子公司。总部设在德国英戈尔施塔特。

公司主要产品有A系列（A1、A3、A4、A5、A6、A7、A8）和Q、R、RS、TT和纯电动车等系列。奥迪A4（图9-19）是1994年10月投产的一种中高档轿车，其销量在德国一直位居中型轿车销售排行榜的首位。

图9-19 2023款奥迪A4L

（3）宾利（Bentley）

宾利汽车公司建于1919年，创始人是英国沃尔特·欧文·宾利（Walter Owen Bently）（图9-20），业内人士都称他为“WO先生”。1931年，该公司被劳斯莱斯公司收购。1999年，宾利成为大众集团的一个品牌，生产豪华轿车。

图9-20 沃尔特·欧文·宾利

宾利汽车一直以千锤百炼的工艺和完美无瑕的品质占据着豪华汽车的巅峰位置。手工精制是宾利最引以为傲的传统，每辆车要花上16～20周才能完成，绝大部分的工匠都有20年以上的丰富经验。仅每台汽车的喷漆程序就要经过120个独立步骤，所有车身油漆都经过15次喷漆处理，出厂前的最后打蜡及抛光程序就得专人以人工打磨十多个小时才能完成。宾利的品质严谨程度堪称世界汽车生产商之冠。

部分名车见图 9-21、图 9-22。

图 9-21　1929 年宾利 Blower

图 9-22　英国王室御驾

（4）兰博基尼（Lamborghini）

图 9-23　弗鲁西欧 · 兰博基尼

兰博基尼汽车公司创建于 1963 年，创始人是意大利弗鲁西欧·兰博基尼（图 9-23），总部设在摩德纳附近的圣·亚哥大（Sant Agata）。1998 年，该公司被大众汽车公司旗下的奥迪公司收购。

20 世纪 70 年代由著名的博通设计公司设计了造型独特的运动车，车身高度只有 1m，车门是鸥翼式的。该公司的每一种车型都是件艺术珍品。部分名车见图 9-24~ 图 9-29。

图 9-24　1963 年兰博基尼 350GTV

图 9-25　1967 年兰博基尼 Marzal

图 9-26　1968 年兰博基尼 Miura P400/S

图 9-27　1982 年 Countach5000S 跑车

图 9-28　1993 年兰博基尼鬼怪 VT

图 9-29　2001 年兰博基尼 Diablo VT 6.0 SE

（5）保时捷（Porsche）

图 9-30　费迪南德 · 保时捷

保时捷公司创始人是费迪南德·保时捷，又译作费迪南德·波尔舍（图 9-30）。1900 年，推出第一辆双座电动跑车罗纳尔 – 保时捷（Lohner-Porsche），轰动世界。

1931 年 3 月 6 日，在斯图加特建立了一家设计公司，专门开发汽车、飞机及轮船的发动机，以生产赛车闻名于世，其设计的赛车多次在世界汽车比赛得奖，其生产的保时捷 911 是迄今为止世界上最畅销的一款跑车。部分名车见图 9-31 ~ 图 9-36。

图 9-31　1948 年保时捷 356

图 9-32　1963 年保时捷 911

图 9-33　1970 年保时捷 917

图 9-34　1974 年保时捷 911 Turbo

图 9-35　1982 年保时捷 956

图 9-36　2010 年保时捷 911 Turbo 跑车

（6）斯柯达（Skoda）

斯柯达汽车公司是第一次世界大战后由创建于 1895 年的 L&K 公司和斯柯达·佩尔森（Skoda Pilsen）集团合并而成，公司总部位于捷克首都布拉格北部的姆拉达·博雷斯拉夫（Mlada Boleslav，中文意为“年轻的城市”），现在成为捷克“汽车城”。

图 9-37　斯柯达 Hispano Suiza

1924 年，斯柯达汽车公司生产豪华车型 Hispano Suiza（图 9-37），是当时世界上最贵的汽车，它的底盘价格比当时的劳斯莱斯还贵。

1991 年，斯柯达汽车公司被大众汽车公司并购。

斯柯达汽车以生产高性价比、坚实耐用、高安全性、优良的操控性及舒适性兼备的汽车而备受广大消费者的青睐。

（7）布加迪（Bugatti）

布加迪汽车公司创建于 1909 年，创始人是埃多尔·布加迪，总部位于法国莫尔塞姆。艺术家出身的布加迪为了追求机器与艺术的完美结合，不计血本地制作了不少著名跑车，创造过多次汽车车速的世界纪录，轰动世界车坛。

1998 年，该公司被大众汽车公司收购。2004 年推出的布加迪 EB16.4 Veyron（威龙）（图 9-38），打破当时世界汽车工业的多项纪录。该车搭载 W16 发动机，最大功率 736kW，最高车速 405.7km/h，0—100km/h 加速时间为 2.9s，每辆售价约 120 万美元，是当时世界上最贵的车。

图 9-38　2004 年布加迪威龙

布加迪 T 系列轿车和 ID、EB 系列跑车都是精品之作，有的只限生产几辆，有的打破了世界车速纪录。部分精品见图 9-39、图 9-40。

图 9-39 1938 年布加迪 Type 57 SC Atlantic Coupe

图 9-40 1990 年 ID90 Concept

（8）西亚特（Seat）

西亚特是西班牙最大的汽车公司，在 1950 年成立于巴塞罗那。1990 年，西亚特成为大众汽车公司的全资子公司。

其生产的车型有伊比萨（Ibiza，昵称“小斗牛士”）、阿罗莎（Arosa）、图雷多（Toledo）、科多巴（Cordoba）、利昂（Leon）（图 9-41）等。

图 9-41 18 款西雅特 Leon Cupra R

（9）斯堪尼亚（Scania）

斯堪尼亚（Scania）公司于 1891 年在瑞典南部的马尔默成立，1969 年与萨博（Saab）合并成立萨博 - 斯堪尼亚有限公司，于 2008 年被大众公司收购。

斯堪尼亚公司是世界领先的重型货车和大型客车以及工业发动机制造商之一，全球拥有 30000 名雇员。

公司车标（图 9-42）：斯堪尼亚公司车标是狮身鹰面兽。在古代神话中，狮身鹰面兽一直都是最强大的动物的象征，是各种神祇的坐骑，象征力量、速度、敏捷和勇气，喻示公司生产的汽车性能优越。

SCANIA

图 9-42 斯堪尼亚公司车标

汽车品牌：公司以生产重型货车和大型客车闻名，其新款 R 系列重型货车荣膺“2010 年度货车”大奖；2022 年，推出首款斯堪尼亚 P25 全电动汽车运输车，进一步扩大了其零排放产品阵容。

9.4 雷诺 - 日产 - 三菱汽车联盟

1. 公司现状

雷诺 - 日产 - 三菱汽车联盟总部位于荷兰的阿姆斯特丹（9-43）。2022 年公司全年汽车销量为 615.7 万辆，居世界第五。

图 9-43 雷诺 - 日产 - 三菱汽车联盟总部

雷诺 - 日产 - 三菱联盟商标采用三条相互交错的弧线，兼顾了三个品牌原有 Logo 的特点，表示三方之间将不断强化趋同和合作（图 9-44）。

RENAULT NISSAN MITSUBISHI

图 9-44 雷诺 - 日产 - 三菱汽车联盟商标

2. 公司发展简史

雷诺汽车公司成立于 1898 年，创始人为路易斯·雷诺（Louis

Renault）（图 9–45）和他的两个兄弟。

1946 年，开发了著名的 4CV 微型汽车，十分畅销，获得巨大的成功。

1972 年，推出雷诺 5 型，采用掀背式后门和模块化后排座椅设计，成为法国最畅销的轿车，生产 540 万辆以上（图 9–46）。

图 9–45　路易斯 · 雷诺

图 9–46　1972 年雷诺 5 型

1999 年，雷诺汽车公司通过收购股份成为日产汽车公司的第一大股东，日产汽车公司则购买雷诺公司部分股份，形成雷诺 – 日产汽车联盟。

2010 年 4 月 7 日，戴姆勒公司与雷诺 – 日产汽车联盟宣布建立战略联盟。双方将交叉持有各自股权的 3.1%，按协议交叉持股的锁定期将长达 5 年。

2016 年 5 月，雷诺 – 日产联盟收购三菱汽车公司 34% 股权，形成雷诺 – 日产 – 三菱汽车联盟。

2024 年初，雷诺汽车公司把持有的日产汽车公司的股份从 43% 削减到 15%，与日产汽车公司持有的雷诺汽车公司股份规模相当，从而让日产汽车公司获得对等的投票权。

3. 企业文化

雷诺汽车：热情而富创新精神，Drive the Change（驾驭变革），开拓出汽车设计与使用的新途径，可持续发展动力理念。

日产汽车：力量源于自身；丰富人们生活。

三菱汽车：遵守法律，尊重人权，贡献社会，与地区的协调和融和，致力环境保护，作为企业人的自觉。

4. 公司主要汽车品牌

雷诺 – 日产 – 三菱汽车联盟主要汽车品牌见表 9–3。

表 9–3　雷诺 – 日产 – 三菱汽车联盟主要汽车品牌

品牌	车标	品牌	车标	品牌	车标
雷诺（Renault）		日产（Nissan）	NISSAN	英菲尼迪（Infiniti）	INFINITI
三星（3–Star）		达契亚（Dacia）		三菱（Mitsubishi）	

部分名车见图 9–47~ 图 9–49。

图 9-47 雷诺梅甘娜 CC

图 9-48 日产公爵

图 9-49 三菱 Lancer EvolutionX

9.5 斯特兰蒂斯集团

1. 公司现状

斯特兰蒂斯集团（Stellantis N.V.）是一家由标致－雪铁龙集团（PSA）和菲亚特－克莱斯勒集团（FCA）在 2021 年以 50∶50 的股比合并而来的汽车制造商及出行方案提供者。集团以清晰的愿景为指导：用独特、可靠且价格合理的出行解决方案提供出行自由。

图 9-50 斯特兰蒂斯集团总部

2022 年，斯特兰蒂斯集团全球销量 643 万辆，位居全球第四位。斯特兰蒂斯集团总部位于荷兰阿姆斯特丹（图 9-50）。斯特兰蒂斯集团拥有 40 万名员工，集团的生产制造业务遍布全球 30 多个国家，并在 130 多个国家和地区提供服务与产品。

2. 公司发展简史

2019 年 12 月，FCA 集团与 PSA 集团签署联合协议，宣布双方以 50∶50 的股比进行合并。

2020 年 7 月，FCA 集团和 PSA 集团决定为新集团取名为斯特兰蒂斯。12 月 21 日，欧盟委员会反垄断机构批准了 FCA 集团和 PSA 集团合并成为斯特兰蒂斯集团的申请。

2021 年 1 月 4 日，FCA 集团与 PSA 集团股东投票通过了约翰·艾尔坎任首届董事会主席（图 9-51）。1 月 16 日，FCA 集团与 PSA 集团的合并正式完成（图 9-52）。

图 9-51 约翰 · 艾尔坎

图 9-52 PSA 与 FCA 合并

2022 年 11 月 18 日，宣布将收购人工智能和自动驾驶软件开发商 aiMotive，双方已就此次收购达成协议。

启示角

汽车行业竞争激烈，多少优秀车企淹没在历史浪潮中，又有斯特兰蒂斯这样的大型汽车集团横空出世，为一众小品牌提供庇护的羽翼。可见，汽车的发展史中永远充斥着竞争、改革、整合、拆解，危中有机，只有立足于创新开拓，才能加快实现汽车产业科技自立自强。

3. 企业文化

客户导向，包容共赢；创新突破，关心未来。

4. 公司主要品牌

斯特兰蒂斯集团旗下包括14个汽车品牌，包括阿巴斯、阿尔法·罗密欧、克莱斯勒、雪铁龙、道奇、谛艾仕、菲亚特、法拉利、吉普、蓝旗亚、玛莎拉蒂、欧宝、标致、沃克斯豪尔，覆盖超豪华、豪华、主流乘用车乃至重型皮卡、SUV和轻型商务车等细分市场。此外，还有专门的移动出行、金融、零部件及服务品牌。斯特兰蒂斯集团主要汽车品牌如表9-4所示。

表9-4 斯特兰蒂斯集团主要汽车品牌

	品牌	车标	品牌	车标	品牌	车标
FCA集团	菲亚特（Fiat）		阿尔法·罗密欧（Alfa Romeo）		法拉利（Ferrari）	
	克莱斯勒（Chrysler）		道奇（Dodge）		吉普（Jeep）	
	蓝旗亚（Lancia）		玛莎拉蒂（Maserati）		阿巴斯（Abarth）	
PSA集团	标致（Peugeot）		雪铁龙（Citroen）		欧宝（Opel）	
	沃克斯豪尔（Vauxhall）		谛艾仕（DS）			

（1）标致－雪铁龙集团

标致－雪铁龙集团是法国最大的汽车集团公司，公司总部在巴黎（图9-53）。标致－

雪铁龙集团目前与我国的东风汽车集团、长安汽车公司等有合资关系。

1）公司发展简史如下：

图 9-53 PSA 集团总部

1890 年，标致汽车公司成立，创始人阿尔芒·标致（Armand Peugeot）（图 9-54）。

1929 年，标致 201（图 9-55）推出，它是世界上第一批采用前轮独立悬架的车型。

1976 年，标致汽车公司兼并了雪铁龙汽车公司，组成标致 - 雪铁龙集团。雪铁龙汽车公司于 1915 年成立，创始人安德烈·雪铁龙（图 9-56）。

1983 年，标致 205（图 9-57）运动型车面世，被誉为“神车”，生产了大约 530 万辆，树立了国际品牌的形象。

1998 年，推出标致 206（图 9-58、图 9-59），共获得包括德国和日本在内的 20 多个“年度车型”奖项，被评为 2001 和 2002 年欧洲最佳销量车型。

2017 年 8 月 1 日，标致 - 雪铁龙集团从通用汽车公司收购了欧宝和沃克斯豪尔汽车品牌。

图 9-54 阿尔芒 · 标致

图 9-55 1929 年标致 201

图 9-56 安德烈 · 雪铁龙

图 9-57 标致 205

图 9-58 标致 206

图 9-59 标致 206 WRC

2）部分名车见图 9-60~ 图 9-62。

图 9-60 雪铁龙 C6

图 9-61 1955 年 DS

图 9-62 标致 508L

（2）菲亚特－克莱斯勒集团

菲亚特－克莱斯勒集团总部位于意大利都灵市（图 9–63），曾与我国南京跃进汽车集团、广汽集团等有合资公司。

图 9–63　菲亚特－克莱斯勒集团总部

1）公司发展简史如下：

1899 年，乔瓦尼·阿涅利（图 9–64）创建了意大利都灵汽车制造厂，菲亚特（FIAT）是该公司缩写的译音，总部设在意大利都灵市。

1911 年，制造出菲亚特 300（图 9–65），发动机功率 213kW，最高速度达 290km/h，创造了当时世界纪录。

1957 年，推出菲亚特 500 汽车，配有双缸风冷发动机，产量达到了 368 万辆。

1967 年，推出菲亚特 124（图 9–66），是欧洲最出色的家庭汽车之一，共生产了 400 万辆。

图 9–64　乔瓦尼 · 阿涅利

图 9–65　1911 年菲亚特 300

图 9–66　菲亚特 124

1969 年，菲亚特兼并了蓝旗亚汽车厂，并购买了法拉利车厂 50% 的股份。

1971 年，收购阿巴斯（Abarth）汽车公司。

1980 年，生产熊猫（Panda）微型轿车，创立了小型多功能车的概念。

1986 年，收购了阿尔法·罗密欧。

1993 年，收购了玛莎拉蒂。

1996 年 4 月，推出面向世界的派力奥（Palio）系列轿车，产量超过了 100 万辆。

2014 年 1 月，菲亚特并购克莱斯勒 100% 股权。

2）公司旗下品牌及历史名车如下：

①菲亚特（Fiat）：历史名车主要有熊猫（Panda）（图 9–67）、西耶那（Siena）、派力奥（Palio）（图 9–68）、马力昂（Marea）、鹏托（Punto）、多能（Multipla）、多宝（Doblo）等。

②阿尔法·罗密欧（Alfa Romeo）：

1910 年，阿尔法·罗密欧公司创建，总部设在意大利米兰。

1924 年，推出 P2 车型（图 9–69），在第一届世界赛车锦标赛上勇夺桂冠。

1986 年，并入菲亚特集团。

1998 年，156 车型（图 9–70）被评为年度汽车。

2000 年，147 车型面世（图 9–71），并一举夺得 2001 年度汽车桂冠。

2018 年，阿尔法·罗密欧携手瑞士索伯车队回归 F1 赛道。

图 9-67　菲亚特熊猫　　图 9-68　菲亚特派力奥

图 9-69　阿尔法 · 罗密欧 P2 型赛车　　图 9-70　阿尔法 · 罗密欧 156　　图 9-71　阿尔法 · 罗密欧 147

③法拉利（Ferrari）：

1929 年，世界赛车冠军、汽车设计大师、意大利人恩佐·法拉利（图 9-72）创建了法拉利汽车公司。

图 9-72　恩佐 · 法拉利

1947 年，第一辆法拉利赛车 125 Sport 赢得了罗马大奖赛的胜利。

1969 年，被菲亚特集团收购。

2004 年，成立了法拉利大中华区，全面进入中国市场。

2007 年，推出法拉利 F2007 赛车（图 9-73）。

2022 年 2 月，宣布与高通技术公司达成战略技术合作。

法拉利汽车大部分采用手工制造，年产量只有 4000 辆左右，发动机最高转速可达 7000 ~ 10000r/min，功率超过 368kW，最高车速可达 300km/h。每一辆法拉利汽车，都可以说是一件绝妙的艺术品。著名的超级跑车有 1962 年 250 GTO、1984 年 288 GTO、1988—1992 年 F40（图 9-74）、1995—1997 年 F50、1996 年 F50 GT、2003—2005 年 Enzo（图 9-75）等。

图 9-73　法拉利 F2007　　图 9-74　法拉利 F40　　图 9-75　法拉利 Enzo

④玛莎拉蒂（Maserati）：

1914 年，玛莎拉蒂（Maserati）家族六兄弟于意大利的科隆纳创建了玛莎拉蒂汽车公司，专门生产运动车。

1926年，自行设计制造出第一辆玛莎拉蒂Tipo 26汽车参加竞赛。

1957年，玛莎拉蒂250F（图9-76）取得了第五个冠军称号。

在三十余年的参赛历史中，玛莎拉蒂取得了近500场比赛的胜利，共取得了23个冠军称号。

1993年，被菲亚特收购。之后，玛莎拉蒂汽车公司又相继开发了一些经典车型，如鸟笼（Birdcage）概念车等（图9-77、图9-78）。

2020年2月，玛莎拉蒂汽车公司宣布所有新车型未来都将会配备混合动力或纯电动动力系统。

图9-76　1957年玛莎拉蒂250F

图9-77　玛莎拉蒂“鸟笼”概念车

图9-78　2023玛莎拉蒂GranTurismo

9.6 欧洲其他汽车公司简介

1. 阿斯顿·马丁（Aston Martin）汽车公司

1913年，公司由英国人莱昂内尔·马丁（Lionel Martin）和罗伯特·班福特（Robert Bamford）（图9-79）共同创建。

图9-79　罗伯特·班福特（左）和莱昂内尔·马丁（右）

1923年，公司改名为阿斯顿·马丁。因为马丁曾驾驶自己制造的赛车在阿斯顿·克林顿山举行的山地汽车赛中获胜，为了纪念胜利而将公司和产品改名。

1947年，公司卖给了英国拖拉机制造商戴维·布朗（David Brown）。第二年，DB1（图9-80）车型投产。

1987年，福特汽车公司收购了其75%股份。

1994年，成为福特汽车公司的全资子公司。

2007年3月，福特汽车公司将其转售给英国Prodrive公司。

2022年9月30日，浙江吉利控股集团有限公司完成对阿斯顿·马丁7.60%的股份收购。

2023年，阿斯顿·马丁与奔驰签署了一份新的技术协议，向其出售近20%股份，从而获取奔驰更多的电动汽车和油电混动技术。

阿斯顿·马丁以生产敞篷旅行车、赛车和限量生产的跑车而闻名于世，一直是造型别致、精工细作、性能卓越的运动跑车的代名词。著名车型有DB系列、Vantage（图9-81）、ONE-77（图9-82）等。

图 9-80 阿斯顿·马丁 DB1 汽车

图 9-81 2023 款 Vantage V8 Coupe

图 9-82 ONE-77

2. 俄罗斯高尔基汽车集团

1930 年 5 月，苏联自行建造高尔基汽车厂（简称 GAZ——嘎斯，后改为伏尔加汽车制造厂）。

1932 年，生产出第一批自己的产品——嘎斯 AA 型载货汽车。

图 9-83 嘎斯 -21 型轿车

1956 年 10 月 15 日，第一批伏尔加牌嘎斯 -21 型轿车（图 9-83）诞生，并正式以俄罗斯的母亲河——伏尔加河的名字命名。

1958 年，伏尔加轿车在布鲁塞尔国际工业展上夺得最高奖，并出口到 75 个国家。

2005 年，组建了高尔基汽车集团。集团包括高尔基汽车厂股份公司及其一系列子公司、高尔基轿车厂有限责任公司、巴甫洛夫斯克公共汽车厂有限责任公司、柴油汽车股份公司等。

2023 年，与越南 Thanh Dat 公司成立汽车组装合资企业，俄罗斯高尔基汽车集团将在越南组装汽车。

3. 荷兰世爵汽车公司

1880 年，荷兰商人雅克布斯（JACOBUS）兄弟创立公司，制造四轮马车。公司总部在阿姆斯特丹。

1900 年，为了庆祝威廉敏娜女王加冕，制造了著名的黄金马车（图 9-84）。

图 9-84 1900 年黄金马车

1903 年 12 月，制造出世界上第一辆六缸四驱并带四轮制动的世爵 60hp 汽车（图 9-85）。

1907 年，推出了世爵 14/18HP 旅行车。在从北京到巴黎的著名拉力赛中荣获亚军。

1914 年，世爵汽车公司与荷兰飞机制造股份公司合并。

1925 年，世爵汽车公司因为各种原因停止了汽车的生产。此后，销声匿迹了 75 年。

图 9-85 世爵 60hp

2000 年，生产出 C8 SPYDER 跑车，获得了“专业少量汽车生产商优秀技术大奖”。

2005 年 9 月 12 日，世爵 C8 Spyder 被美国《DuPont

Registry》杂志评为“全球最独一无二、最富激情”的汽车品牌。

2010 年 2 月 1 日，世爵汽车公司从美国通用汽车公司购得萨博汽车品牌。

2014 年 12 月 18 日，世爵汽车公司发布声明，宣布破产。次年，宣布已经偿清债务，并和电动飞机制造商 Volta Volare 进行合并。

2022 年，重整后的世爵品牌推出三款车型，包括 C8 Preliator、D8 Peking-to-Paris SUV 和 B6 Venator 跑车。

任务小结

1. 介绍了梅赛德斯 – 奔驰、宝马、大众、雷诺 – 日产 – 三菱汽车联盟、斯特兰蒂斯集团等欧洲汽车公司的发展简史、现状和主要汽车品牌。

2. 介绍了梅赛德斯 – 奔驰、宝马、大众、雷诺 – 日产 – 三菱汽车联盟、斯特兰蒂斯集团等欧洲汽车公司的企业文化。

课后测试

1. 不定项选择题

（1）斯特兰蒂斯集团成立于哪一年？（　　）

A. 1908 年　　B. 2012 年　　C. 1927 年　　D. 2021 年

（2）以下哪个不是宝马旗下子品牌？（　　）

A. 劳斯莱斯　　B. MINI　　C. 名爵　　D. 奥斯汀

（3）标致雪铁龙旗下哪个品牌主打高端车系？（　　）

A. DS　　B. 菲亚特　　C. 雪铁龙　　D. 赛欧

2. 填空题

（1）FCA 集团是由________汽车公司并购了________汽车公司而组建的。

（2）法拉利的创始人是________。

3. 思考题

（1）请回答任务描述所提出的问题。

（2）斯特兰蒂斯集团兼并了很多著名车企，这样整合的意义是什么？

任务 10　亚洲主要汽车公司发展历程探究

学习目标

- 通过检索能阐述亚洲各大车企的核心企业文化。
- 学习前辈无私奉献、艰苦奋斗创业史，坚定砥砺前行、不懈奋斗、吾辈当自强的信念。

任务描述

检索丰田汽车公司发展历程，其管理经验有何可借鉴的？

知识参考

10.1 丰田汽车公司

1. 公司现状

丰田汽车公司总部位于日本爱知县丰田市（图 10–1）和东京都文京区。

图 10–1　爱知县丰田市丰田汽车公司总部

公司特色：以精湛的工艺和高品质的性能著称。丰田汽车以其可靠性、高效性、安全性和环保性为特点，是众多消费者的首选。丰田汽车公司与我国一汽、上汽集团等多家企业成立合资公司。

2022 年，丰田集团全球销量 1048 万辆，位居世界第一。公司旗下主要汽车品牌见表 10–1。

表 10–1　丰田汽车公司主要汽车品牌

品牌	车标	品牌	车标	品牌	车标	品牌	车标
丰田（Toyota）		雷克萨斯（Lexus）		日野（Hino）	HINO	大发（Daihatsu）	

2. 公司发展简史

图 10-2　丰田喜一郎

1937 年，丰田汽车工业公司诞生，创始人是丰田喜一郎（图 10-2）。

1954 年，丰田部分工厂开始试行“精益管理法”。

1955 年，生产出第一辆皇冠轿车（图 10-3）。

1962 年，丰田开始进军欧洲。这一年，丰田汽车产量首次突破了百万辆大关。

1974 年，花冠轿车成为世界产量第一的汽车（图 10-4）。

图 10-3　1955 年皇冠轿车

图 10-4　1974 年花冠轿车

丰田汽车公司发展史

1997 年，普锐斯（PRIUS）混合动力汽车投产上市。

2000 年，四川丰田汽车有限公司建成投产。

2002 年，与中国一汽集团合资。

2004 年，广州丰田汽车有限公司成立。

2018 年，日本铃木、斯巴鲁以及丰田集团的大发工业和日野汽车 4 家公司决定加入由丰田汽车公司主导的电动汽车技术研发新公司，以共享相关知识、降低成本、加速研发进程。

2022 年 10 月，在中国发布与比亚迪联合开发的新电动轿车品牌，以扩大在中国的电动汽车产品范围。

3. 企业文化

客户第一，服务至上；通过生产汽车，为建立富有的社会做贡献；事业在于人；同心协力、开拓挑战、持续改善、尊重员工、相亲相爱、心存感激。

丰田式生产管理体系（TPS）见图 10-5。

图 10-5　丰田式生产管理体系

4. 公司部分历史名车

公司部分历史名车见图 10-6~ 图 10-8。

图 10-6　1989 款雷克萨斯 LS400 轿车

图 10-7　2018 款丰田世纪

图 10-8　2022 款卡罗拉

10.2 本田汽车公司

1. 公司现状

本田汽车公司总部位于日本东京市（图 10-9）。

2022 年，本田汽车公司全球销量 374 万辆，位居世界八。

本田汽车公司与我国广汽集团等企业合资生产雅阁等品牌汽车。

本田汽车公司发展史

图 10-9　本田汽车公司总部

2. 公司发展简史

图 10-10　本田宗一郎

1948 年，本田宗一郎（图 10-10）创建了“本田技研”。

1962 年，研制出划时代的微型轿车“N360”。

1971 年，开发了低公害的 CVCC（复合涡流调速燃烧）发动机汽车。

1982 年 11 月，第一辆雅阁（Accord）轿车（图 10-11）在美国工厂下线。

1986 年，本田在美国推出讴歌（Acura）品牌。

1998 年 7 月，广州本田汽车有限公司成立。

2003 年 7 月，东风本田汽车有限公司成立。同年 9 月，本田汽车（中国）有限公司成立。

2006 年 9 月，广州本田第二工厂投产。

2013 年 11 月，本田技研科技（中国）有限公司成立。

2020 年 6 月，与东软睿驰汽车技术（上海）有限公司合资成立海纳新思智行服务有限公司，加速推进汽车智能网联服务升级。

2022 年 3 月，发布电动品牌极湃（e:NP），同时该品牌首款车型 e:NP1（图 10-12）一同亮相，标志着本田汽车全面开启电动化新时代。

图 10-11　1982 款雅阁

图 10-12　2022 款 e:NP1

3. 企业文化

独立行事、快速行动，大胆地在全球战略、产品概念以及可持续使用的资源等方面坚持走自己的道路；客户满意第一的原则；充分尊重个人，公平合理授权，一人一事，自由竞争，造就独创型人才。

4. 公司部分历史名车

公司部分历史名车见图 10-13~ 图 10-15。

图 10-13　2022 款雅阁

图 10-14　2022 款讴歌 Type S

图 10-15　2023 款思域

10.3 现代汽车集团

1. 公司现状

现代汽车集团总部位于韩国首尔（图 10-16）。

图 10-16　现代汽车集团总部

2022 年，现代汽车集团全球销量 684.8 万辆，位居世界第三。现代汽车集团与我国东风汽车集团、北汽集团合资生产汽车。

2. 公司发展简史

公司成立于 1967 年，创始人郑周永（图 10-17）。

图 10-17　郑周永

1998 年，收购韩国起亚（KIA）汽车公司，组成现代汽车集团，成为韩国最大的汽车公司。它从建立工厂到独立开发汽车只用了 18 年，走出了一条在国家支持下借助外国大公司自我发展壮大的成功之路。

2021 年 6 月，完成收购波士顿动力公司的 80% 股权，估值 11 亿美元。

2022 年 10 月，在美国佐治亚州正式开工建设一座新的电动汽车制造厂。

3. 企业文化

以创新思维和无限挑战精神开创崭新未来，从而实现人类社会梦想；顾客至上，追求全球化；沟通与合作，尊重人才。

图 10-18　2022 款索纳塔

4. 公司部分历史名车

公司部分历史名车有雅绅特（Accent）、索纳塔（Sonata）（图 10-18）、伊兰特（Elantra）、起亚 K5 等。

上海汽车集团发展史

10.4 上汽集团

上汽集团全称是上海汽车集团股份有限公司。

1. 公司现状

上汽集团总部位于上海市（图 10-19）。

图 10-19 上汽集团总部

上汽集团所属主要整车企业包括上汽乘用车公司、上汽通用、上汽大众、上汽通用五菱、南京依维柯、上汽依维柯红岩、上海申沃等企业，旗下有荣威、名爵、五菱等自主品牌，还有大众、别克、雪佛兰、凯迪拉克、斯柯达等合资品牌。

2022 年，上汽集团汽车总销量 530.26 万辆，位居中国第一位，世界第七位。

2. 公司发展简史

1957 年 9 月，上海汽车装修厂试制成功第一辆 58 型越野车（图 10-20）。

1958 年，试制成第一辆凤凰牌轿车。

1964 年，凤凰牌轿车改名为上海牌轿车（图 10-21）。

1985 年，上海大众汽车有限公司成立（图 10-22）。

图 10-20 58 型越野车

图 10-21 上海牌轿车

图 10-22 上海大众汽车有限公司成立

1995 年，上海汽车工业总公司更名为上海汽车工业（集团）总公司。同年推出桑塔纳 2000 型汽车（图 10-23）。

1997 年，上海通用汽车有限公司成立。

2002 年，上汽通用五菱汽车股份有限公司成立。

2004 年，上汽集团参股金杯通用汽车公司和山东大宇汽车发动机有限公司，收购韩国双龙汽车公司 48.92% 的股份。

2006 年，发布了首款自主品牌中高档轿车荣威（Roewe）750。

2007 年，上汽依维柯红岩商用车有限公司与上汽菲亚特红岩动力总成有限公司成立。

2011 年，成立上汽大通汽车有限公司。

2020 年 12 月，成立智己汽车科技有限公司。“智己”是由上汽集团、浦东新区、阿里巴巴集团三方联合打造的高端豪华智能纯电汽车品牌。上汽持有智己汽车科技有限公司 72% 股权，为实控人。

2021 年 10 月，成立飞凡汽车科技有限公司。

2022 年 4 月，荣威 RX5 PLUS（图 10-24）下线。同年 9 月入局换电领域，联手中石油、中石化、宁德时代成立上海捷能智电新能源科技有限公司。

图 10-23　桑塔纳 2000 型汽车

图 10-24　2022 款荣威 RX5 PLUS

3. 企业文化

满足用户需求，提高创新能力，集成全球资源，崇尚人本管理；尊崇品质、自主创新，具有核心竞争能力和国际经营能力。

4. 公司部分汽车品牌与车型

上汽集团部分汽车品牌和车型见表 10-2 和图 10-25~ 图 10-27。

表 10-2　上汽集团部分汽车品牌和车型

品牌	车标	主要车型
上汽乘用车	SAIC 上汽集团 SAIC MOTOR	荣威轿车：科莱威 CLEVER、i6、i6 Max、i6 MAX 新能源、D7 荣威 SUV：鲸、龙猫、RX3/5/8、RX5 eMAX、eRX5 荣威 MPV：iMAX8 EV、iMAX8 名爵轿车：MG MULAN/5/6/7、MG6 新能源 名爵 SUV：MG ZS、MG ONE、MG 领航、HS 新能源
上汽大众	上汽大众 SAIC VOLKSWAGEN	大众轿车：Polo、桑塔纳、朗逸、ID.3、凌渡、帕萨特 PHEV 大众 SUV：途铠、ID.4 X、途岳、途观 L、途观 L 新能源、途观 X、ID.6 X、途昂、途昂 X 斯柯达轿车：晶锐、昕锐、速派 斯柯达 SUV：柯米克、柯珞克、柯迪亚克、柯迪亚克 GT
上汽通用	gm 上汽通用汽车 SAIC-GM	别克轿车：凯越、威朗、微蓝 6、英朗、君威、君越 别克 SUV 与 MPV：昂科拉 PLUS/GX、昂科拉、微蓝 7、昂扬、昂科威、昂科旗、E4、E5、GL6、GL8、世纪 雪佛兰品牌：畅巡、科鲁泽、沃兰多、迈锐宝 XL、爱唯欧、创酷、星迈罗、探界者、开拓者 凯迪拉克品牌：OPTIQ、GT4、XT4、XT5、XT6、LYRIQ 锐歌、CT4、CT5、CT6
上汽通用五菱	GM 上汽通用五菱	宝骏品牌：云朵、KiWi EV、悦也 五菱品牌：五菱 E10、五菱龙卡、五菱荣光小卡、五菱荣光小卡 EV、宏光 MINIEV、五菱 Air ev 晴空、五菱星辰、五菱宏光、五菱宏光 PLUS、五菱荣光 EV、五菱荣光 S
上汽大通	上汽大通 MAXUS	MPV 与 SUV：MAXUS MIFA 5/6/7、MAXUS G10/20/50/70/90、MAXUS D60、领地 轻客与微面：MAXUS EV30/90、MAXUS H90 房车、MAXUS V100 房车、MAXUS V80、MAXUS V80 房车、MAXUS V80 新能源
申沃客车	申沃客车 SUNWIN	纯电动客车 SWB6108BEV 系列、公路客车 SWB6 系列

（续）

品牌	车标	主要车型
上汽红岩	上汽红岩 HONGYAN	杰虎系列、杰狮系列、杰豹系列
南京依维柯	NAVECO 南京依维柯	欧胜与欧胜新能源客车系列、全新得意与经典得意系列、聚星系列
智己汽车	IM 智己汽车	SUV：智己 LS6、智己 LS7 轿车：智己 L7
飞凡汽车	飞凡	轿车：飞凡 F7 SUV：飞凡 R7

图 10-25　2023 款君威

图 10-26　2023 款朗逸

图 10-27　2023 款荣威 i5

10.5 一汽集团

中国一汽集团发展史

一汽集团全称是中国第一汽车集团有限公司。

1. 公司现状

一汽集团总部位于吉林省长春市（图 10-28）。

一汽集团拥有红旗、解放、奔腾等自主品牌和大众（奥迪）、丰田等合资品牌。

2022 年，一汽集团汽车总销量 320 万辆，位居全国第二位。

图 10-28　一汽集团总部

2. 公司发展简史

1953 年 7 月 15 日，第一汽车制造厂在长春破土动工（图 10-29），中国汽车工业从此起步。

1956 年 7 月 15 日，第一辆国产解放牌汽车诞生。

1958 年 5 月，生产出第一辆红旗牌轿车（图 10-30）。

1982 年，组建第一汽车集团公司。

1991 年，与德国大众汽车公司合资成立一汽 – 大众汽车有限公司（图 10-31）。

2000 年 6 月，与天津汽车工业（集团）有限公司和日本丰田汽车公司合作成立天津一汽丰田汽车有限公司（2003 年 9 月，公司正式更名）。

2004 年 7 月 20 日，一汽海马汽车有限公司成立。

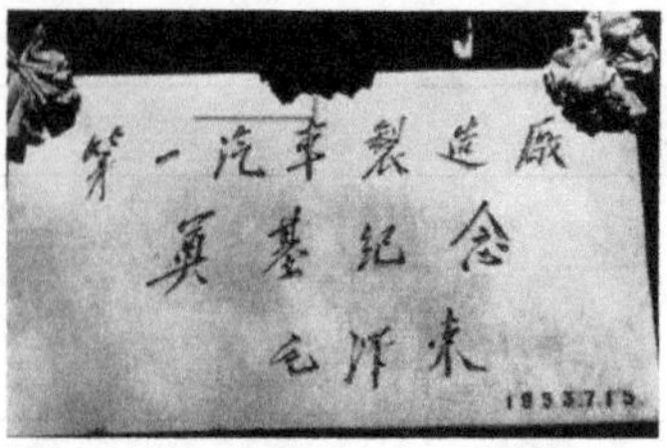

图 10-29　第一汽车制造厂奠基

图 10-30　第一辆红旗牌轿车

图 10-31　一汽 - 大众汽车公司成立

2006 年 1 月 17 日，一汽客车（成都）有限公司成立。

2009 年 8 月 30 日，一汽通用轻型商用汽车公司成立。

2018 年，一汽 - 大众华东基地全面建成。同年，红旗首款纯电动 SUV“E-HS3”（图 10-32）正式下线，新能源战略快速落地。

2021 年 7 月，与中兴通讯签署深化战略合作协议。

2022 年 1 月，与比亚迪合资成立一汽弗迪新能源科技有限公司。同年 3 月，红旗首款纯电动 B 级轿车 E-QM5（图 10-33）上市。

图 10-32　红旗 E-HS3

图 10-33　红旗 E-QM5

3. 企业文化

第一汽车、第一伙伴。学习、创新、抗争、自强。用户第一。耐住寂寞，从“0”和“1”做起，人赢则赢。让中国每个家庭都拥有自己的汽车。注重客户需求、技术创新和可持续发展。

4. 公司部分汽车品牌与车型

一汽集团部分汽车品牌与车型见表 10-3 和图 10-34~ 图 10-36。

表 10-3　一汽集团部分汽车品牌和车型

品牌	车标	主要车型
一汽红旗	红旗	轿车：E001、E-QM5、H5、H5 经典、H6、H7、H9 SUV：E-HS3、HS3、HS5、HS7、E-HS9、LS7、HQ9
一汽解放	一汽解放	牵引车 J7/6 系列、载货车 J6G 系列、自卸车 J6L 系列、新能源专用汽车系列
一汽轿车	一汽轿车	森雅鸿雁、蓝舰 H6、佳宝 V80 新能源

（续）

品牌	车标	主要车型
一汽大众	一汽-大众 FAW-VOLKSWAGEN	大众品牌：ID.7 VIZZION、宝来、高尔夫、速腾、迈腾、迈腾 GTE 插电混动、CC、探影、ID.4 CROZZ、T-ROC 探歌、探岳、探岳 GTE 插电混动、探岳 X、ID.6 CROZZ、揽境、揽巡 奥迪品牌：A3、A4L、A6L、A6L 新能源、Q2L、Q2L e-tron、Q3、Q3 Sportback、Q4 e-tron、Q5L、Q5L Sportback、e-tron
一汽丰田	一汽丰田 FAW-TOYOTA	轿车：威驰、威驰 FS、卡罗拉及双擎 E+、亚洲狮、bZ3、亚洲龙 SUV：奕泽 E 进擎、奕泽 IZOA、RAV4 荣放、RAV4 荣放双擎 E+、卡罗拉 锐放、皇冠 陆放、凌放 HARRIER、bZ4X

图 10-34　2023 款红旗 H5

图 10-35　2023 款奔腾 B70

图 10-36　2023 款速腾

10.6 东风集团

东风集团全称是东风汽车集团股份有限公司。

1. 公司现状

东风集团总部位于湖北省武汉市（图 10-37）。

图 10-37　东风集团总部

东风集团主要有东风乘用车、东风商用车、东风雪铁龙、东风本田、东风日产、东风雷诺、东风裕隆等公司。

2022 年，东风集团汽车总销量 246.45 万辆，位居全国第三位。

2. 公司发展简史

1967 年 4 月 1 日，第二汽车制造厂（简称“二汽”）于湖北十堰动工兴建（图 10-38）。

1975 年 7 月 1 日，二汽第一个基本车型 EQ240 投产（图 10-39）。

1981 年，东风汽车工业联营公司成立。

1992 年 5 月 18 日，神龙汽车有限公司成立（图 10-40）。

图 10-38　湖北十堰炉沟子开工典礼

图 10-39　EQ240 投产

图 10-40　神龙汽车有限公司成立

1993 年，郑州日产汽车有限公司成立。

1998 年 7 月 1 日，东风本田发动机有限公司成立。

1999 年 7 月 15 日，东风汽车股份有限公司成立。

2001 年 5 月 18 日，东风汽车集团股份有限公司成立。

2001 年 11 月 27 日，东风、悦达、起亚三方在北京签署合作协议，成立东风悦达·起亚汽车公司。

2013 年 12 月，东风与雷诺合资。

2014 年 9 月，东风英菲尼迪汽车有限公司成立。

2016 年，东风集团创下了年销量为 427.7 万辆的成绩，销量位居全国汽车行业第二位。

2020 年 4 月，鉴于国内汽车市场下滑及东风雷诺的经营状况，东风雷诺拟进行重组：雷诺拟将 50% 的股份转让给东风集团，东风雷诺将停止雷诺品牌相关业务活动。

2021 年 11 月，东风裕隆提出预破产重组申请。同年 12 月，东风集团将其所持东风悦达·起亚汽车公司 25% 股权全部售予悦达汽车集团。

2023 年，东风集团库存大幅上升。为降库存，东风集团实施降价政策销售燃油车。

3. 企业文化

学习、创新、超越。关怀每一个人，关爱每一部车。对股东、对客户、对员工、对国家和社会、对合作伙伴、对环境等负责。建设一个永续发展的百年东风，一个面向世界的国际化东风，一个在开放中自主发展的东风。

4. 公司部分汽车品牌与车型

东风集团部分汽车品牌和车型见表 10-4 和图 10-41~ 图 10-44。

表 10-4　东风集团部分汽车品牌和车型

品牌	车标	主要车型
东风商用车	东风商用车	天龙系列牵引车、天锦系列载货车、重型工程车、各种专用车、校车系列、城市客车系列、公路客车系列
东风标致	东风标致	轿车：408、408X、508、508L 新能源 SUV：2008、4008、4008 新能源、5008
东风日产	NISSAN 东风日产	轿车：骐达 TIIDA、轩逸、蓝鸟、天籁 SUV：劲客、逍客、途达、奇骏、ARIYA 艾睿雅、奇骏荣耀、楼兰
东风英菲尼迪	INFINITI	Q50L、QX50、QX60
东风风神	东风风神	东风风神 E70、奕炫、奕炫 MAX、皓瀚、东风风神 AX7、皓极、奕炫 GS
东风风行		S50EV、S60EV、景逸 S50、SX6、T5、T5 EVO、雷霆、游艇、菱智、菱智 M5EV、M7

（续）

品牌	车标	主要车型
东风风光	东风风光	MINIEV、蓝电 E3、580 新能源、500、E3、S560、580、ix5、ix7、德先 T8、380、E380
东风雪铁龙	CITROËN	凡尔赛 C5 X、C6、C3-XR、天逸 C5 AIRCROSS
东风本田	东风 HONDA	轿车：LIFE、思域、享域、英仕派及新能源 SUV：XR-V、CR-V、CR-V 新能源、HR-V、UR-V、e:NS1

图 10-41　2022 款东风小康

图 10-42　2022 款风神 AX7

图 10-43　2022 款奇骏

图 10-44　2023 款轩逸

10.7 长安集团

长安集团全称是中国长安汽车集团有限公司（曾用名“中国长安汽车集团股份有限公司”）。

1. 公司现状

截至 2022 年底，长安集团控股、参股和代管 27 家企业，其中，有 4 家上市公司。2022 年，长安集团汽车总销量 234.62 万辆，位居全国第五位。

2. 公司发展简史

1958 年，老长安厂生产出国内第一辆吉普车——长江牌 46 型（图 10-45）。

图 10-45　长江牌 46 型吉普车

1983 年，第一辆长安牌微型汽车诞生。

1993 年，与日本铃木公司等合资成立长安铃木汽车有限公司，之后推出了长安奥拓（图 10-46）等畅销车型。

图 10-46　1993 款长安奥拓

1998 年，长安汽车（集团）有限责任公司成立。

2001 年，与福特汽车公司合资成立长安福特汽车有限公司。

2005 年 12 月，中国兵器装备集团公司对旗下的长安汽车等公司进行重组，成立中国南方工业汽车股份有限公司。

2009 年 7 月 1 日，更名中国长安汽车集团股份有限公司。

2011 年 11 月，成立长安标致雪铁龙汽车有限公司。

2013 年 11 月，将旗下的昌河汽车（除合肥昌河）整体划转给北汽集团。

2018 年 8 月，铃木汽车解除与长安集团合资关系，退出中国市场。

2019 年 2 月，更名“中国长安汽车集团有限公司”。

2022 年，推出长安乘用车高端产品序列——UNI 序列，并推出首款高端车型“UNI-T”。

2022 年 11 月，成立辰致科技有限公司，由中国长安汽车集团有限公司 100% 控股。

3. 企业文化

以“引领汽车文明、造福人类生活”为使命，以“打造世界一流汽车企业”为愿景。全球视野、品牌至上、市场牵引、科技驱动、管理精益、全员参与、高效执行。

4. 公司部分汽车品牌与车型

长安集团主要汽车品牌和车型见表 10-5 和图 10-47~ 图 10-49。

表 10-5　长安集团主要汽车品牌和车型

品牌	车标	主要车型
长安汽车	长安汽车 CHANGAN AUTO	轿车：LUMIN、逸动、UNI-V、UNI-V 智电 iDD、锐程 CC、锐程 PLUS、逸达、逸动 DT、逸动 PHEV、奔奔 E-Star SUV：CS75 PLUS 智电 iDD、CS15、CS35 PLUS、CS55 PLUS、CS75、CS75 PLUS、UNI-T、CS85 COUPE、UNI-K、UNI-K 智电 iDD、CS95、CS75 PHEV
长安欧尚	长安欧尚	SUV：X5、X5 PLUS、X7 PLUS、Z6、Z6iDD 新能源、科赛 Pro、X70A MPV：科尚、科尚 EV
深蓝汽车		S7、SL03
长安跨越	长安跨越	跨越星 V3/V5/V7/V7 EV、跨越王 X1/X3/X5、跨越者 D5/D5 EV、新豹 T1、新豹 T3、新豹 T5
长安福特	Ford 长安福特	福克斯、蒙迪欧、锐际、锐际新能源、EVOS、锐界、探险者
长安马自达	mazda 长安马自达	昂克赛拉、阿特兹、CX-30、CX-30 EV、CX-4、CX-5、CX-50、CX-8

图 10-47　2023 款长安 CS75

图 10-48　2022 款蒙迪欧

图 10-49　2022 款马自达 CX-5

10.8 北汽集团

北汽集团的全称是北京汽车集团有限公司。

1. 公司现状

北汽集团初创于 1958 年，总部位于北京。目前旗下拥有极狐汽车、北京汽车、福田汽车、北京重卡、昌河汽车等自主品牌和北京现代、北京奔驰、福建奔驰、福田戴姆勒等合资品牌。2022 年，北汽集团汽车总销量 145 万辆，位居全国第八位。

2. 公司发展简史

北汽集团发展史

1953 年，创建第一汽车附件厂。

1958 年，改名北京汽车制造厂。

1965 年，开发生产我国第一代 BJ212 越野汽车。

1973 年 7 月 30 日，北京市汽车工业公司成立。

1983 年 5 月 5 日，与美国汽车公司（AMC）合资成立北京吉普汽车有限公司（BJC）。

1996 年 8 月 28 日，与全国 99 家企业出资组建了北汽福田公司（FOTON）。

2002 年 6 月 4 日，与日本三菱汽车公司签署了在中国生产帕杰罗 SPORT 车型的协议。

2002 年 10 月 18 日，与韩国现代汽车公司共同出资成立北京现代汽车有限公司。

2005 年 8 月 8 日，北京奔驰－戴姆勒－克莱斯勒汽车有限公司（简称“BBDC”）成立。

2013 年，北汽集团重组昌河汽车。

2017 年，北汽集团与戴姆勒合作生产纯电动汽车。

2022 年 11 月，北汽首台氢内燃机成功点火，向实现高效零碳发动机迈出了关键的一步。

3. 企业文化

行有道，达天下。为追求幸福出行与高效运输的人们提供科技、安全、品质、环保的全方位解决方案。

4. 公司部分汽车品牌与车型

北汽集团部分汽车品牌和车型见表 10-6 和图 10-50~ 图 10-55。

表 10-6　北汽集团部分汽车品牌和车型

品牌	车标	主要车型
北京汽车	BEIJING	轿车：北京 EU5、北京 EU5 PLUS、北京 U5、北京 U5 PLUS、北京 EU7、北京 U7 SUV：EX3、X3、EX5、X5、X7、X7 PHEV、魔方
北京越野	北京	越野车：北京 BJ30、北京 BJ40、北京 BJ60、北京 BJ80、北京 BJ90 皮卡：北京 F40

（续）

品牌	车标	主要车型
极狐	ARCFOX	阿尔法 T5、阿尔法 T、考拉、阿尔法 S
北汽福田	FOTON 福田汽车	载货汽车：福田火星、大将军 G7/G9、征服者 3/5/7/PLUS、将军 EV、将军 F9、萨普、拓陆者胜途、拓陆者驭途 乘用车：大将军 G9 SUV、将军 F9 SUV、伽途 ix5、伽途 ix7、时代 EV6、祥菱 S 其他：欧辉客车、普罗科环境装备车、雷萨工程机械车
昌河	北汽昌河 BAIC CHANGHE	北汽 EC100、北汽 EV2、昌河北斗星、昌河北斗星 X5、北汽昌河 A6、北汽 EV5、北汽昌河 M50S
北京现代	北京现代	轿车：悦纳、悦动、菲斯塔、菲斯塔纯电动、伊兰特、名图、名图新能源、索纳塔 SUV：ix25、ix35、途胜、MUFASA 沐飒、胜达
北京奔驰	Mercedes-Benz 北京奔驰	轿车：A 级、A 级 AMG、C 级及新能源、EQE、E 级及新能源 SUV：EQA、EQB、GLA、GLB、EQC、GLC、EQE SUV
北汽瑞翔	北汽瑞翔 BAIC RUIXIANG	X5 新能源、X3、X5、博腾 V1、博腾 M3、博腾 V2、博腾 V2 EV

图 10-50 2023 款福田风景

图 10-51 2020 款索纳塔

图 10-52 2020 款北京 X7

图 10-53 2022 款 BJ40 环塔冠军版

图 10-54 2022 款北京奔驰 GLC L

图 10-55 2022 款欧曼银河

10.9 广汽集团

广汽集团全称是广州汽车集团股份有限公司，总部位于广东省广州市。

1. 公司现状

目前集团旗下拥有广汽乘用车、广汽本田、广汽丰田、广汽三菱、广汽吉奥、广汽日野、广汽埃安等数十家知名企业。2022 年，广汽集团汽车总销量 243.38 万辆，位居全国第四位。

2. 公司发展简史

1986 年 9 月，中法合资广州标致汽车公司投产。

1997 年 6 月，广州汽车集团有限公司成立。

1998 年 4 月 28 日，广州本田汽车有限公司成立，此后发布了广州本田雅阁车型。

2000 年 6 月 8 日，广州汽车工业集团有限公司成立。

2004 年 9 月 1 日，与丰田汽车公司合资的广州丰田汽车有限公司正式成立。

2005 年 6 月 28 日，广州汽车集团股份有限公司成立。

2007 年 12 月 24 日，与日野合资组建了广汽日野汽车有限公司。

2009 年 5 月 21 日，与湖南长丰集团联合组建广汽长丰汽车股份有限公司。

2010 年 3 月 9 日，广汽菲亚特汽车有限公司成立。同年广汽集团的首款自主车型“传祺”下线。

2012 年 10 月 12 日，广汽三菱汽车有限公司成立。

2014 年 8 月，广州广汽比亚迪新能源客车有限公司成立。

2017 年 7 月 28 日，广汽埃安新能源汽车有限公司成立。

2018 年 4 月，广汽蔚来新能源汽车科技有限公司成立。

2022 年，进军电驱动、动力电池领域，布局锂电产业链。同年 10 月，由广汽埃安新能源汽车有限公司控股的因湃电池科技有限公司成立。

3. 企业文化

企业愿景：成为客户信赖、员工幸福、社会期待的世界一流企业，为人类美好移动生活持续创造价值。

企业理念：人为本、信为道、创为先。

运营方针：尊重人性，崇尚沟通；诚信合作，开放共享；创新驱动，务实高效。

文化口号：创无止境，心有未来。

4. 公司部分汽车品牌与车型

广汽集团部分汽车品牌和车型见表 10-7 和图 10-56~ 图 10-61。

表 10-7 广汽集团部分汽车品牌和车型

品牌	车标	主要车型
广汽乘用车	广汽乘用车 GAC MOTOR	轿车与 MPV：影豹、传祺 GA6、传祺 GA8、传祺 E8、传祺 M7、传祺 M6、传祺 E9、传祺 M8 SUV：传祺 GS8 新能源、传祺 GS3、传祺 GS4、传祺 GS4 COUPE、传祺 GS4 PLUS、传祺 GS4 新能源、影酷、传祺 GS8

（续）

品牌	车标	主要车型
广汽本田	广汽 HONDA	轿车：飞度、凌派、型格、雅阁及新能源 SUV：e:NP1 极湃 1、缤智、ZR-V 致在、皓影及新能源、冠道、奥德赛
广汽丰田	广汽丰田	轿车：YARiS L 致享 / 致炫、雷凌、雷凌双擎 E+、凌尚、凯美瑞 SUV：丰田 C-HR、丰田 C-HR EV、锋兰达、威兰达、威兰达新能源、广汽丰田铂智 4X、汉兰达、威飒
广汽三菱	MITSUBISHI MOTORS 广汽三菱	阿图柯、劲炫 ASX、欧蓝德、奕歌
广汽埃安	广汽埃安 GAC AION	AION S、AION S Plus、AION V、AION Y、AION LX
广汽日野	广汽日野	轿运车系列、厢式车系列、700 智臻牵引车系列、危化品车

图 10-56　2023 款传祺 GS3

图 10-57　2023 款传祺影豹

图 10-58　2023 款埃安 Y PLUS

图 10-59　2022 款汉兰达

图 10-60　2023 款雅阁

图 10-61　2023 款凯美瑞

10.10 奇瑞公司

奇瑞公司全称是奇瑞汽车股份有限公司。

1. 公司现状

截至 2023 年底，奇瑞公司连续 21 年蝉联中国乘用车出口第一位，产品出口到 80 余个国家和地区，并在国内外建有 10 余个生产基地，实现了全面覆盖亚、欧、非、南美和北美五大洲的汽车市场。奇瑞公司坚持自主创新，累计获得专利 18000 余件。2022 年，奇瑞公司汽车总销量 123.27 万辆，位居全国第九位。

2. 公司发展简史

1997 年 1 月 8 日，由安徽省和芜湖市的五个投资公司共同投资组建了奇瑞汽车有限公司。

1999 年 12 月 18 日，首台奇瑞轿车成功下线。

2000 年 12 月 24 日，更名为上汽集团奇瑞汽车有限公司。

2004 年 9 月，更名为奇瑞汽车有限公司。

2007 年 6 月，与美国量子公司合资成立奇瑞量子汽车有限公司。同年 8 月，与菲亚特汽车集团合资生产乘用车。

奇瑞公司发展史

2008 年 5 月 21 日，更名为奇瑞汽车股份有限公司。

2012 年 10 月，国家发展和改革委员会核准通过奇瑞捷豹路虎合资公司项目。

2021 年，奇瑞小蚂蚁甜粉款车型正式上市。同年，成立子公司芜湖奇瑞资本管理有限公司。

2022 年 4 月，奇瑞汽车青岛基地乘用车项目涂装车间工艺设备进场安装仪式在青岛市即墨区奇瑞项目现场举行。同年 4 月 7 日，奇瑞公司发布了在新能源领域的新战略、新技术、新品牌、新产品，形成奇瑞、星途、捷途和 iCAR 四大品牌的新布局。

3. 企业文化

客户至上，以人为本，自主创新，开放包容。

4. 公司部分汽车品牌与车型

奇瑞公司部分汽车品牌和车型见表 10-8 和图 10-62~ 图 10-67。

表 10-8 奇瑞公司部分汽车品牌和车型

品牌	车标	主要车型
奇瑞	CHERY	轿车：艾瑞泽 5、艾瑞泽 5 GT、艾瑞泽 5 PLUS、艾瑞泽 8、艾瑞泽 GX SUV：欧萌达新能源、探索 06、瑞虎 3x、瑞虎 5x、欧萌达、瑞虎 7、瑞虎 7 PLUS、瑞虎 7 PLUS 新能源、瑞虎 8、瑞虎 8 PLUS、瑞虎 8 PLUS 鲲鹏 e+、瑞虎 8 PRO、瑞虎 8 PRO 新能源瑞、虎 9
奇瑞捷豹路虎	JAGUAR LAND ROVER -奇瑞·捷豹路虎-	路虎揽胜极光、路虎发现神行、捷豹 XFL、捷豹 XEL、捷豹 E-PACE
捷途		捷途 X70、捷途 X90、捷途旅行者、捷途大圣、捷途山海
星途	EXEED 星途	星途凌云、星途揽月、星途瑶光、星途追风、星途星际元

图 10-62 2023 款艾瑞泽 5 PLUS

图 10-63 2022 款瑞虎 7

图 10-64 2023 款路虎极光 L

图 10-65　2023 款路虎发现

图 10-66　2021 款捷豹 XF

图 10-67　2023 款捷途 X70 PLUS

10.11 比亚迪公司

比亚迪公司全称是比亚迪股份有限公司。

1. 公司现状

比亚迪公司目前在全球已经建成 30 多个生产基地，产品销往 50 多个国家 200 多个城市。2022 年，比亚迪公司汽车总销量 186.85 万辆，位居全国第七位，全球新能源汽车销量第一位。

2. 公司发展简史

1995 年 2 月，比亚迪公司成立。

2003 年 1 月 22 日，比亚迪收购西安秦川汽车有限责任公司，成立比亚迪汽车有限公司。

比亚迪公司发展史

2005 年 4 月 16 日，比亚迪首款新车 F3 下线。

2006 年 6 月，比亚迪纯电动轿车 F3e 研发成功，实现零污染、零排放、零噪声，技术处于世界领先地位。

2010 年，深圳比亚迪戴姆勒新技术有限公司成立。

2015 年 9 月，比亚迪获得“联合国能源特别奖”。

2019 年，比亚迪和丰田就成立纯电动车的研发公司正式签订合资协议。

2022 年 4 月，比亚迪宣布停止燃油汽车的整车生产，专注于纯电动和插电式混合动力汽车业务。

2022 年 7 月，比亚迪日本分公司成立，宣布正式进入日本乘用车市场。

2022 年 11 月，比亚迪在深圳正式公布旗下高端汽车品牌，并定名为“仰望”。

2023 年 1 月 5 日，在“仰望品牌暨技术发布会”上，仰望 U8、仰望 U9 正式发布。

砥砺前行，不懈奋斗

比亚迪作为国家本土民企，坚持自主品牌、自主研发的发展模式，以“造世界水平的好车”，立志振兴民族汽车产业，使得我国新能源汽车有望成为抢占先机、赶超发展的突破口，增强民族自信、企业自信。

中国汽车工业发展的几十年风风雨雨中，有太多前辈无私奉献、艰苦奋斗，我们的汽车工业也从一无所有发展到今天可以挑战世界一流车企。砥砺前行，不懈奋斗，吾辈当自强。今天的我们更应勇于担当起自身的时代使命，用实际行动传承和发扬中国民族汽车工业精神，建设好我们自己的民族汽车文化。

3. 企业文化

专业优质、勤奋专注、热情真诚、主动贴心、成就梦想。

4. 公司部分汽车品牌与车型

比亚迪公司部分汽车品牌和车型见表 10-9 和图 10-68~ 图 10-73。

表 10-9 比亚迪公司部分汽车品牌和车型

品牌	车标	主要车型
比亚迪乘用车	BYD 比亚迪汽车	轿车：海鸥、海豚、e2、e3、秦 PLUS、秦 Pro 新能源、秦新能源、驱逐舰 05、海豹、e9、汉 SUV：元 Pro、宋 PLUS 新能源、宋 Pro 新能源、元 PLUS、护卫舰 07、唐新能源 MPV：D1、宋 MAX DM、e6
比亚迪商用车	BYD 比亚迪汽车	城市公交系列 B12/B7/B10、纯电动客车系列 C6/C7/C8、机场摆渡车系列 K10B
腾势	DENZA 腾势	腾势 N8、腾势 N7、腾势 D9
仰望	仰望	仰望 U8、仰望 U9
方程豹		豹 5

图 10-68 2023 款海豚

图 10-69 2023 款汉 DM-P

图 10-70 2023 款护卫舰 07

图 10-71 2023 款海豹

图 10-72 2023 款 e2

图 10-73 2023 款宋 PLUS EV

10.12 华晨集团

华晨集团的全称是华晨汽车集团控股有限公司。

1. 公司现状

目前，华晨集团旗下拥有 4 个上市公司（华晨中国汽车控股有限公司、上海申华控股股份有限公司、金杯汽车股份有限公司、新晨中国动力控股有限公司），100 多家全资、控股和参股公司。2022 年，华晨集团汽车总销量 66.5 万辆。

2. 公司发展简史

1991 年 7 月 22 日，沈阳金杯客车制造有限公司成立。

2001 年，华晨收购一汽在金杯汽车的股份。

2002 年 9 月，华晨汽车集团控股有限公司成立。

2003 年 3 月 27 日，华晨与德国宝马合资项目在北京签约。

2017 年 12 月 15 日，华晨雷诺金杯有限公司成立。

2018 年 10 月，宝马集团和华晨集团将延长华晨宝马的合资协议至 2040 年。

2022 年 6 月 23 日，宝马集团在沈阳的第三座整车工厂华晨宝马里达工厂正式投产。

3. 企业文化

核心技术、精致产品、诚信经营、市场份额、盈利能力。质量第一，敢为天下先，走自主创新之路，打造民族品质汽车。

4. 公司部分汽车品牌与车型

华晨集团部分汽车品牌和车型见表 10–10 和图 10–74~ 图 10–76。

表 10–10　华晨集团部分汽车品牌和车型

品牌	车标	主要车型
金杯	金杯 JINBEI	阁瑞斯、大海狮、海狮、海狮王、金杯快运、西部牛仔、新海豚 EV、T2S、T3/5/20/22/50s/52s、金卡 S2/3/6、鑫源 T50 PLUS、鑫源 T52 PLUS、鑫源 T20S、鑫源 T22S、鑫源 T50S、金海狮、金海狮 M
华晨宝马	BMW Brilliance Auto 华晨汽车	轿车：宝马 1 系、宝马 3 系、宝马 i3、宝马 5 系、宝马 5 系新能源 SUV：宝马 iX1、宝马 X1、宝马 X2、宝马 iX3、宝马 X3、X5

图 10–74　2023 款宝马 5 系

图 10–75　2021 款金杯 T3

图 10–76　2019 款大力神 K5

10.13 吉利集团

吉利集团全称是浙江吉利控股集团有限公司。

1. 公司现状

吉利集团是中国最早也是最大的民营汽车企业，总部在杭州市，在中国、美国、英国、瑞典、比利时、白俄罗斯、马来西亚建有整车工厂，拥有各种专利 12000 多项。2022 年，吉利集团汽车总销量超 230 万辆，位居全国第六位。

2. 公司发展简史

吉利集团发展史

1986 年，李书福开始创业，从生产电冰箱零件起步。

1996 年 5 月，李书福成立吉利集团有限公司。

2002 年 8 月，并购了上海杰士达汽车集团公司，形成上海华普整车制造基地。

2003 年 9 月，首辆吉利美人豹都市跑车被中国国家博物馆永久收藏并展示。

2010 年 3 月 28 日，正式收购沃尔沃汽车 100% 的股权以及相关资产。

2012 年 3 月，吉利集团与沃尔沃签署首份技术转让协议。

2013 年 2 月 1 日，吉利集团收购英国锰铜控股的业务与核心资产。

2013 年 7 月 8 日，吉利集团入选 2013 年《财富》世界 500 强。

2017 年 6 月，收购马来西亚 DRB-HICOM 集团旗下宝腾汽车（PROTON）49.9% 的股份以及豪华跑车品牌路特斯（Lotus）51% 的股份。

2017 年 8 月 4 日，与沃尔沃汽车签订合资协议，领克汽车成为三方合资品牌，合资公司正式成立。

2018 年 2 月 23 日，收购戴姆勒股份有限公司 9.69% 股份，成为戴姆勒的最大单一股东。

2019 年，吉利集团和戴姆勒组建合资公司，在全球联合运营 Smart 品牌。合资公司总部设在中国，双方各持股 50%。

2020 年 3 月 3 日，吉利集团对外宣布，全面布局商业卫星领域。

2022 年 11 月 8 日，吉利集团与雷诺汽车公司宣布要成立新合资公司，生产下一代混合动力系统。

3. 企业文化

造每个人的精品车，让世界充满吉利，动感精致，自信激扬。

4. 公司部分汽车品牌与车型

吉利集团部分汽车品牌和车型见表 10-11 和图 10-77~ 图 10-82。

表 10-11 吉利集团部分汽车品牌和车型

品牌	车标	主要车型
吉利		轿车：熊猫 mini、缤瑞、帝豪、帝豪 L HiP、帝豪新能源、星瑞、博瑞 SUV：缤越、吉利 ICON、博越、博越 L、帝豪 S、星越 L、星越 L 增程电动版、星越 S、星越新能源、远景 X3、远景 X6、豪越 L
沃尔沃		轿车：沃尔沃 S60 及新能源、沃尔沃 S90 及新能源 SUV：沃尔沃 EX90、沃尔沃 C40、沃尔沃 XC40 及新能源、沃尔沃 XC60

（续）

品牌	车标	主要车型
极星		Polestar 系列
宝腾		宝腾 X50、宝腾 X70
路特斯		路特斯 ELETRE 、路特斯 EMIRA、路特斯 EVIJA
领克		轿车：领克 02 Hatchback、领克 03 SUV：领克 01、领克 01 EM-P、领克 02、领克 05、领克 05 EM-P、领克 06、领克 06 EM-P、领克 08、领克 09、领克 09 EM-P
极氪		极氪 001、极氪 X、极氪 009
几何		几何 A、几何 E 萤火虫、熊猫 mini、熊猫骑士
银河		银河 E5、银河 E8、银河 L6
Smart		精灵 #1、精灵 #3、精灵 #5

图 10-77　2023 款领克 01

图 10-78　2023 款极氪 X

图 10-79　2023 款帝豪

图 10-80　2023 款星越

图 10-81　2020 款 EVIJA

图 10-82　2023 款沃尔沃 S90

10.14 长城汽车公司

长城汽车公司全称是长城汽车股份有限公司。

1. 公司现状

长城汽车公司是中国最大的 SUV 制造企业，拥有四个整车生产基地，下属控股子公司 40 余家。2022 年，长城汽车公司汽车总销量 106.75 万辆，位居全国第十位。

2. 公司发展简史

1984 年，长城汽车制造厂成立。

2001 年 6 月 12 日，长城汽车股份有限公司成立。

2004 年，长城皮卡汽车连续 7 年在中国市场销量第一，SUV 连续两年在 SUV 市场销量第一。皮卡、SUV 在中国同类产品中 7 年累计出口量第一。

2007 年 6 月 2 日，长城汽车公司被评为中国汽车上市公司十佳之首。

2011 年 12 月 12 日，哈弗 H6 获评“中国 2012 年度 SUV”大奖。

2018 年 12 月，长城宣布携手京东，构建智能网联汽车新形态。

2021 年，长城炮皮卡在沙特阿拉伯正式上市。

2022 年 7 月，长城汽车公司马来西亚子公司正式成立。

3. 企业文化

诚信、责任、发展、共享，每天进步一点点。

4. 公司部分汽车品牌与车型

长城汽车公司部分汽车品牌和车型见表 10-12 和图 10-83~ 图 10-88。

表 10-12　长城汽车公司部分汽车品牌和车型

品牌	车标	主要车型
长城	长城汽车	皮卡系列：山海炮、山海炮新能源、风骏 5、风骏 7、风骏新能源、金刚炮、炮、炮新能源
哈弗	HAVAL	SUV 系列：神兽新能源、B26、H5、H6、H6S、H6 新能源、M6、赤兔、大狗、酷狗、神兽、枭龙、二代大狗、二代大狗新能源、枭龙 MAX、H9、初恋
WEY	WEY	SUV：圆梦、拿铁 DHT、拿铁 DHT-PHEV、摩卡 DHT-PHEV、蓝山 DHT-PHEV MPV：高山 DHT-PHEV
欧拉汽车	ORA 欧拉	轿车：好猫、好猫 GT、芭蕾猫、闪电猫、白猫、黑猫
坦克	TANK	SUV：坦克 300、坦克 300 新能源、坦克 400、坦克 400 新能源、坦克 500、坦克 500 新能源、坦克 700

图 10-83　2022 款坦克 300 越野版

图 10-84　2023 款哈弗 H9

图 10-85　2022 款长城炮

图 10-86　2022 款风骏 7

图 10-87　2023 款魏摩卡 DHT-PHEV

图 10-88　2023 款欧拉好猫

10.15　塔塔汽车公司

塔塔汽车公司总部位于印度孟买。

1. 公司现状

塔塔汽车公司是印度最大的企业塔塔集团（图 10-89）的子公司，是印度最大的汽车公司，车辆出口至欧洲、非洲、中东、东南亚、南亚以及南美地区。2008 年，塔塔汽车公司成功收购了捷豹和路虎两大汽车品牌，进一步加强了公司的实力。

图 10-89　塔塔集团

2. 公司发展简史

1868 年，印度人贾姆谢特吉·塔塔（Jamsetji Tata）（图 10-90）创立塔塔集团。

图 10-90　贾姆谢特吉 · 塔塔

1945 年，塔塔集团子公司塔塔汽车公司成立。

1954 年，同德国戴姆勒－奔驰公司签订 15 年的合作协议，开始生产商用车辆。

1998 年，研制生产出印度第一辆本土汽车 Indica。

2002 年，研制生产出 Indigo 轿车。

2004 年，塔塔汽车公司收购韩国大宇汽车公司的商用汽车公司。

2008 年 3 月 26 日，印度塔塔集团收购福特旗下的捷豹和路虎两大汽车品牌。

2009 年，推出了微型车 Nano（图 10-91），被称为“世界上最便宜的汽车”。

图 10-91　2009 款塔塔 Nano

2021 年，出售电动车业务部分股权给阿布扎比国有控股公司。

3. 企业文化

客户为本，提供最好的产品和服务。低价优质，不断创新，步步为营，步步为“赢”。员工的定期培训，全面发展的潜力和业绩。

4. 公司部分汽车品牌与车型

（1）捷豹

捷豹公司由英国人威廉·里昂斯（William Lyons）创立，以生产豪华的运动车而闻名于世。捷豹的经典车型有 SS100、XK 型、XJ 型、E 型、S 型、X 型，其中 XK8 跑车（图 10-92）被认为是捷豹跑车的真正传世之作。

图 10-92 XK8 跑车

（2）路虎（Land Rover）

路虎全称是兰德·路虎（Land Rover），成立于 1877 年，曾译为罗孚。今日的路虎由英国莫利斯·加吉（Morris Gardge，即 MG）等多家英国汽车公司合并而成，是世界上最好的四轮驱动汽车制造商之一。

路虎的经典车型有神行者（Free Lander）、卫士（Defender）（图 10-93）、发现（Discovery）、揽胜（Range Rover）（图 10-94）等。

图 10-93 2023 款路虎卫士

图 10-94 2023 款路虎揽胜

任务小结

介绍了丰田、本田、现代、上汽、一汽、东风、长安、北汽、广汽、吉利、华晨、奇瑞、比亚迪、长城、塔塔等亚洲著名汽车公司的发展简史、现状、企业文化和主要汽车品牌。

课后测试

1. 不定项选择题

（1）丰田汽车公司的子品牌中主要定位于高端市场的是（　　）。

A. 雷克萨斯　　B. 讴歌

C. 阿尔法·罗密欧　　D. 汉兰达

（2）以下（　　）不是吉利子品牌。

A. 沃尔沃　　B. 极氪

C. 风神　　D. 领克

（3）宝马汽车公司在中国的合作伙伴是（　　）。

A. 一汽集团　　B. 东风集团

C. 华晨集团　　D. 上汽集团

2. 填空题

（1）东风集团的全称是________，总部位于________。

（2）广汽集团的企业愿景是________。

3. 思考题

（1）请回答任务描述所提出的问题。

（2）比亚迪在发展过程中抓住了新能源机遇，并一举成为世界新能源汽车销量第一的企业，你对此怎么看？

项目05

神奇奥妙的汽车科技文化

汽车可进可退，又可以发光、发声，还可以导航，甚至可以无人驾驶。一辆汽车有上万个零部件，集声、光、机、电、热、化工、美工于一身，是名副其实的高科技产品。

任务 11　内燃机汽车结构认知

学习目标

- 能描述汽车总体基本结构。
- 能解释汽车各系统及总成的工作原理。
- 厚植爱国主义家国情怀，树立“技能成才、强国有我”的信心，实现中华民族伟大复兴的中国梦。

任务描述

图 11-1 中的汽车最高行驶速度是多少？0—100km/h 加速时间是多少？靠什么来驱动？还有什么其他性能与特点？

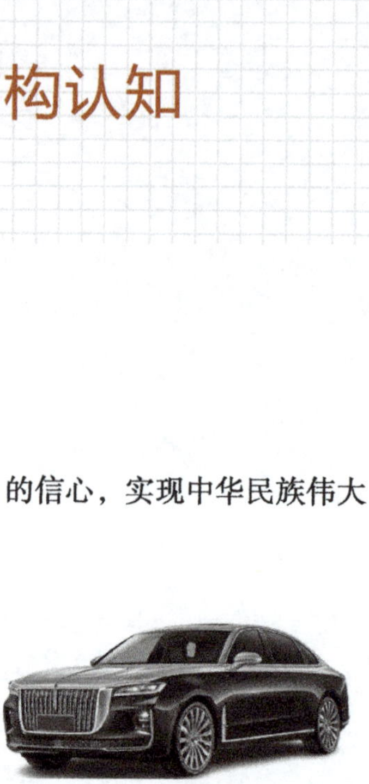
图 11-1　辨认汽车及性能

知识参考

汽车总体由发动机、底盘和车身三大部分组成（图 11-2），其中：发动机是汽车的动力源；底盘负责将发动机的动力进行传递和分配，并按驾驶员要求行驶；车身是驾驶员操作和容纳乘客及货物的场所，由车体、门、窗、行李舱或货箱、座椅、安全带、安全气囊、仪表灯光、刮水器、空调等组成。

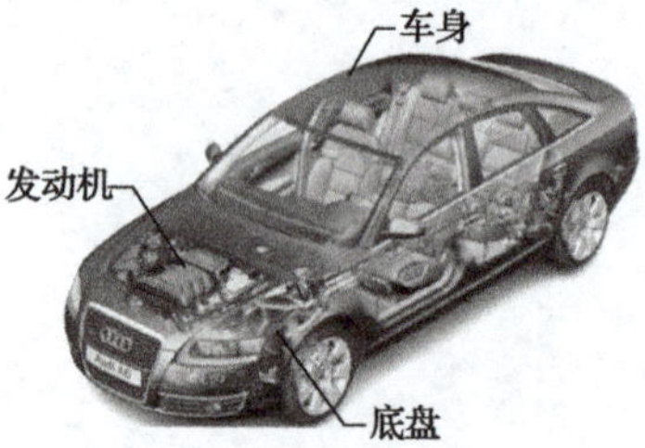

图 11-2　汽车总体组成

11.1　汽车发动机基本结构与工作原理

1. 汽油发动机基本结构（图 11-3）

汽油发动机的基本结构特点是活塞在气缸中作往复运动，并通过连杆推动曲轴转动。气缸上方装有气缸盖，气缸盖上开有进、排气道，并分别由进气门和排气门控制开闭，气缸盖上还安装有火花塞和电控喷油器等。

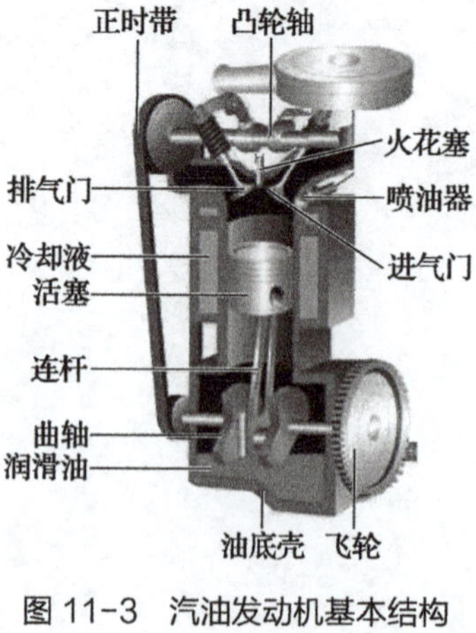

图 11-3　汽油发动机基本结构

2. 四冲程汽油机基本工作原理（图 11-4）

1）进气行程。当活塞从上止点向下止点运动时，进气门开启，排气门关闭，电控喷油器向进气道喷油，空气与汽油的混合气便被吸入气缸，该过程称为进气行程。

2）压缩行程。当活塞继续从下止点向上止点运动时，进、排气门关闭，进入气缸的混合气便被压缩，该过程称为压缩行程。

3）做功行程。在压缩行程末期，火花塞开始点火，进、排气门都关闭，进入气缸的可燃混合气被点燃并燃烧，放出大量的热能，导致气缸内气体压力和温度迅速增加，气体体积急剧膨胀，推动活塞从上止点向下止点运动，通过连杆使曲轴旋转并输出机械能，该过程称为做功行程。

4）排气行程。活塞继续从下止点向上止点运动，这时，进气门关闭，排气门开启，燃烧后产生的废气被排出气缸，该过程称为排气行程。

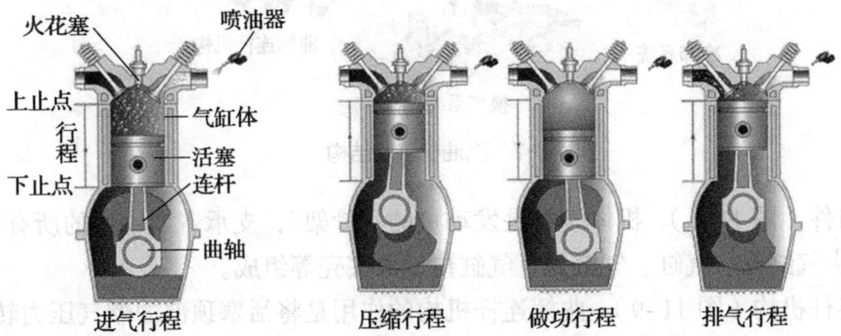

图 11-4　四冲程汽油发动机工作原理

3. 四冲程柴油机基本结构与工作原理

1）基本结构。柴油机没有火花塞，喷油器直接安装在气缸顶部，向气缸内喷油（图 11-5）。

2）工作原理。进气行程进入气缸的是纯空气，而不是可燃混合气；在压缩行程末期，喷油器向气缸喷入高压柴油，柴油迅速着火燃烧，其点火方式为压燃式。

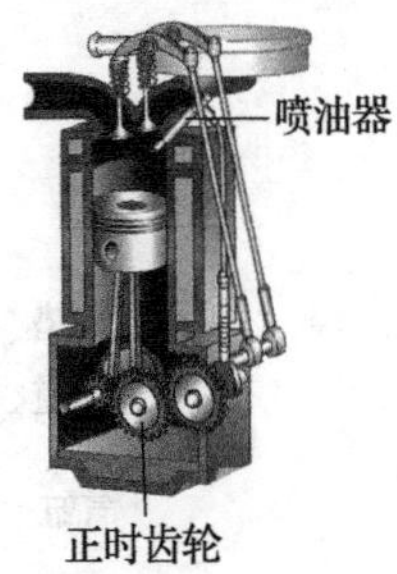

图 11-5　四冲程柴油机基本结构

4. 多缸发动机基本结构与工作原理

1）基本结构。多缸发动机由多个单缸机组成，但共用一个机体和一根曲轴，且曲轴的曲柄布置应该使各缸做功行程均匀分布在 720° 曲轴转角内。

2）工作原理。图 11-6 中的四缸发动机每转 180° 便有一个气缸做功，其工作顺序有 1-3-4-2 和 1-2-4-3 两种。

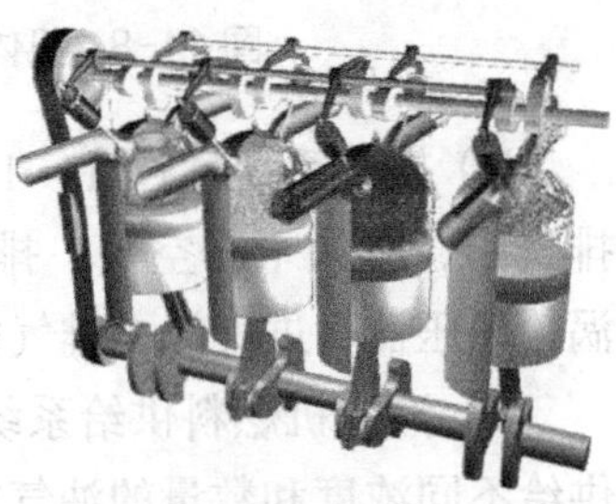

图 11-6　四缸发动机工作原理

5. 发动机基本结构

汽油机是在一个机体组件上安装一个机构（曲柄连杆机构）和六大系统（换气系统、燃料供给系统、润滑系统、冷却系统、点火系统和起动系统）（图 11-7），柴油机则为五大系统，没有点火系统。

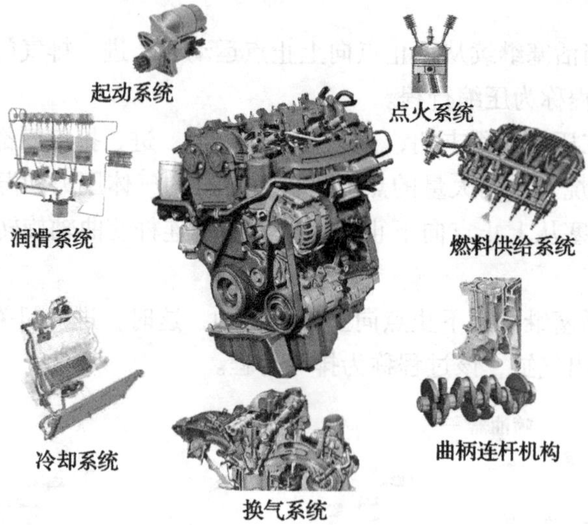

图 11-7　汽油机基本结构

1）机体组件（图 11-8）。机体组件是发动机的“骨架”，支承着发动机的所有零部件。机体组件主要由气缸体、气缸、气缸盖、气缸垫、油底壳等组成。

2）曲柄连杆机构（图 11-9）。曲柄连杆机构的作用是将活塞顶部的燃气压力转变为曲轴的转矩，输出机械能。曲柄连杆机构主要由活塞、活塞环、活塞销、连杆、连杆瓦、曲轴、飞轮等组成。

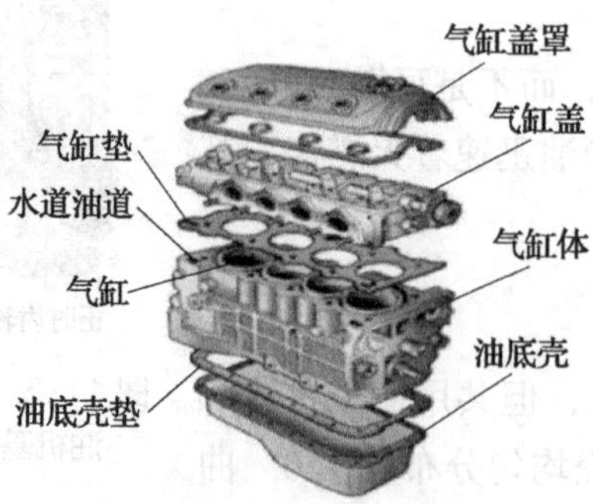

图 11-8　机体组件

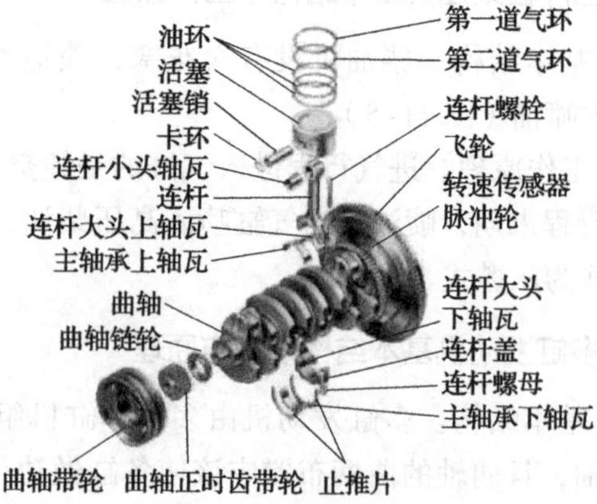

图 11-9　曲柄连杆机构

3）换气系统（图 11-10）。换气系统的作用是按照发动机的做功要求，定时开闭进、排气门，吸入干净空气，排出废气。换气系统主要由空气滤清器、进气管道、排气管道、涡轮增压器、进气门、排气门、中冷器、三元催化器等组成。

4）汽油机燃料供给系统。汽油机燃料供给系统的作用是根据汽油机的不同工况要求，供给不同浓度和数量的油气混合气。大众 EA888 汽油机燃料供给系统主要由汽油箱、燃油泵、燃油滤清器、燃油压力调节器、高压燃油泵、电控喷油器、电控单元（ECU）等组成（图 11–11）。

5）柴油机燃料供给系统。柴油机燃料供给系统的作用是根据柴油机的不同工况要求，定时、定量产生高压燃油。电控柴油机共轨喷射系统主要由燃油供给系统（油箱，电动输油泵，燃油粗、细滤清器，高压油泵，共轨管，电控喷油器等）和电子控制系统（各种传感器、执行器和电控单元）两大部分组成，见图 11–12。

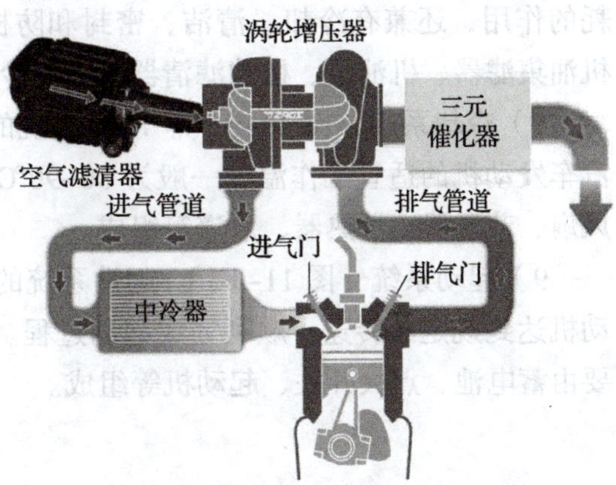

图 11–10 涡轮增压发动机换气系统

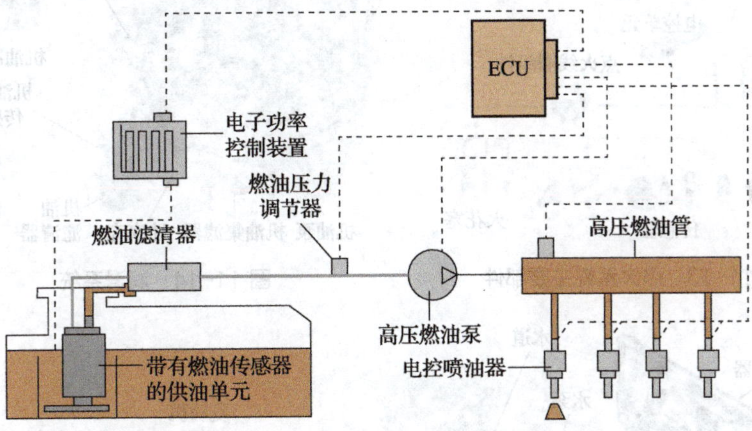

图 11–11 大众 EA888 汽油机燃料供给系统

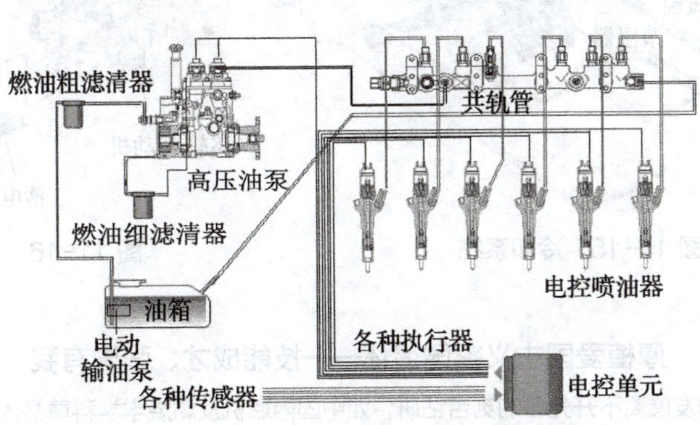

图 11–12 电控柴油机共轨喷射系统

6）点火系统（图 11–13）。点火系统的作用是按汽油机控制系统的要求，在压缩上止点前的某一时刻，在火花塞电极间产生 15~20kV 的击穿电压，准时、可靠地点燃气缸内可燃混合气。现代汽车多用微机控制点火系，主要由电源、点火开关、点火线圈组件、传感器、电控单元（ECU）、火花塞等组成。

7）润滑系统（图 11–14）。润滑系统具有减轻机件磨损、减小摩擦损失、降低功率消耗的作用，还兼有冷却、清洁、密封和防机件氧化锈蚀的作用。润滑系统一般由油底壳、机油集滤器、机油泵、机油滤清器、机油冷却器、机油压力传感器、机油道等组成。

8）冷却系统（图 11-15）。冷却系统的作用是保证发动机在适宜的温度范围内工作。汽车发动机的适宜工作温度一般为 80~90℃，有的可以达到 105℃。冷却系统主要由水泵、风扇、节温器、散热器、水道等组成。

9）起动系统（图 11-16）。起动系统的作用是按发动机要求，提供一定的转矩，使发动机达到规定的转速，顺利完成起动过程。低温起动时，还应进行预热起动。起动系统主要由蓄电池、点火开关、起动机等组成。

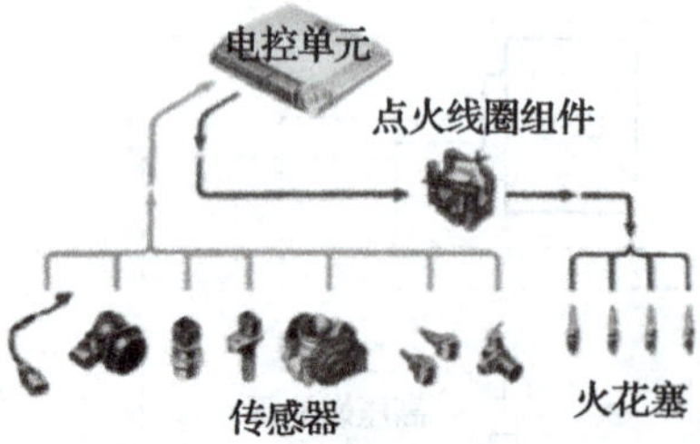

图 11-13　点火系统主要部件

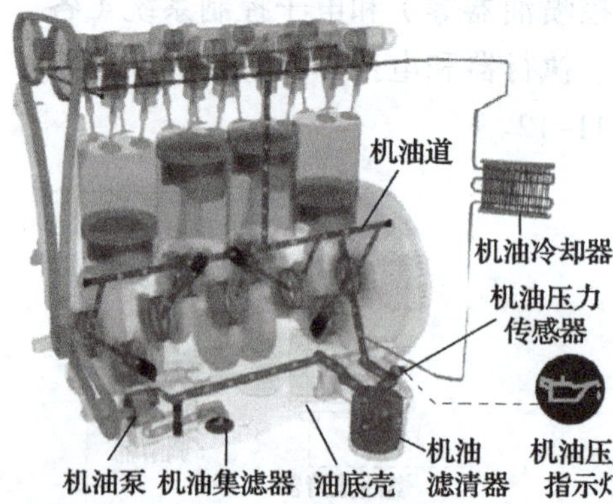

图 11-14　润滑系统

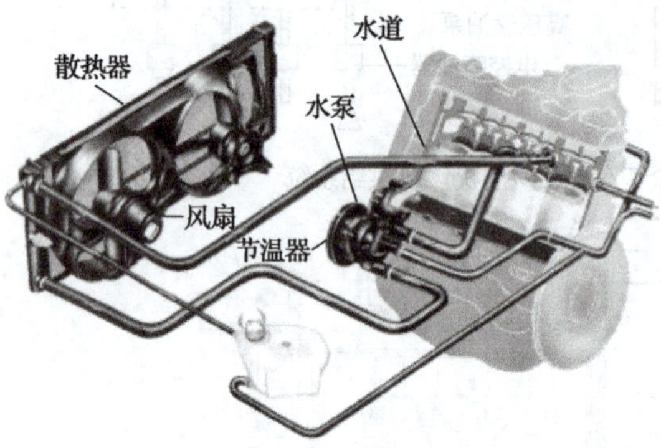

图 11-15　冷却系统

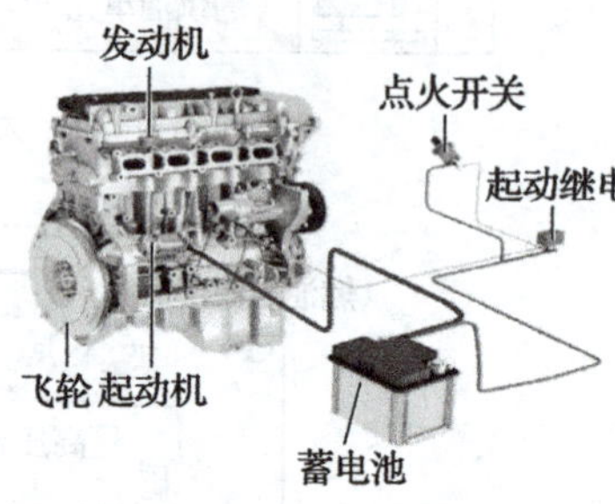

图 11-16　起动系统

厚植爱国主义家国情怀——技能成才、强国有我

中国内燃机技术的发展离不开先辈的刻苦钻研，如中国内燃机及燃烧学学科奠基人史绍熙院士，谢绝外国公司的高薪挽留，毅然回国。他怀着一颗报效祖国的心，勤奋顽强地奋战在教学、科研的前沿。他在柴油机燃烧学设计理论方面提出了复合式燃烧过程，并发明了我国第一个具有独创性的复合式燃烧系统，适应了我国工艺水平和实际应用的需要。他还主持设计并研制成功了我国第一台自由活塞压气机，并且是我国高速柴油机的开创者，为我国内燃机技术的发展作出了突出贡献。

史绍熙院士拳拳报国心激励着当代大学生关注汽车工业，心系国家发展，将个人远大理想与国家发展融合起来，树立“技能成才、强国有我”的信心，实现中华民族伟大复兴的中国梦。

11.2 汽车底盘基本结构与工作原理

汽车底盘一般由传动、行驶、转向、制动四大系统组成（图 11–17）。

汽车传动系统 汽车转向系统 汽车行驶系统 汽车制动系统

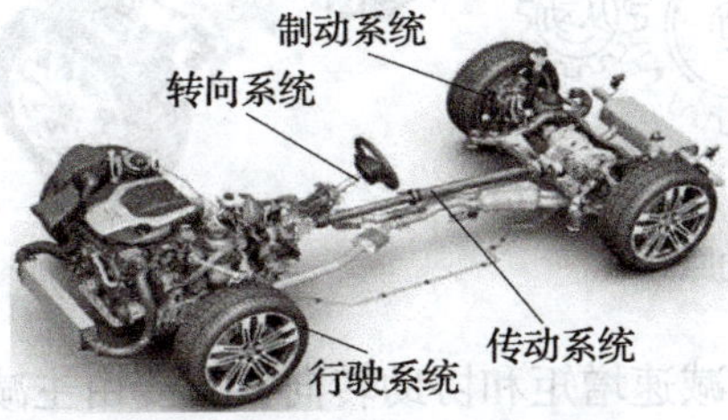

图 11–17 汽车底盘组成

1. 汽车传动系统

汽车传动系统的作用是将发动机发出的动力传给驱动车轮，并实现减速增矩等功能。汽车传动系统组成包括离合器、变速器、万向传动装置、传动轴、驱动桥（含主减速器、差速器以及半轴）等（图 11–18）。

1）离合器。离合器用于分离和接合发动机的动力，保证汽车平稳起步，使换档时工作平顺并防止传动系过载，其基本结构及工作原理见图 11–19，主要由主动部分（飞轮）、从动部分（从动盘）、压紧机构（压紧弹簧）和分离机构（分离套筒）四部分组成。

踩下离合器踏板，通过操纵机构，使分离套筒克服压紧弹簧作用力右移，带动从动盘右移，使从动盘与飞轮端面出现间隙，切断发动机动力传递。

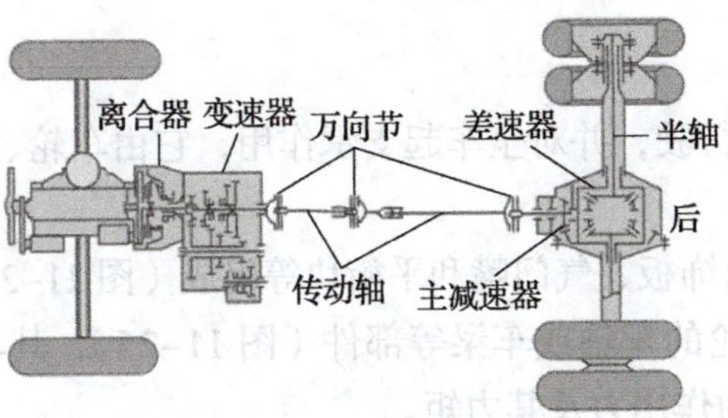

图 11–18 汽车传动系统

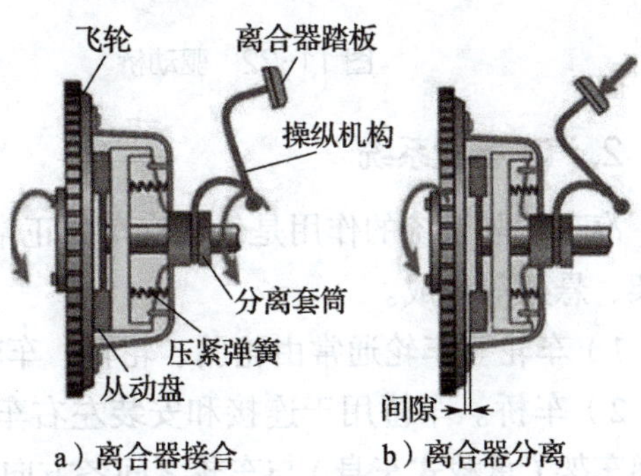

图 11–19 摩擦离合器的基本结构原理

2）变速器。变速器用于改变行驶速度，实现倒车和利用空档切断离合器与传动轴之间的动力传递，以便汽车换档和发动机起动及怠速运转。

变速器工作原理是通过改变不同的齿轮啮合进行变速变矩（图 11–20）。

变速器有手动变速器、自动变速器、手自两用变速器和无级变速器等。

3）万向传动装置。万向传动装置用于在轴线相交且相对位置经常发生变化的两轴间传递动力，如用于连接变速器与驱动桥（图 11–21）。

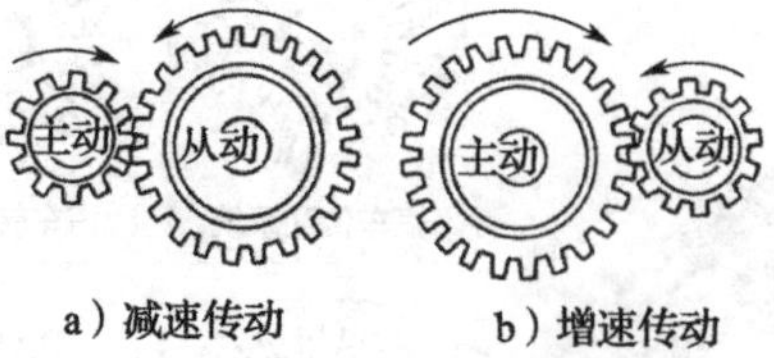

图 11-20　齿轮传动原理

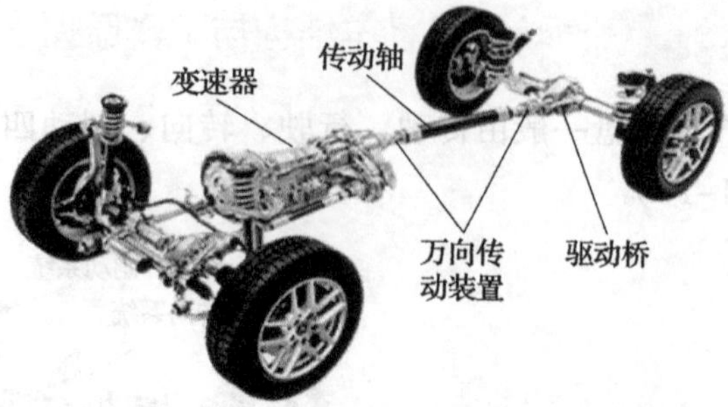

图 11-21　万向传动装置

4）驱动桥。驱动桥用于减速增矩和协助转向，主要由主减速器、差速器、半轴和驱动桥壳等组成（图 11-22）。

差速器的作用就是将主减速器传来的动力传给左、右两半轴，并在转弯行驶时允许左、右半轴以不同转速旋转（差速）（图 11-23）。

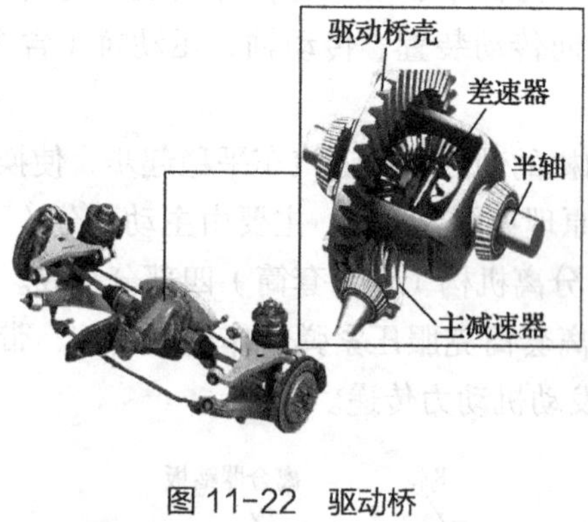

图 11-22　驱动桥

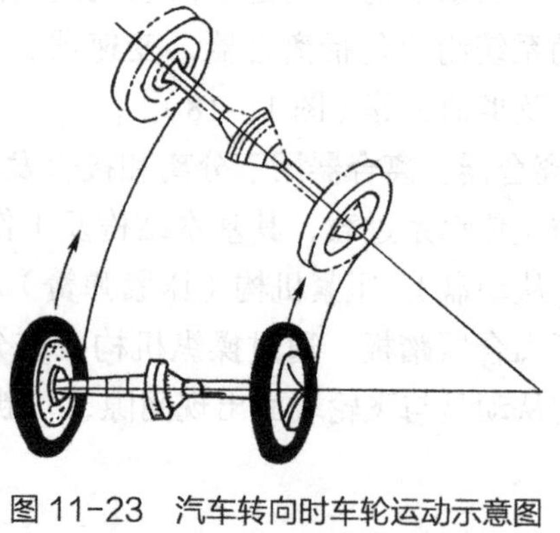
图 11-23　汽车转向时车轮运动示意图

2. 汽车行驶系统

汽车行驶系统的作用是保证汽车的正常行驶，并对全车起支承作用，它由车轮、车桥、车架、悬架等组成。

1）车轮。车轮通常由轮胎、轮辋、车轮饰板、气门嘴和平衡块等组成（图 11-24）。

2）车桥。车桥用于连接和安装左右车轮的车轴或车梁等部件（图 11-25），其功用是传递车架（承载式车身）与车轮之间各方向的作用力及其力矩。

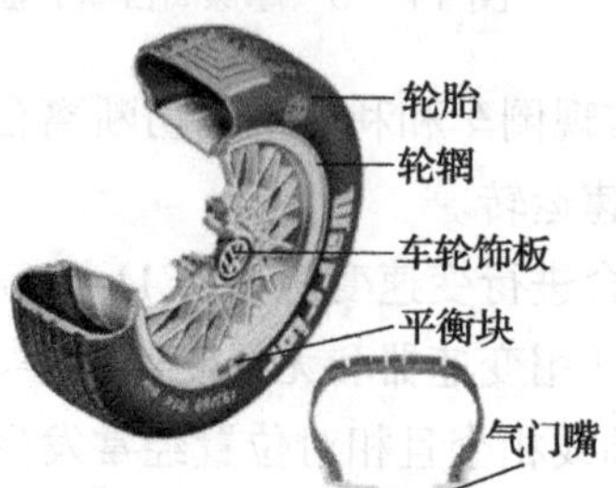

图 11-24　车轮和轮胎

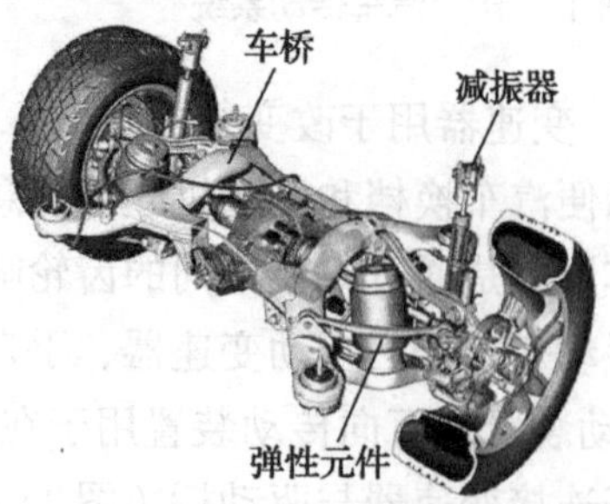

图 11-25　汽车车桥

3）车架。车架的作用主要是支承连接汽车的各零部件，承受来自车内、外的各种载荷。

4）悬架。悬架是车架（或车身）与车桥（或车轮）之间的一切传力连接装置的总称。悬架的作用是把路面作用于车轮上的各种反力所造成的力矩传递到车架（或车身）上，减少汽车振动，以保证汽车的正常行驶。悬架一般由弹性元件、减振器和导向机构三部分组成（图 11–26）。

3. 汽车转向系统

汽车转向系统的作用就是保证汽车能够按驾驶员的意志改变或恢复行驶方向。

汽车转向系统主要由转向操纵机构（方向盘、转向轴及转向管柱等）、转向器和转向传动机构组成（图 11–27）。

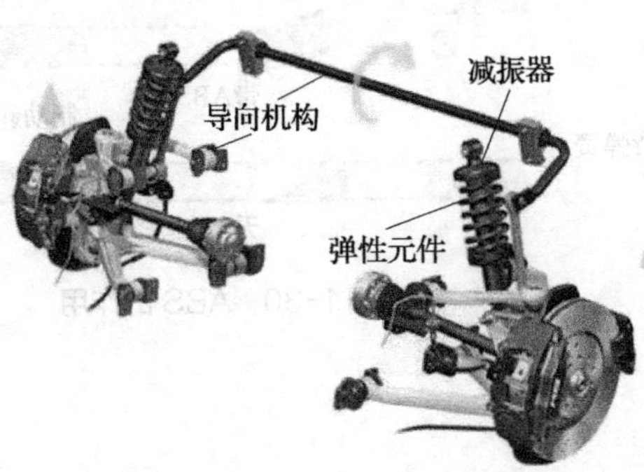

图 11-26　汽车悬架

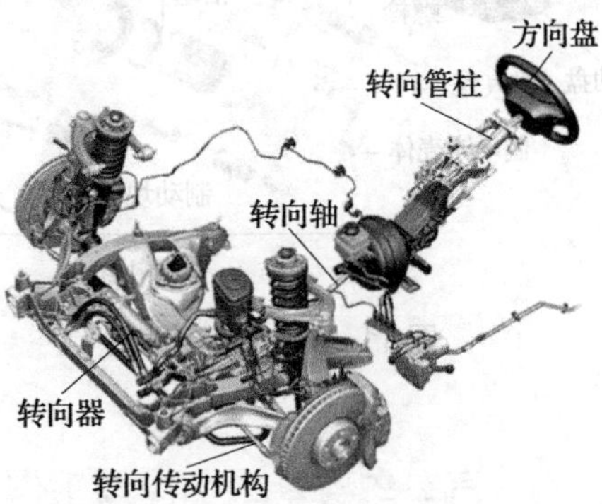

图 11-27　汽车转向系统

4. 汽车制动系统

汽车制动系统的作用是使行驶中的汽车减速甚至停车，或使已经停下来的汽车保持不动。乘用车一般采用液压制动，主要由车轮制动器和液压传动机构组成（图 11–28）。汽车制动系统（鼓式）由制动鼓、制动蹄、制动底板等组成，液压传动机构主要由制动踏板、推杆、制动主缸、制动轮缸和油管等组成。

制动时，驾驶员踩下制动踏板，推杆便推动主缸活塞，使主缸中的油液以一定压力流入制动轮缸，通过轮缸活塞使两制动蹄的上端向外张开，从而使摩擦片压紧在制动鼓的内圆面上，迫使车轮停止转动。当松开制动踏板时，制动蹄回位弹簧将制动蹄拉回原位，制动作用即行解除。

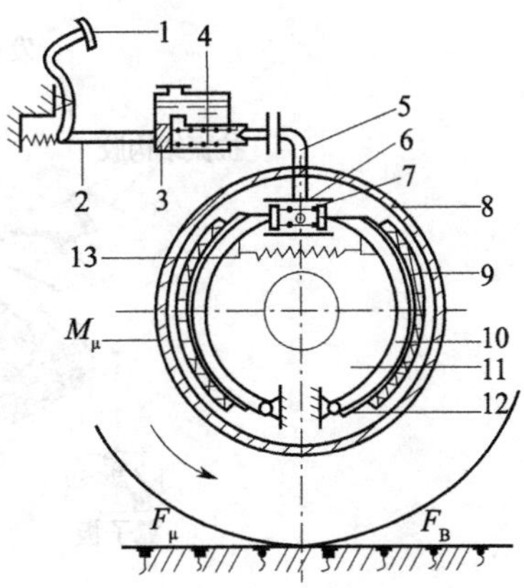

图 11-28　汽车制动系统组成

1—制动踏板　2—推杆　3—主缸活塞
4—制动主缸　5—油管　6—制动轮缸
7—轮缸活塞　8—制动鼓　9—摩擦片
10—制动蹄　11—制动底板
12—支承销　13—制动蹄回位弹簧

盘式制动器由制动盘、制动钳组件及车轮轴承等组成，见图 11–29。

制动时，制动钳内的制动活塞在液压力作用下推动制动块压靠到制动盘表面，将制动盘的两侧面压紧，实现了车轮制动。

乘用车普遍采用防抱死制动系统（ABS），防止汽车制动时车轮抱死产生危险情况（图 11-30），并把车轮的滑移率保持在最佳范围内。

不少乘用车采用驱动防滑系统（ASR），以防止汽车在起步、加速和低附着系数路面行驶时驱动轮的滑转。

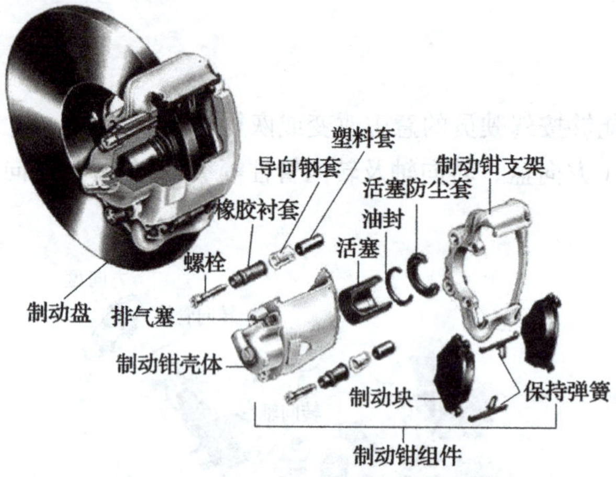

图 11-29　盘式制动器

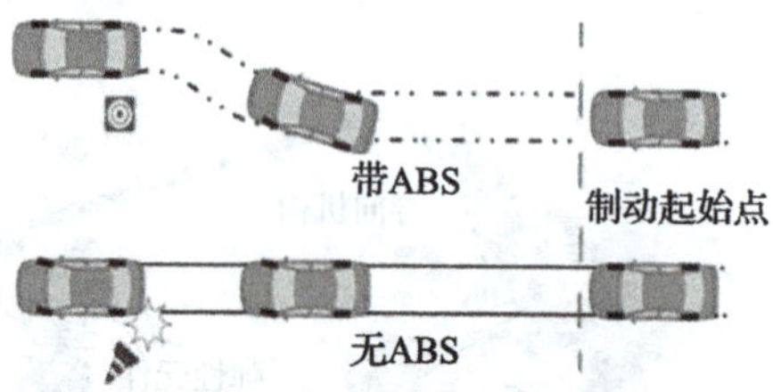

图 11-30　ABS 的作用

11.3 汽车车身基本结构与工作原理

1. 车身本体与开启件

车身本体与开启件由车架、各种门、窗、行李舱和车顶盖等组成（图 11-31）。

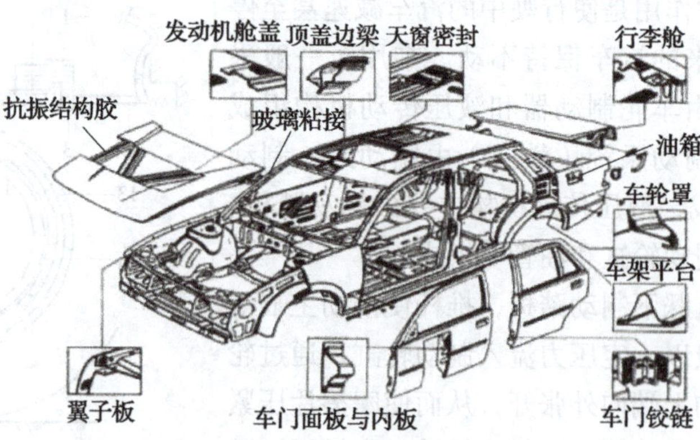

图 11-31　车身本体与开启件

2. 刮水器

刮水器是用于清除玻璃外表面的雨水、雪及灰尘的装置，以保证驾驶员在雨雪天行驶有良好的视野，其基本结构见图 11-32。

3. 风窗洗涤器（图 11-33）

风窗洗涤器主要由洗涤液泵、洗涤液罐和喷嘴等组成。

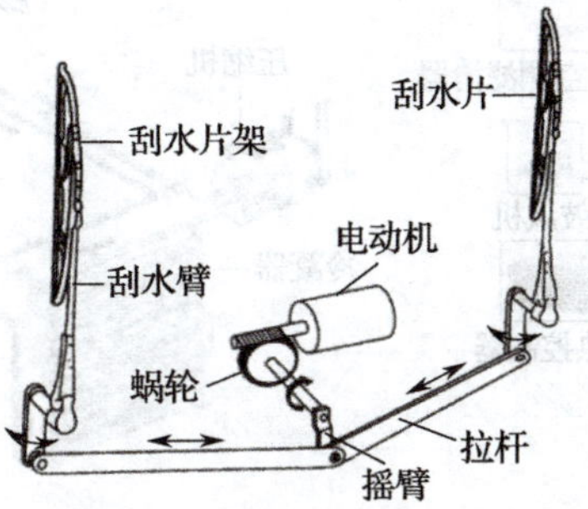

图 11-32　电动刮水器

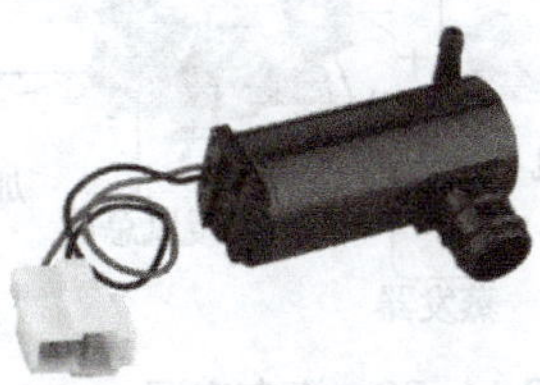

图 11-33　风窗洗涤器

4. 风窗除霜（雾）装置

风窗除霜（雾）装置的作用是在较冷的季节，有雨、雪或雾的天气，防止水蒸气在风窗玻璃上凝结成细小的水滴甚至结冰。该装置是在装有空调或暖风装置的汽车上，通过风道向前风窗及侧窗玻璃吹热风以加热玻璃，而对后风窗玻璃的除霜，常常是利用电热丝加热实现。

5. 安全带（图 11-34）

安全带用于汽车急剧向前冲撞进时产生束紧力，保护乘员，避免发生二次碰撞伤害。

6. 安全气囊（SRS）（图 11-35）

安全气囊的作用是减少汽车在发生剧烈碰撞时因巨大惯性而对乘员造成的伤害。

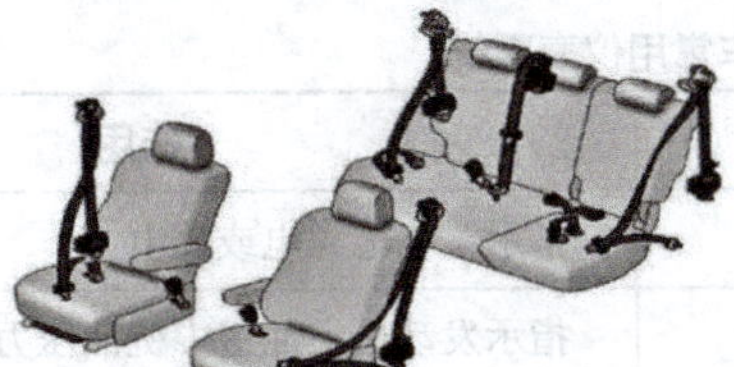

图 11-34　三点式安全带

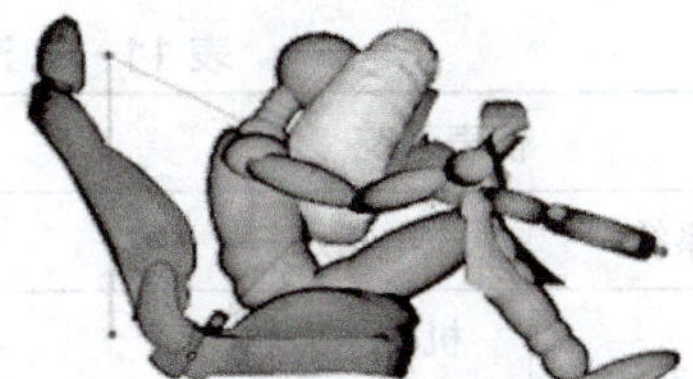

图 11-35　安全气囊

汽车空调制冷系统

7. 汽车空调

汽车空调的作用是对车厢内空气进行制冷、加热、换气和空气净化，主要由制冷系统、供暖系统、通风和空气净化装置及控制系统组成（图 11-36）。其中，制冷系统主要由压缩机、冷凝器、膨胀阀、储液干燥器、蒸发器等组成（图 11-37）。制冷系统工作时，压缩机由发动机传动带轮带动，将蒸发器中因吸热而汽化的低压制冷剂（如 R134a）蒸气吸入后，压缩成高温高压制冷剂气体，经高压管送入冷凝器，经冷凝器冷却使高温高压的制冷剂气体冷凝成中温高压制冷剂液体，送入储液干燥器中除去水分和杂质，然后送入膨胀阀，经膨胀阀节流降压，变为低温低压液态制冷剂后进入蒸发器。

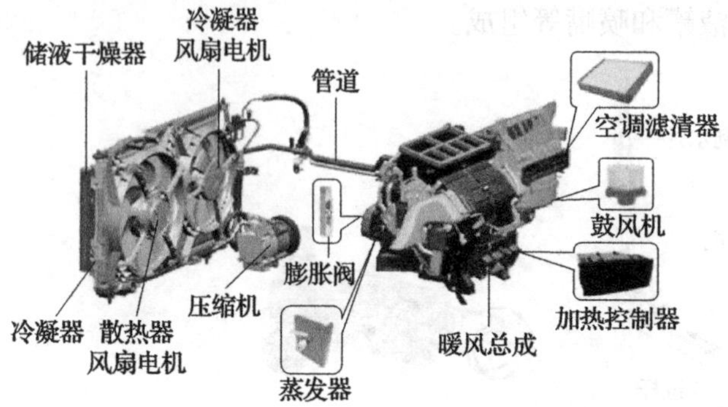

图 11-36　汽车空调

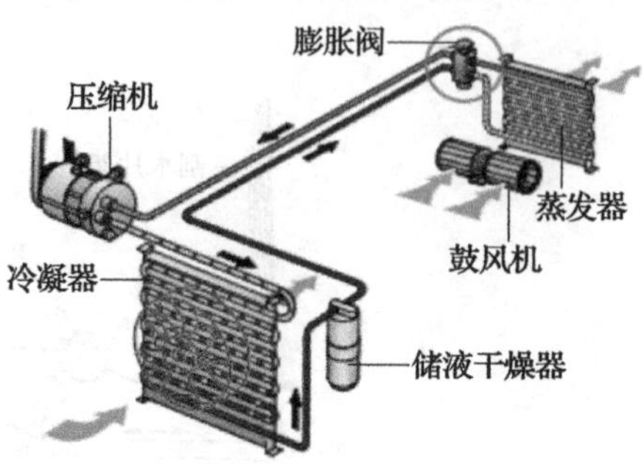

图 11-37　制冷系统

8. 汽车仪表系统

汽车仪表系统包括各种仪表和指示灯（图 11–38），用来反映汽车的一些重要运行状态参数，必要时提出警示，保证汽车可靠而安全地行驶。驾驶员行车时应时刻注意观察汽车仪表系统的信息。汽车仪表系统组成见表 11–1，仪表常见符号的含义见图 11–39。

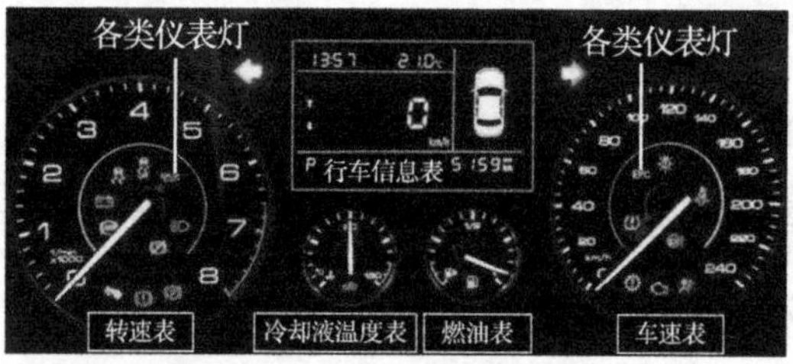

图 11-38　汽车仪表系统

表 11–1　汽车常用仪表系统

仪表系统		作用
充放电显示系统	充电指示灯	指示蓄电池充电或放电
机油压力显示系统	机油压力表	指示发动机主油道中机油压力大小
	机油压力警告灯或蜂鸣器	机油压力过低时警告
燃油量显示系统	燃油表	指示汽车燃油箱内储存燃油量的多少
	燃油量过少警告灯	燃油箱内燃油量过少时警告
冷却液温度显示系统	冷却液温度表	指示发动机水套中冷却液温度的高低
	冷却液温度警告灯或蜂鸣器	冷却液温度过高时警告
车速里程显示系统	车速表	指示汽车行驶速度
	里程表	指示汽车累计行驶里程
	转速表	指示发动机转速的高低

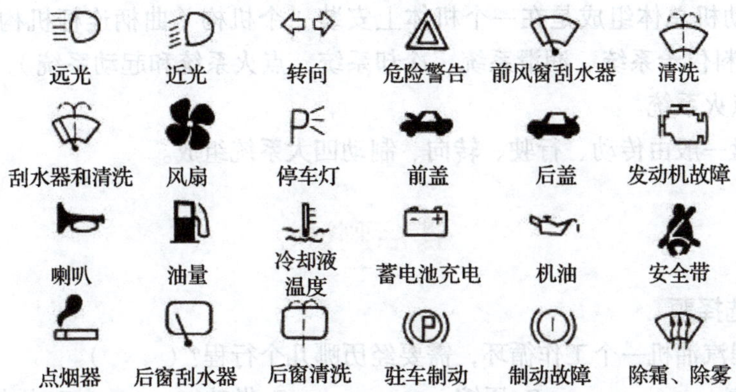

图 11-39　仪表常见符号含义

9. 汽车照明装置

汽车照明装置用于保证汽车在夜间及能见度较低的情况下安全、高速行驶，主要由电源、照明装置及其控制部分组成。汽车照明装置具体组成与作用见表 11-2。

表 11-2　汽车照明装置组成及作用

照明装置		作用
车外照明装置	前照灯	夜间行驶时照明，可发出远光和近光两种光束
	前位灯（示宽灯）	夜间视宽、近距离照明等
	后位灯	红色，警示作用，兼作牌照灯
	雾灯	黄色，在有雾、下雪、暴雨或尘埃弥漫时行车照明，具有信号作用
	倒车灯	倒车时车后照明，并起信号作用
	牌照灯	照明汽车后牌照
车内照明装置	仪表灯	仪表盘照明
	顶灯	车内照明
	阅读灯	乘客阅读照明
工作照明装置	行李舱灯	夜间行李舱盖打开时照明
	发动机舱照明灯	夜间发动机舱盖打开时照亮发动机

10. 汽车信号装置

汽车信号装置用于向行人和车辆发出警告，以保障行车安全。常见的汽车信号装置有喇叭、转向灯、制动灯、倒车信号和危险警告信号装置等。

任务小结

1. 四冲程内燃机是指活塞在上、下止点间往复移动四个行程（相当于曲轴旋转了两周），完成进气、压缩、做功、排气一个工作循环的发动机。

2. 汽油发动机总体组成是在一个机体上安装一个机构（曲柄连杆机构）和六大系统（换气系统、燃料供给系统、润滑系统、冷却系统、点火系统和起动系统）。柴油机则为五大系统，没有点火系统。

3. 汽车底盘一般由传动、行驶、转向、制动四大系统组成。

课后测试

1. 不定项选择题

（1）四冲程汽油机一个工作循环，需要经历哪几个行程？（　　）

A. 进气　　B. 压缩　　C. 做功　　D. 排气

（2）汽车悬架一般由（　　）三大部件组成。

A. 弹性元件　　B. 减振器　　C. 导向机构　　D. 车身

（3）汽车空调有哪些基本的作用？（　　）

A. 制冷　　B. 换气　　C. 加热　　D. 空气净化

2. 填空题

（1）汽车总体由________、________和________三大部分组成。

（2）四冲程柴油机工作特点是进气行程进入气缸的是________，其点火方式为________。

（3）汽车传动系统的组成包括离合器、________、传动轴、________等。

3. 思考题

（1）请回答任务描述所提出的问题。

（2）发动机是汽车的心脏，请问它是如何工作的？

任务 12　新能源汽车结构认知

学习目标

- 能描述理解新能源汽车特点、分类及基本结构。
- 能解释新能源汽车的工作原理。
- 培养学生自主创新意识，认清只有发展自主核心技术才能实现汽车强国梦。

任务描述

检索资料，找出比亚迪汉 EV 电动汽车与内燃机汽车的不同。

知识参考

新能源汽车是指：“采用非常规的车用燃料作为动力来源（或使用常规的车用燃料、采用新型车载动力装置），综合车辆的动力控制和驱动方面的先进技术，形成的技术原理先进、具有新技术和新结构的汽车。”新能源汽车含纯电动汽车、混合动力电动汽车、燃料电池电动汽车、太阳能汽车等。目前比较成熟和大量使用的有纯电动汽车和混合动力电动汽车，它们共同的特点就是环保和节能。

12.1 纯电动汽车基本结构与工作原理

纯电动汽车动力装置

1. 纯电动汽车（BEV）含义

纯电动汽车指驱动能量完全由电能提供的、由电机驱动的汽车。电机的驱动电能来源于车载可充电储能系统或其他能量储存装置。

2. 纯电动汽车基本结构

与传统燃油汽车相比，BEV 主要是动力装置不同，其他结构（如底盘、车身）基本相似。BEV 动力装置主要由动力蓄电池组、驱动电机及控制系统等组成（图 12-1）。动力蓄电池组是电动汽车的动力源；驱动电机将动力蓄电池组的电能转化为机械能，驱动车辆行驶；控制系统对动力蓄电池组进行管理和对驱动电机进行控制。

图 12-1　BEV 动力装置基本组成

3. 纯电动汽车的基本工作原理（图 12-2）

车辆起步时，要求驱动电机供给大转矩；平路正常行驶时，要求驱动电机提供足够的驱动力和速度，同时能耗最低；急加速和上坡时，要求驱动电机提供较大的驱动力，有较好的超载能力；减速和制动时，要求驱动电机转化为发电机，回收减速和制动的能量，向动力蓄电池组充电；汽车停车时，驱动电机自动停止。

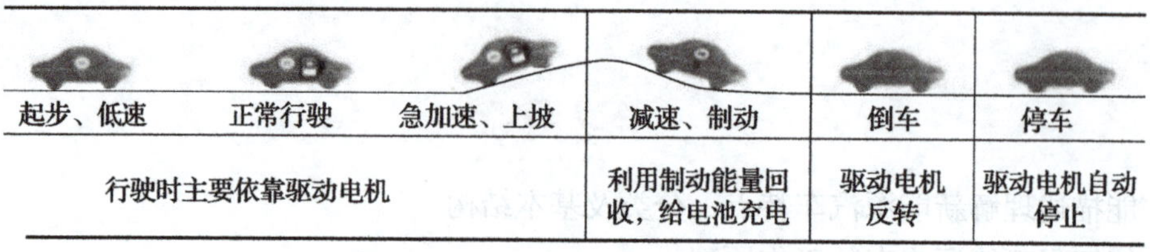

图 12-2　纯电动汽车基本工作原理

12.2 混合动力电动汽车基本结构与工作原理

混合动力电动汽车的基本结构与工作原理

1. 混合动力电动汽车（HEV）含义

混合动力电动汽车指能够至少从“可消耗的燃料和可再充电能或能量储存装置”两类车载存储的能量中获得动力的汽车。

2. 混合动力电动汽车基本结构

混合动力电动汽车主要由动力蓄电池组、辅助动力系统（汽油发动机等）、控制系统（控制器等）、驱动系统（驱动电机）等部分构成（图 12-3）。

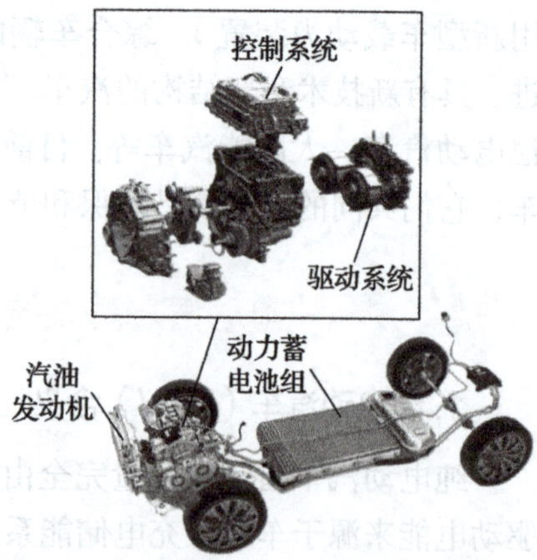

图 12-3　混合动力电动汽车基本结构

3. 混合动力电动汽车的基本工作原理（以比亚迪 DM-i 混动系统为例）

1）EV 模式（图 12-4）。EV 模式下，发动机不启动，由动力蓄电池提供电能，以供电机驱动车辆，可以满足在起步和低速行驶。

2）HEV 串联模式（图 12-5）。在中低速行驶或者加速时，若动力电池 SOC（State of Charge，充电状态）值低于设定的阈值，整车控制单元会使发动机工作。在最佳效率区，发动机带动发电机发电，供给电机驱动车辆，如有多余的发电量存储至动力蓄电池。若动力蓄电池 SOC 值高于设定的阈值，则整车控制单元会切换为纯电模式，发动机停止运转。

3）发动机直驱模式（图 12-6）。在高速巡航时，离合器接合将发动机动力通过变速器直接驱动车轮，发动机工作在高效率区。同时，在发动机功率有富余时，利用发电机将一部分转矩转化为电能，对动力蓄电池进行充电。

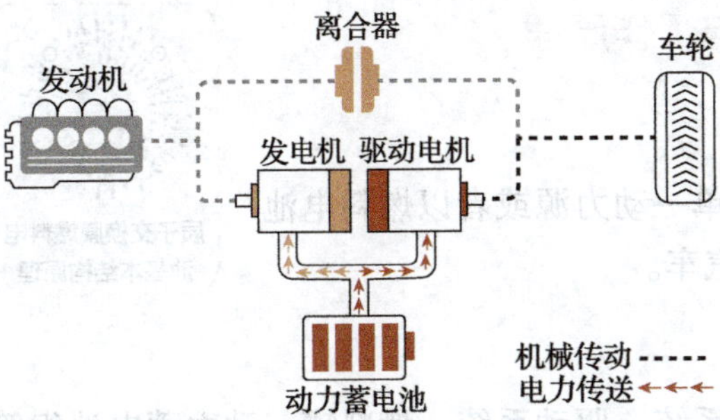

图 12-4　EV 模式

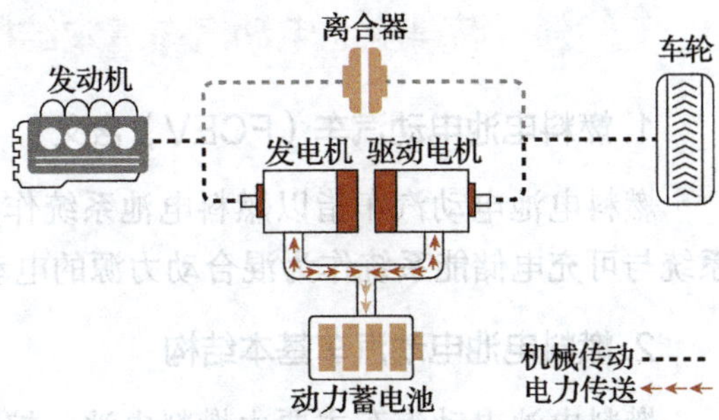

图 12-5　HEV 串联模式

4）HEV 并联模式（图 12-7）。在高速超车行驶时，功率需求比较高，离合器接合，发动机输出功率，同时，控制系统控制动力蓄电池提供电能给驱动电机，与发动机并联输出动力。

5）动能回收模式。车辆制动时，车轮将动能通过驱动电机运转发电，回馈给动力蓄电池，实现能量回收。

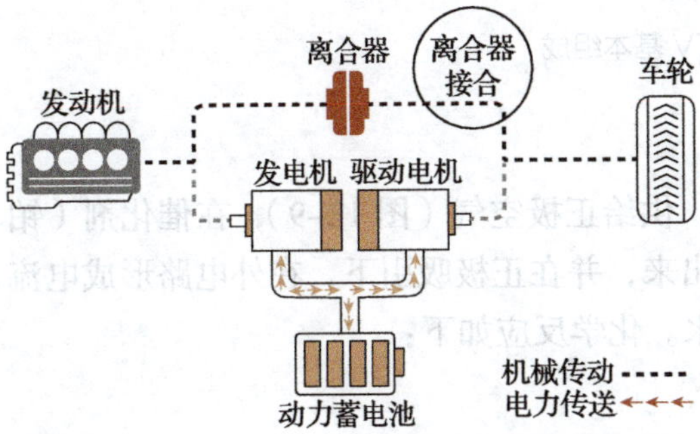

图 12-6　发动机直驱模式

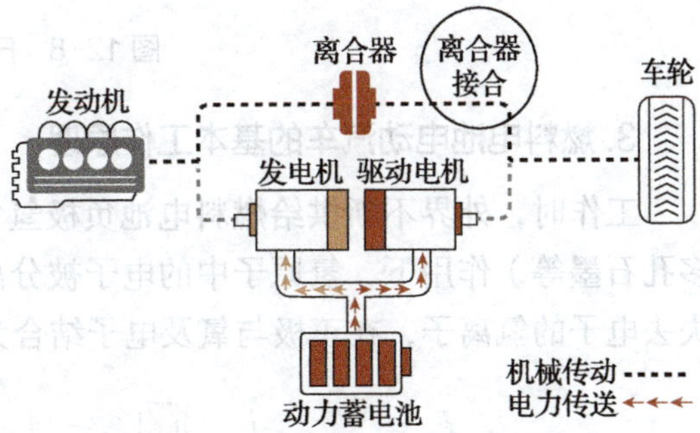

图 12-7　HEV 并联模式

核心技术自主可控——汽车强国梦

我国汽车电子控制器行业起步较晚，核心技术基本以外购为主，受制严重。美国在贸易战中对我国汽车用芯片进行了技术封锁，这提醒我们自力更生、专注自主创新的重要性。例如，比亚迪打破国际技术封锁，已经突破汽车级 IGBT（绝缘栅双极型晶体管）圆管设计、模块散热、封装和制造等关键技术，打破了国外的市场垄断，车用 IGBT 模块荣获全球电子技术领域的“2018 年度中国 IC 设计公司成就奖之年度最佳功率器件”的称号，如今搭载“中国芯”的纯电动汽车已在全球范围内大规模应用。

我国作为全球最大的汽车市场，成为世界汽车大国，但还不是强国，其中最关键的因素就是核心技术落后且受制于人。中美贸易摩擦提醒我们，必须要坚持自力更生，只有自主创新发展自主可控的核心技术才能真正实现汽车强国梦。

12.3 燃料电池电动汽车基本结构与工作原理

质子交换膜燃料电池基本结构原理

1. 燃料电池电动汽车（FCEV）含义

燃料电池电动汽车指以燃料电池系统作为单一动力源或者以燃料电池系统与可充电储能系统作为混合动力源的电动汽车。

2. 燃料电池电动汽车基本结构

燃料电池电动汽车主要由燃料电池、控制系统、驱动系统、燃料罐、动力蓄电池组等部分构成（图 12–8）。

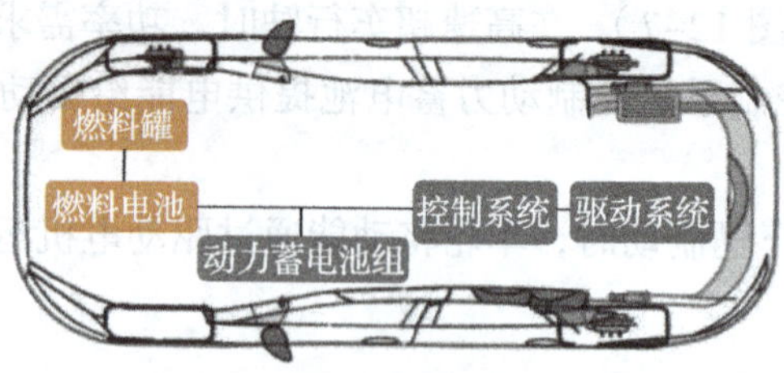

图 12–8　FCEV 基本组成

3. 燃料电池电动汽车的基本工作原理

工作时，外界不断供给燃料电池负极氢气，供给正极空气（图 12–9），在催化剂（铂、多孔石墨等）作用下，氢原子中的电子被分离出来，并在正极吸引下，在外电路形成电流，失去电子的氢离子，在正极与氧及电子结合为水。化学反应如下：

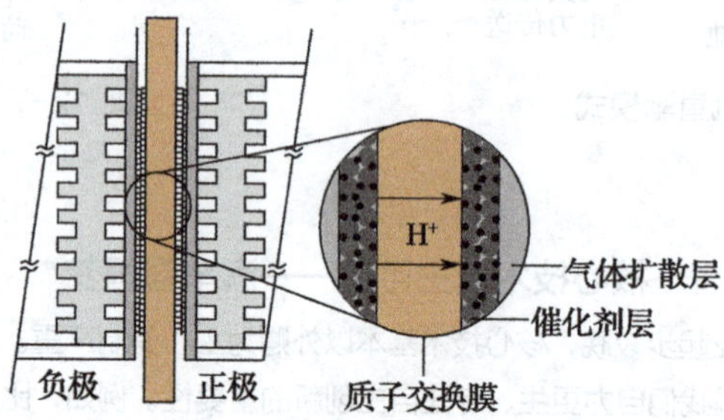

图 12–9　单体燃料电池的组成

负极　$2H_2 \rightarrow 4H^+ + 4e^-$

正极　$O_2 + 4H^+ + 4e^- \rightarrow 2H_2O$

12.4 太阳能汽车基本结构与工作原理

1. 太阳能汽车（图 12–10）含义

太阳能汽车指将太阳能转化为电能的汽车。太阳能是取之不尽、价格低廉、零污染的理想能源。

图 12–10　“天津号”太阳能汽车

2. 太阳能汽车基本结构

太阳能汽车主要由太阳能电池组、自动阳光跟踪系统、驱动系统、控制器等组成。

3. 太阳能汽车的基本工作原理

太阳能电池（图 12-11）由半导体材料制成，当太阳光照射在该半导体材料时，半导体的电子 - 空穴对被激发并定向流动，形成电流。

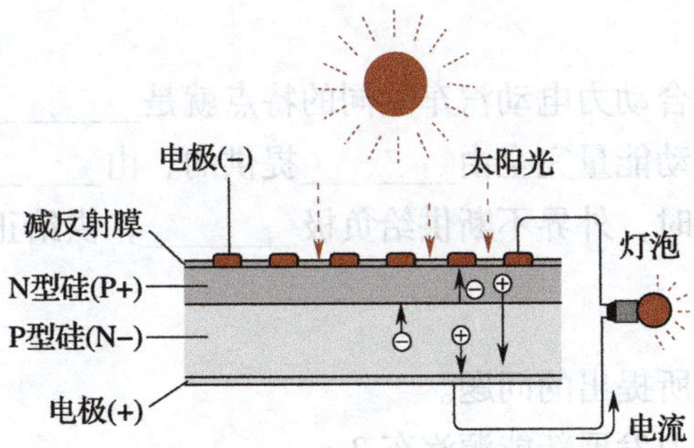

图 12-11　太阳能电池

任务小结

1. 新能源汽车是采用非常规的车用燃料作为动力来源（或使用常规的车用燃料、采用新型车载动力装置），综合车辆的动力控制和驱动方面的先进技术，形成的技术原理先进、具有新技术和新结构的汽车，主要特点是节能、环保和低噪声。

2. 电动汽车是纯电动汽车、混合动力电动汽车和燃料电池电动汽车的总称。

3. 纯电动汽车（BEV）是指驱动能量完全由电能提供的、由电机驱动的汽车。电机的驱动电能来源于车载可充电储能系统或其他能量储存装置。纯电动汽车的动力装置主要由动力蓄电池组、驱动电机及控制系统等组成。

4. 混合动力电动汽车（HEV）是指能够至少从“可消耗的燃料和可再充电能或能量储存装置”两类车载存储的能量中获得动力的汽车。

5. 燃料电池电动汽车（FCEV）是指以燃料电池系统作为单一动力源或者是以燃料电池系统与可充电储能系统作为混合动力源的电动汽车。

课后测试

1. 不定项选择题

（1）以下哪个部件是电动汽车的动力源？（　　）

A. 动力蓄电池组　　B. 驱动电机

C. 变速器　　D. 控制系统

（2）比亚迪 DM-i 混动系统工作模式有哪些？（　　）

A. 纯电动模式　　B. HEV 模式

C. 发动机直驱模式　　D. 动能回收模式

（3）太阳能汽车主要由哪些部件组成？（　　）

A. 太阳能电池组　　B. 自动阳光跟踪系统

C. 驱动系统　　D. 控制器

2. 填空题

（1）纯电动汽车和混合动力电动汽车共同的特点就是________和________。

（2）纯电动汽车指驱动能量完全由________提供的、由________驱动的汽车。

（3）氢燃料电池工作时，外界不断供给负极________，供给正极________。

3. 思考题

（1）请回答任务描述所提出的问题。

（2）我国为什么要大力发展新能源汽车？

任务 13 智能网联汽车结构认知

学习目标

- 能描述并理解智能网联汽车特点、分类及基本结构。
- 能解释智能网联汽车的工作原理。
- 将个人远大理想与国家发展融合起来，激发学生立志成才。

任务描述

检索“百度 Apollo 无人驾驶汽车（图 13-1）正式落地深圳市南山区，面向市民提供自动驾驶出行服务”的场景。

图 13-1 百度 Apollo 无人驾驶汽车

知识参考

13.1 智能网联汽车含义及其发展动态

1. 智能网联汽车含义

智能网联汽车（Intelligent Connected Vehicle，ICV）是指通过搭载先进传感器、控制器、执行器等装置，并融合现代通信与网络技术，实现车与车、路、人、云端等（V2X）智能信息交换、共享，具备复杂环境感知、智能决策、协同控制等功能，可实现“安全、高效、舒适、节能”行驶，并最终实现替代人来操作的新一代汽车。

2. 发展智能网联汽车的意义

智能网联汽车可以保证汽车“安全、高效、舒适、节能”行驶。据资料介绍，美国 2011 年高速公路发生超过 5300 万次事故，死亡 3.2 万人，造成 40 多亿小时时间延误，1 万多亿美元耗费在城市拥堵上，还有 70 多亿升燃料被浪费掉。

智能网联汽车通过移动互联网和卫星定位，将汽车、道路监测设备和监控中心等进行联网，可降低交通事故发生率（约减少 50%~80%），提升汽车行驶的安全性、舒适性和快捷性（约提升交通通行效率 10%~30%），从而达到保障安全、提高效率、改善环境、节约能源的综合效果。据美国电气与电子工程师协会预测，21 世纪中叶前，无人驾驶汽车将占据全球汽车保有量的 75%，可能颠覆当前的汽车交通运输产业运作模式。在美国麦肯锡公司发布的《展望 2025：决定未来经济的 12 大颠覆技术》研究报告中，自动或半自动导航与驾驶的交通工具排名第六，其潜在经济市场巨大。

3. 智能网联汽车发展动态

（1）国外发展动态

从 20 世纪 70 年代开始，美、日、欧就开始进行无人驾驶汽车的研究。例如，美国国防部与陆军于 1984 年 9 月合作发起 ALV 战略计划，欧盟于 1984 年开始实施研发框架计划，日本于 1991 年开始支持先进安全汽车（ASV）项目等。

21 世纪初，很多国家和地区制定了智能汽车发展战略及目标，投入了大量的资金及资源。例如：美国交通运输部在 2010 年提出了《ITS 战略计划 2010—2014》，欧盟在 2010 年制定了《ITS 发展行动计划》，日本 2010 年制定了《下一代汽车战略 2010》等。

目前，美国、欧洲、日本在智能汽车领域已形成三足鼎立的局面。美国重点在网联化，形成了基于 V2X 通信的网联化汽车产业化能力；欧洲具有世界领先的汽车电子零部件供应商和整车企业，自主式自动驾驶技术相对领先；日本交通设施基础较好，自动驾驶方面技术水平在稳步推进。大部分车企在 2016 年已经实现 L1 级自动驾驶产品的全系标配。相对于 L2 级自动驾驶技术的成熟和量产商业化，L3 级自动驾驶技术的量产落地却仍在摸索阶段。目前，梅赛德斯 - 奔驰在德国获得全球首个 L3 级有条件自动驾驶系统的国际认证，在奔驰新款的 S 级以及 EQS 轿车上装配可以实现 L3 级自动驾驶的 DrivePilot 功能。特斯拉也突破性地搭载了具备全场景的 FSD 功能，应对复杂场景、公共道路及红绿灯，都具备产业级精度。受技术问题、法律法规，还有交通伦理等约束，各大车企的 L4、L5 级自动驾驶产品推出的时间表目前很少见到。目前，仅有美国 Alphabet、苹果、通用 Cruise 等互联网科技公司做了一些尝试，但其应用场景仍然具有一定局限性，距离量产落地还有一定距离。

各企业研发产品比较成功的有美国谷歌 2005 年推出的无人驾驶汽车（图 13-2），2012 年 5 月获得了美国首个自动驾驶车辆许可证。英国的先进交通系统公司和布里斯托尔大学联合研制的无人驾驶汽车（图 13-3）于 2010 年投放到伦敦希斯罗机场作为出租车运送旅客。日本开发出无人驾驶车队（图 13-4）。2022 年 6 月，通用汽车旗下的 Cruise 和 Alphabet 旗下的 Waymo 在旧金山向乘客提供在安全驾驶员在场情况下的无人驾驶服务（图 13-5）。

图 13-2 谷歌无人驾驶汽车

图 13-3 伦敦希斯罗机场的无人驾驶汽车

图 13-4 日本的无人驾驶车队

图 13-5 Cruise 在旧金山向乘客提供无人驾驶服务

（2）我国发展动态

我国从 20 世纪 90 年代中期开始进行无人驾驶汽车的研究，例如：国防科技大学等在 1992 年研制出我国第一辆无人驾驶汽车；2011 年，红旗 HQ3 成功进行了 286km 的无人驾驶路试（图 13-6）。2000 年，我国成立了全国智能交通系统（ITS）协调指导小组及办公室。2015 年，国务院印发《中国制造 2025》文件。该文件指出，到 2020 年，掌握智能辅助驾驶总体技术及各项关键技术，初步建立智能网联汽车自主研发体系及生产配套体系。目前看来，已基本完成目标。该文件还指出，到 2025 年，掌握自动驾驶总体技术及各项关键技术，建立较完善的智能网联汽车自主研发体系、生产配套体系及产业群，基本完成汽车产业转型升级。

图 13-6　红旗 HQ3 无人驾驶汽车

2015 年 12 月，百度无人驾驶汽车（图 13-7）成功进行了混合路况试验。2018 年 2 月 15 日，百度 28 辆 Apollo 无人车亮相央视春晚，在港珠澳大桥行驶（图 13-8），并在无人驾驶模式下完成“8”字交叉跑的高难度动作。2018 年 7 月 4 日，百度全球首款 L4 级量产自动驾驶客车“阿波龙”第 100 辆量产下线（图 13-9）。2022 年 7 月 20 日，北京开放首个乘用车无人化运营试点，百度萝卜快跑、小马智行首批获准投入了 14 辆无人化车辆开展示范应用。

图 13-7　百度无人驾驶汽车

图 13-8　百度无人驾驶汽车在港珠澳大桥行驶

图 13-9　百度第 100 辆“阿波龙”量产下线

对比国外先进企业，我国在无人驾驶三大核心技术（汽车感知传感器技术、人工智能和互联技术）上还有不小的差距，尤其是自动驾驶所涉及的芯片、传感器、控制器、执行器等关键部件。

13.2　智能网联汽车技术分级

1. 美国自动驾驶分级

在国际上，美国汽车工程师学会（SAE）及美国国家高速公路交通安全管理局（NHTSA）分别对自动驾驶的等级做出划分，见表 13-1。

表 13-1 SAE 及 NHTSA 的自动驾驶等级划分

分级		名称	定义	转向和变速操作	监控驾驶环境	极端驾驶情况的应对	系统作用范围
NHTSA	SAE						
0	L0	无自动化	驾驶员完成所有的驾驶操作，系统只起到警告和辅助的作用	驾驶员	驾驶员	驾驶员	无
1	L1	辅助驾驶	辅助系统完成转向或变速中的一项操作，其他所有驾驶操作由驾驶员完成	驾驶员或系统	驾驶员	驾驶员	部分
2	L2	部分自动化	辅助系统完成转向和变速中的两项操作，其他所有驾驶操作由驾驶员完成	系统	驾驶员	驾驶员	部分
3	L3	有条件自动化	自动驾驶系统完成所有驾驶操作，需要驾驶员恰当应答系统的请求	系统	系统	驾驶员	部分
4	L4	高度自动化	自动驾驶系统完成所有驾驶操作，不一定需要驾驶员恰当应答系统的请求	系统	系统	系统	部分
	L5	完全自动化	自动驾驶系统达到人类驾驶水平，可处理任何道路和环境的驾驶情况	系统	系统	系统	全部

2. 我国自动驾驶分级

国家标准《汽车驾驶自动化分级》（GB/T 40429—2021）综合考量动态驾驶任务、最小风险策略和设计运行范围等多个维度，将汽车驾驶自动化等级划分应急辅助（emergency assistance）、部分驾驶辅助（partial driver assistance）、组合驾驶辅助（combined driver assistance）有条件自动驾驶（conditionally automated driving）、高度自动驾驶（highly automated driving) 和完全自动驾驶（fully automated driving) 共六个不同的等级。驾驶自动化等级与划分要素的关系见表 13-2。

表 13-2 驾驶自动化等级与划分要素的关系

分级	名称	定义	持续的车辆横向和纵向运动控制	目标和事件探测与响应	动态驾驶任务后援	设计运行范围
0 级	应急辅助	系统不能持续执行动态驾驶任务中的车辆横向或纵向运动控制，但具备持续执行动态驾驶任务中的部分目标和事件探测与响应的能力	驾驶员	驾驶员和系统	驾驶员	有限制
1 级	部分驾驶辅助	系统在其设计运行条件下持续地执行动态驾驶任务中的车辆横向或纵向运动控制，且具备与所执行的车辆横向或纵向运动控制相适应的部分目标和事件探测与响应的能力	驾驶员和系统	驾驶员和系统	驾驶员	有限制

（续）

分级	名称	定义	持续的车辆横向和纵向运动控制	目标和事件探测与响应	动态驾驶任务后援	设计运行范围
2 级	组合驾驶辅助	系统在其设计运行条件下持续地执行车辆横向和纵向运动，且具备与所执行的车辆横向或纵向运动控制相适应的部分目标和事件探测与响应的能力	系统	驾驶员和系统	驾驶员	有限制
3 级	有条件自动驾驶	系统在其设计运行条件下持续地执行全部动态驾驶任务	系统	系统	动态驾驶任务后援用户（执行接管后成为驾驶员）	有限制
4 级	高度自动驾驶	系统在其设计运行条件下持续地执行全部动态驾驶任务并自动执行最小风险策略	系统	系统	系统	有限制
5 级	完全自动驾驶	系统在任何可行驶条件下持续地执行全部动态驾驶任务并自动执行最小风险策略	系统	系统	系统	无限制*

* 排除商业和法规因素等限制。

13.3 智能网联无人驾驶汽车基本结构与工作原理

1. 智能网联无人驾驶汽车基本结构

智能网联无人驾驶汽车的车身、底盘和动力部分与传统汽车类似，区别在于增加了智能和网联部分，其主要由环境感知系统、定位导航系统、中央处理单元、路径规划系统、运动控制系统与辅助驾驶系统六大系统组成，见图 13-10。

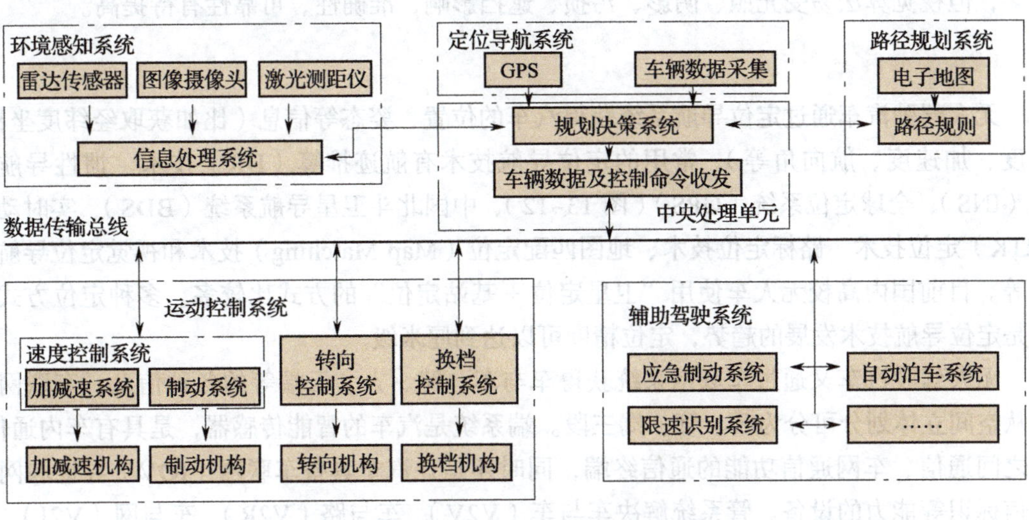

图 13-10 智能网联无人驾驶汽车总体组成

（1）环境感知系统

传统汽车靠驾驶人眼睛和耳朵感知周围环境情况（道路、车辆、行人等情况），无人驾驶汽车则依靠传感器感知周围环境，以及对信息进行处理，并传送给中央处理器。传感器在汽车上的位置见图 13-11。常见的传感器有雷达传感器和视觉传感器。

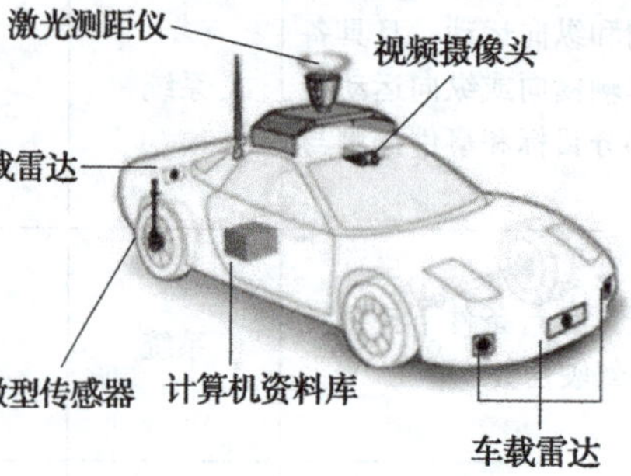

图 13-11　传感器在汽车上的位置

雷达传感器主要用来探测一定范围内障碍物（如车、人、路肩等）的方位、距离及移动速度。常用车载雷达种类有激光雷达、毫米波雷达和超声波雷达。激光雷达精度高、探测范围广，如谷歌无人车顶上的 64 线激光雷达，可以通过每秒 130 万个云点来扫描车辆的外部环境，但成本高达 70 多万元。毫米波雷达成本相对较低，探测距离较远，被车企广泛使用，但与激光雷达比精度稍低、可视角度偏小。超声波传感器在业内常被称为超声波雷达，其成本最低，但探测距离近、精度低，可用于低速下碰撞预警。百度无人车在车辆上方的中间部位，有一个转动的 64 线的激光雷达，两侧还有三个 16 线的激光雷达，可覆盖 64 线激光雷达的盲区，四者配合在一起将获得 360° 的感知，可以及时有效地检测到障碍物，绘制出周边 200m 之内的 3D 地形图并上传至车载计算机中枢。

视觉传感器主要用来识别车道线、停止线、交通信号灯、交通标志牌、行人、车辆等。常用的视觉传感器有单目摄像头、双目摄像头、红外摄像头。视觉传感器成本低、种类非常多，但视觉算法易受光照、阴影、污损、遮挡影响，准确性、可靠性有待提高。

（2）定位导航系统

无人驾驶汽车通过定位导航系统获得汽车的位置、姿态等信息（比如获取经纬度坐标、速度、加速度、航向角等）。常用的定位导航技术有航迹推算（DR）技术、惯性导航系统（INS）、全球定位系统（GPS）（图 13-12）、中国北斗卫星导航系统（BDS）、实时动态（RTK）定位技术、路标定位技术、地图匹配定位（Map Matching）技术和视觉定位导航技术等。目前国内高校无人车使用“卫星定位 + 基站定位”的方式比较多。多种定位方式融合是定位导航技术发展的趋势，定位精度可以达到厘米级。

无人驾驶汽车又通过车联网系统获得车与车、路、人、云端等的各种信息。车联网系统从空间立体划分可分为云、管、端三段。端系统是汽车的智能传感器，是具有车内通信、车之间通信、车网通信功能的通信终端，同时还是让汽车具备车联网（IOV）寻址和网络可信标识等能力的设备。管系统解决车与车（V2V）、车与路（V2R）、车与网（V2I）、车

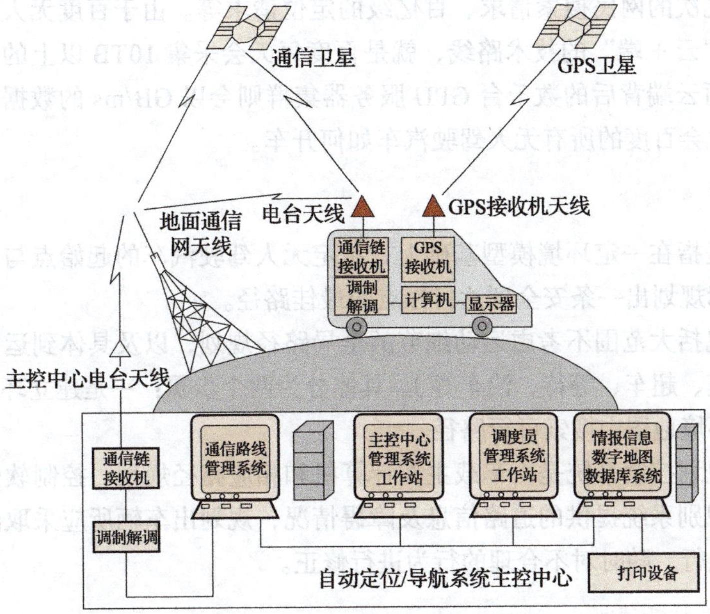

图 13-12　无人驾驶汽车利用 GPS 进行定位示意图

与人（V2H）的互联互通，实现车辆自组网及多种异构网络之间的通信与漫游，在功能和性能上保障实时性、可服务性与网络泛在性，是公网与专网的统一体。云系统是一个云架构的车辆运行信息平台，它的生态链包含了与汽车相关的各项使用服务内容，其应用系统也是围绕车辆的数据汇聚、计算、调度、监控、管理与应用的复合体系。

目前，智能网联汽车无线通信技术主要有车载通信（V2X）、专用短程通信（DSRC）、长期演进技术 - 车辆通信（LTE-V）和 5G 移动通信等。5G 移动通信具有高速率（网络速度是 4G 的 11.2 倍）、低时延（人类眨眼的时间为 100ms，而 5G 的时延为 1ms）和大容量（是 4G 的 10 倍）的特点，备受智能网联汽车无线通信的青睐。

（3）中央处理单元

汽车驾驶人靠大脑进行判断分析，无人驾驶汽车的“大脑”则是计算机的中央处理单元，它精确地存储每条公路的限速标准和出入口位置。该系统处理速度快，且具有自主学习功能。

百度无人驾驶汽车的“大脑”，形状如一个旅行箱，被安装在汽车的行李舱内（图 13-13），里面包括感知、定位、规划、决策、控制、高精地图等软件，以及 CPU 等各种计算所需硬件。软件由算法、计算能力、数据三大元素构成。算法是模拟人脑的神经元进行计算工作的，由万亿级的参数、千亿级的样本和训练组成。计算能力是指百度大脑背后的数十万台 GPU 服务器的计算服务。数据量非常之大，包括上万亿的互联网网页内

图 13-13　百度无人驾驶汽车的“大脑”

容、每天数十亿次的网民搜索请求、百亿级的定位请求等。由于百度无人驾驶车人工智能采用的是一种“云 + 端”的技术路线，就是百度每天会采集 10TB 以上的驾驶数据，然后上传至云端，而云端背后的数千台 GPU 服务器集群则会以 GB/ms 的数据处理速度对其进行处理，进而教会百度的所有无人驾驶汽车如何开车。

（4）路径规划系统

路径规划是指在一定环境模型基础上，给定无人驾驶汽车的起始点与目标点，然后按照某一性能指标规划出一条安全到达目标点的最佳路径。

路径规划包括大范围不考虑运动细节的全局路径规划，以及具体到运动轨迹的局部路径规划（如换道、超车、等待、泊车等）。具体分为两个步骤：一是建立环境地图；二是调用搜索算法在环境地图中搜索可行路径。

百度路径规划控制系统是由车载主控计算机和相应路径规划、控制软件组成的。该系统能根据环境识别系统提供的道路信息及障碍情况，规划出车辆所应采取的行为，组织协调相关行为的执行，随时对不合理的行为进行修正。

（5）运动控制系统

传统汽车操控靠驾驶员的四肢，无人驾驶汽车靠的是线控执行器。方向盘线控，早期一般在转向柱加装可控电动机，现在一般利用较为成熟的转向助力零部件实现；加速与制动线控，早期一般使用钢丝牵引车内踏板，但控制精度不高，现在一般直接使用车内总线协议向整车控制器发送控制指令；档位线控，早期一般靠步进电动机实现，现在同样向整车控制器发送指令实现档位控制。

无人驾驶汽车的运动控制分为纵向控制和横向控制（图 13-14）。纵向控制通过对加速和制动的协调，实现对期望车速的精确跟随。横向控制在保证车辆操纵稳定的前提下，实现无人驾驶的路径跟踪。

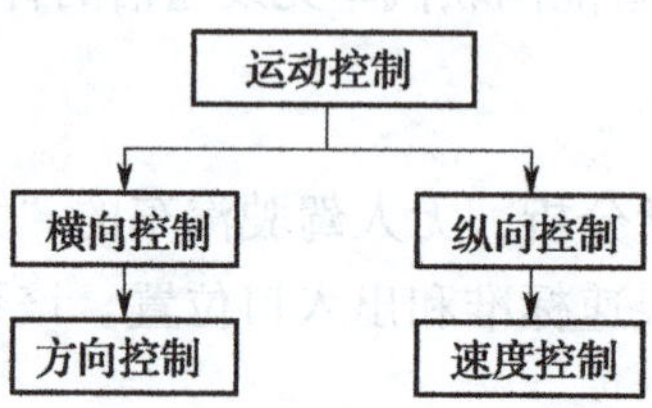

图 13-14　无人驾驶汽车的运动控制

（6）辅助驾驶系统（ADAS）

辅助驾驶系统是对那些通过各种传感器采集到车辆及周围环境道路的信息后，对当前情况给予驾驶员一定的辅助（如影像、提示、警告），或者主动减轻 / 避免碰撞危害的一系列技术的总称，属于初级的无人驾驶技术。

目前生产的汽车大部分已经配置部分辅助驾驶系统，如前车防撞预警（FCW）系统、车道偏离预警（LDW）系统、盲区监测预警（BSD）系统、变道辅助（LCA）系统、自动紧急制动（AEB）系统、自适应巡航控制（ACC）系统、自动泊车辅助（APS）系统等。

2. 智能网联汽车工作原理

智能网联汽车在逻辑与物理上的工作原理见图 13-15。在一个控制周期内，传感器负责感知周围环境及自身状态，计算机中的软件系统负责环境建模、决策与规划，执行器负责执行指令并反馈结果。控制周期一般为毫秒级，由多种传感器采样频率、软件算法复杂度、计算机性能以及执行器频率决定。

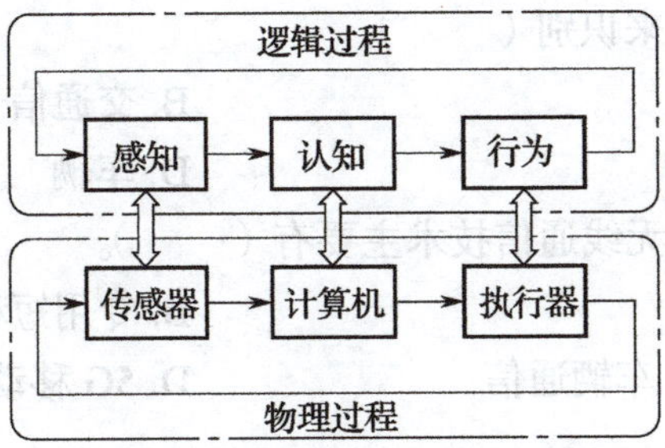

图 13-15　智能网联汽车工作原理

潜精研思　前沿求索——打造智能网联汽车的中国方案

在北京亦庄，人们可以通过手机叫到无需驾驶员操作的自动驾驶出租车，这是国内首个自动驾驶出行服务的商业化试点。从技术体系革新到开放道路示范，再到产业化落地应用，智能网联汽车中国方案发展的背后，凝聚了智能网联汽车研发人员 20 多年来的探索和坚持。他们致力于汽车智能化电动化融合重构的研究和开发，推动汽车高新技术的应用落地，使智能网联汽车产业转型升级不断前行，跨界协同、教书育人、技术链不断延伸，助力中国汽车强国的“中国梦”早日实现，并向世界贡献“中国方案”。

任务小结

1. 智能网联汽车是指通过搭载先进传感器、控制器、执行器等装置，并融合现代通信、网络、人工智能等新技术，实现车与车、路、人、云端等（V2X）智能信息交换、共享，具备复杂环境感知、智能决策、协同控制等功能，可实现“安全、高效、舒适、节能”行驶，并最终可实现替代人来操作的新一代汽车。

2. 我国将汽车驾驶自动化等级划分应急辅助、部分驾驶辅助、组合驾驶辅助、有条件自动驾驶、高度自动驾驶和完全自动驾驶共六个不同的等级。

3. 智能网联无人驾驶汽车主要由环境感知系统、定位导航系统、中央处理单元、路径规划系统、运动控制系统与辅助驾驶系统六大系统组成。车辆行驶时，各种传感器负责感知周围环境及自身状态；定位导航系统负责将汽车的位置、姿态等信息，连同前面的传感器感知的环境信息一起送到计算机中央处理单元；计算机中的软件系统负责环境建模、决策与规划，并通过数据传输总线（CAN）下达给各种执行器；执行器负责执行指令并反馈结果。

课后测试

1. 不定项选择题

（1）智能网联无人驾驶汽车与传统汽车的区别在于增加了（　　）和（　　）部分。

A. 智能　　B. 网联

C. 雷达　　D. 摄像头

（2）视觉传感器主要用来识别（　　）。

A. 车道线　　B. 交通信号灯与标志牌

C. 行人　　D. 车辆

（3）目前智能网联汽车无线通信技术主要有（　　）。

A. 车载通信　　B. 专用短程通信

C. 长期演进技术－车辆通信　　D. 5G 移动通信

2. 填空题

（1）智能网联汽车包括________与________两个技术层面。

（2）常用车载雷达种类有________、________和________。

3. 思考题

（1）请回答任务描述所提出的问题。

（2）智能网联汽车和自动驾驶汽车有哪些联系和区别?

06

项目

安全科学的用车文化

遵守交通规则，安全文明驾驶，熟悉汽车性能，正确进行驾驶操作和使用维护，对于保证人身和财产安全、延长汽车使用寿命、节约汽车消耗、提高使用效率至关重要。

任务 14　我国道路交通标志和标线识别

学习目标

- 能描述我国道路等级划分。
- 能识别道路交通标志和标线。
- 学习沙庆林院士"只为把天堑变通途"的事迹，培养学生勇于创新、乐于奉献的精神。

任务描述

请辨认图 14-1 中的交通标志各代表什么意思。

图 14-1　辨认交通标志

知识参考

14.1 我国道路及其附属设施

1. 我国道路

根据道路的不同功能，我国车行道路分为公路和城市道路。城市总体规划区以内的以车辆通行为主的道路称为城市道路，城市总体规划区以外的道路称为公路。除此以外，还有厂矿道路、林区道路和乡村道路等专用道路。

（1）公路等级划分

公路等级按照不同角度有不同划分方式。按功能，可将公路分为高速公路、一级公路、二级公路、三级公路、四级公路五个等级。按行政等级，可将公路分为国家公路、省公路、县公路和乡公路（简称为国、省、县、乡道）4 个等级。一般把国道和省道称为干线，县道和乡道称为支线。按车速快慢，可将公路分为高速公路、快速公路、普通公路三个等级。公路的具体分类见表 14-1。

表 14-1 公路等级划分

划分方法	分级	含义
功能	高速公路	专供汽车分向、分车道行驶，并全部控制出入的多车道公路
	一级公路	专供汽车分向、分车道行驶，并可根据需要控制出入的多车道公路
	二级公路	供汽车行驶的双车道公路，一般能适应每昼夜 3000~7500 辆中型载重汽车交通量
	三级公路	主要供汽车行驶的双车道公路，一般能适应每昼夜 1000~4000 辆中型载重汽车交通量
	四级公路	主要供汽车行驶的双车道或单车道公路。双车道能适应每昼夜中型载重汽车交通量 1500 辆以下。单车道能适应每昼夜中型载重汽车交通量 200 辆以下
行政等别	国道	具有全国性政治、经济意义的主要干线公路，包括重要的国际公路、国防公路，联接首都与各省、自治区、直辖市首府的公路，联接各大经济中心、港站枢纽、商品生产基地和战略要地的公路
	省道	具有全省（自治区、直辖市）政治、经济意义，联结省内中心城市和主要经济区的公路，以及不属于国道的省际间的重要公路
	县道	具有全县（旗、县级市）政治、经济意义，联接县城和县内主要乡（镇）、主要商品生产和集散基地的公路，以及不属于国道、省道的县际间的公路
	乡道	是指除县道及县道以上等级公路以外的乡际间公路以及连接乡级人民政府所在地与建制村的公路
车速快慢	高速公路	专供汽车分向、分车道高速行驶，并全部控制出入的多车道公路
	快速公路	能供汽车持续快速行驶的公路，介于普通公路与高速公路之间的汽车专用道路
	普通公路	即一般公路

（2）城市道路等级划分

城市道路等级分快速路、主干路、次干路、支路四级。具体分类见表 14-2。

表 14-2 城市道路等级划分

分级	含义
快速路	道路宽度不小于 40m，设有中央分隔带，具有四条以上机动车道，全部或部分采用立体交叉与控制出入，供汽车以较高速度行驶，设计行车速度为 60~100km/h
主干路	连接城市各分区的干路，以交通功能为主。道路宽度 30~40m，设计行车速度为 40~60km/h
次干路	承担主干路与各分区间的交通集散作用，兼有服务功能。道路宽度 25~40m，设计行车速度为 30~50km/h
支路	次干路与街坊路（小区路）的连接线，以服务功能为主。道路宽度 12~25m，设计行车速度为 20~40km/h

2. 道路附属设施

道路附属设施指为保护、养护道路和保障道路安全畅通所设置的道路防护、排水、养护、管理、服务、交通安全、渡运、监控、通信、收费等设施、设备以及专用建筑物、构筑物等。任何单位和个人不得损坏、擅自移动、涂改公路附属设施。

道路附属设施包括交通安全设施（如护栏、反光标志、防眩设施，危险路段的反光镜、警告标志等）、交通管理设施（如交通标志、路面标线、紧急电话、公路通信、监控、收费设施等）、防护设施（如在积雪、积沙、坠石等地段设置的防护设施）、服务设施（如高速公路的服务区）、道路管理房屋（如道路养护所需的生产和生活用房等）和各种绿化设施。

走在公路上的院士沙庆林——勇于创新、只为把天堑变通途

随着时代的发展，道路成为一个国家发展的重要表现。在我国，谈论到国家的“动脉”——公路，不得不提起沙庆林这个名字，他为我国的公路建设起到了不可替代的作用。在20世纪90年代，我国掀起修建高速公路热潮，而沥青大部分依靠进口，曾在苏联学习先进技术的沙庆林呼吁使用国产沥青。2002年，沙庆林接受记者采访时，再次强调“国产沥青不比进口差”，努力扶持民族产业。他推进的半刚性基层沥青路面结构、强基薄面稳土基的设计思路，奠定了我国高速公路的跨越式发展的基础、他针对沥青混合料的矿料级配和原材料及沥青混凝土试件的两阶段检验方法，属世界首创。

这些像沙庆林院士这样默默研究公路的科学家，在科研历程中，勇于创新的精神贯穿始终，大到科研方向的确立、工程实际问题的解决，小到一个试验仪器的发明，再到数学方法的应用等，无不闪耀着创新的火花。

14.2 我国道路通行规则

1. 右侧通行原则

我国机动车、非机动车和行人实行右侧通行原则。由于历史原因，目前我国香港特别行政区和澳门特别行政区仍然实行左侧通行的原则。在国际上，一些国家或地区实行的是右侧通行的制度，如美国、俄罗斯等；一些国家或地区实行的是左侧通行的制度，如英国、日本等。

2. 分道行驶的原则

分道行驶的原则也称各行其道原则或路权原则。机动车、非机动车、行人必须各行其道，才能确保道路通行秩序良好。

3. 优先权原则

优先权原则包括流向优先和交通物体优先。

1）流向优先：直行车辆优先于转弯车辆，干道上行驶的车辆优先于支路上行驶的车辆；在狭窄的坡道，上坡的一方先行；车辆行至无管制交叉路口时，只有在右边无车辆驶入路口时才可通过。

2）交通物体优先：火车和有轨电车在行驶时，优先于其他一切交通物体；一切车辆在道内通行时，优先于行人；紧急车辆（如警车及护卫的车队、消防车、救护车、工程抢险车等）优先于其他车辆；在人行横道内行走的行人优先于车辆。

4. 确保安全、畅通原则

车辆、行人应当按照交通信号通行，遇有交通警察现场指挥时，应当按照交通警察的指挥通行。在没有交通信号的道路上，应当在确保安全、畅通的原则下通行。

14.3 道路交通标志和标线识别

道路交通标志和标线是指设置在道路上用规定的图形、符号、文字、线条、立面标记、突起路标等来表示特定管理内容和行为规则的交通设施。

道路交通标志 道路交通标线

我国道路交通标志分为主标志和辅助标志两大类，每大类又分若干小类。具体分类及含义见表 14-3。

表 14-3　我国道路交通标志分类

分类		含义
主标志	警告标志	警告车辆、行人注意危险地点的标志
	禁令标志	禁止或限制车辆、行人交通行为的标志
	指示标志	指示车辆、行人行进的标志
	指路标志	传递道路方向、地点、距离信息的标志
	旅游区标志	提供旅游景点方向、距离的标志
	道路施工安全标志	通告道路施工区通行的标志
辅助标志		附设在主标志下，起辅助说明作用的标志

道路交通标线是由标划于路面上的各种线条、箭头、文字、立面标记、突起路标和轮廓标等所构成的交通安全设施。它的作用是管制和引导交通，可以与标志配合使用，也可单独使用。

道路交通标线分类见表 14-4。

表 14-4　道路交通标线分类

分类方法	分类	含义
按设置方式分	纵向标线	沿道路行车方向设置的标线
	横向标线	与道路行车方向成角度设置的标线
	其他标线	字符标记或其他形式标线
按功能分	指示标线	指示车行道、行车方向、路面边缘、人行道等设施的标线
	禁止标线	告示道路交通的遵行、禁止、限制等特殊规定，车辆驾驶人及行人需严格遵守的标线
	警告标线	促使车辆驾驶人及行人了解道路上的特殊情况，提高警觉，准备防范应变措施的标线

（续）

分类方法	分类	含义
按形态分	线条	标划于路面、缘石或立面上的实线或虚线
	字符标记	标划于路面上的文字、数字及各种图形符号
	突起路标	安装于路面上用于标示车道分界、边缘、分合流、弯道、危险路段、路宽变化、路面障碍物位置的反光或不反光体
	轮廓标	安装于道路两侧，用以指示道路的方向、车行道边界轮廓的反光柱（或片）
按标划区	白色虚线	划于路段中时，用以分隔同向行驶的交通流或作为行车安全距离识别线；划于路口时，用以引导车辆行进
	白色实线	划于路段中时，用以分隔同向行驶的机动车和非机动车，或指示车行道的边缘；划于路口时，可用作导向车道线或停止线
	黄色虚线	划于路段中时，用以分隔对向行驶的交通流；划于路侧或缘石上时，用以禁止车辆长时在路边停放
	黄色实线	划于路段中时，用以分隔对向行驶的交通流；划于路侧或缘石上时，用以禁止车辆长时或临时在路边停放
	双白虚线	划于路口时，作为减速让行线；划于路段中时，作为行车方向随时间改变之可变车道线
	双黄实线	划于路段中时，用以分隔对向行驶的交通流
	黄色虚实线	划于路段中时，用以分隔对向行驶的交通流。黄色实线一侧禁止车辆超车、跨越或回转，黄色虚线一侧在保证安全的情况下准许车辆超车、跨越或回转
	双白实线	划于路口时，作为停车让行线

任务小结

1. 我国车行道路分为公路和城市道路，它们按照不同角度又可进行细分。我国道路通行规则主要有右侧通行原则、分道行驶原则、优先权原则和确保安全、畅通原则。

2. 道路交通标志和标线是指设置在道路上用规定的图形、符号、文字、线条、立面标记、突起路标等来表示特定管理内容和行为规则的交通设施。

课后测试

1. 不定项选择题

（1）公路按功能可分为（　　）。

A. 高速公路　　B. 一级公路　　C. 二级公路

D. 三级公路　　E. 四级公路

（2）公路行政等级可分为（　　）。

A. 国家公路　　B. 省公路　　C. 县公路　　D. 乡公路

（3）限速标志属于（　　）。

A. 禁令标志　　B. 指示标志　　C. 警告标志

2. 填空题

（1）交通标志中，主标志分为________、________、指示标志、________、________、道路施工安全标志。

（2）优先权原则包括________和________。

3. 思考题

（1）请回答任务描述所提出的问题。

（2）如何看待广州市在管控区域内实施“开四停四”的限行措施？

项目 06

任务 15　如何考取汽车驾驶证

学习目标

- 能够说出汽车驾驶证种类、用途，以及汽车驾驶考试科目的内容。
- 能进行汽车驾驶的基本操作和节油驾驶。
- 学习“最美司机”吴斌的事迹，以建设社会主义核心价值体系为根本，培养学生勇于担当的责任意识、恪尽职守的职业道德。

任务描述

图 15-1 是小型汽车驾驶证科目二考试中的倒车入库项目，请说明其考试要求，并请教有经验的驾驶员如何通过考试。

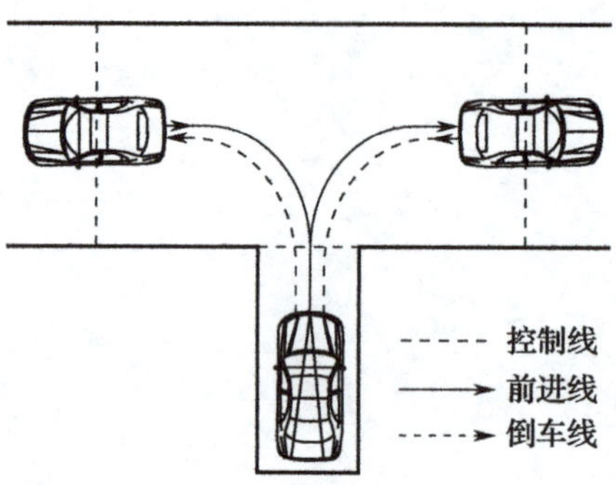

图 15-1　倒车入库

知识参考

15.1 汽车驾驶证种类

根据我国公安部发布的《机动车驾驶证申领和使用规定》，驾驶机动车，应当依法取得机动车驾驶证（图 15-2）。

考取汽车驾驶证流程

图 15-2　机动车驾驶证

申请机动车驾驶证，应当符合国务院公安部门规定的驾驶许可条件（如年龄条件、身体条件等）。经考试合格后，由公安机关交通管理部门发给相应类别的机动车驾驶证。我国汽车准驾车型及代号见表 15-1。

表 15-1 我国汽车准驾车型及代号

准驾车型	代号	准驾的车辆	准予驾驶的其他准驾车型
大型客车	A1	大型载客汽车	A3、B1、B2、C1、C2、C3、C4、M
重型牵引挂车	A2	总质量大于 4500kg 的汽车列车	B1、B2、C1、C2、C3、C4、C6、M
城市公交车	A3	核载 10 人以上的城市公共汽车	C1、C2、C3、C4
中型客车	B1	中型载客汽车（含核载 10 人以上、19 人 以下的城市公共汽车）	C1、C2、C3、C4、M
大型货车	B2	重型、中型载货汽车；重型、中型专项作业车	
小型汽车	C1	小型、微型载客汽车以及轻型、微型载货汽车；轻型、微型专项作业车	C2、C3、C4
小型自动档汽车	C2	小型、微型自动档载客汽车以及轻型、微型自动档载货汽车；轻型、微型自动档专项作业车；上肢残疾人专用小型自动档载客汽车	
低速载货汽车	C3	低速载货汽车	C4
三轮汽车	C4	三轮汽车	
残疾人专用小型自动档载客汽车	C5	残疾人专用小型、微型自动档载客汽车（只允许上肢、右下肢或者双下肢残疾人驾驶）	
轻型牵引挂车	C6	总质量小于（不包含等于）4500kg 的汽车列车	
普通三轮摩托车	D	发动机排量大于 50mL 或者最大设计车速大于 50km/h 的三轮摩托车	E、F
普通二轮摩托车	E	发动机排量大于 50mL 或者最大设计车速大于 50km/h 的二轮摩托车	F
轻便摩托车	F	发动机排量小于等于 50mL，最大设计车速小于等于 50km/h 的摩托车	
轮式专用机械车	M	轮式专用机械车	
无轨电车	N	无轨电车	
有轨电车	P	有轨电车	

15.2 汽车驾驶考试科目

驾驶人考试分三部分，即道路交通安全法律、法规和相关知识考试科目（简称“科目一”），场地驾驶技能考试科目（简称“科目二”），道路驾驶技能和安全文明驾驶常识考试科目（简称“科目三”），驾驶人考试时应按科目顺序依次过关。

小型汽车驾驶考试科目二考试项目共五项，分别为倒车入库、坡道定点停车和起步、侧方位停车、曲线行驶、直角转弯。

温馨提示：科目二考试视频请扫描二维码观看。

倒车入库 坡道定点停车和起步 侧方位停车 曲线行驶 直角转弯

15.3 汽车驾驶的基本操作

不同型号汽车操纵机构及其使用有所不同，这里以上汽大众 2022 款桑塔纳汽车为例，介绍汽车主要操纵机构使用方法。

1. 汽车座椅使用

汽车座椅可以通过相关的拨杆或按钮（图 15-3）进行座椅的前后调整、上下调整、座椅靠背角度调整、腰部支撑调整和头枕调整。

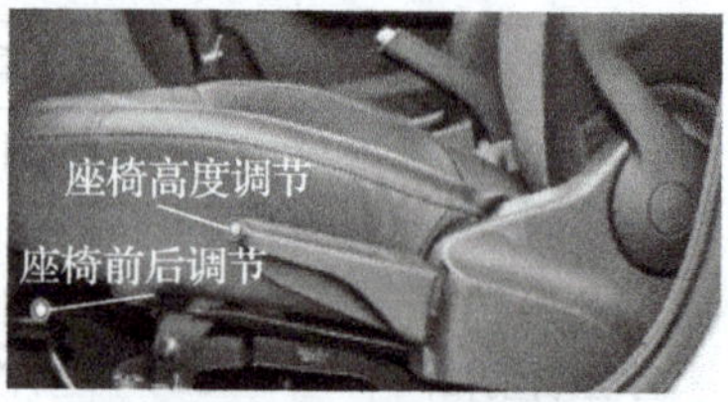

图 15-3 座椅的调整

2. 汽车安全带使用（图 15-4）

1）系上安全带。缓慢拉出安全带舌片，将其通过胸部，然后将其插入座椅侧的锁止机构，直至听到啮合声。

2）取下安全带。按下锁止机构上的橘黄色按钮以取出安全带，舌片会弹出。用手将舌片送向车门使回位器卷起安全带，挡板会将舌片保持在合适的位置。

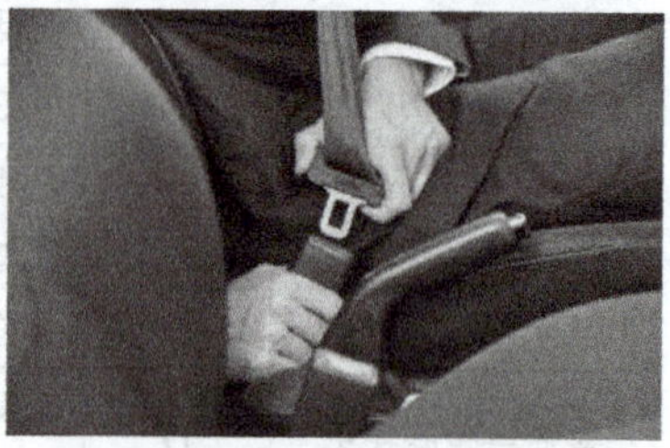
图 15-4 汽车安全带

3. 驻车制动器使用（图 15-5）

1）机械驻车制动。驻车：将手柄向上拉，必须紧紧拉足，以防汽车自动滑移。松制动：启动时，制动警告信号灯会点亮，将手柄略朝上拉，按下锁钮并将驻车制动杆向下推足。

2）电子驻车制动。驻车：进入泊位后，踩住制动踏板，挂入 P 位，然后按下变速杆旁边的电子驻车制动按钮即可。松制动：踩下制动踏板，点火启动，再按下电子驻车制动按钮，解除驻车制动，由 P 位挂入其他档位。

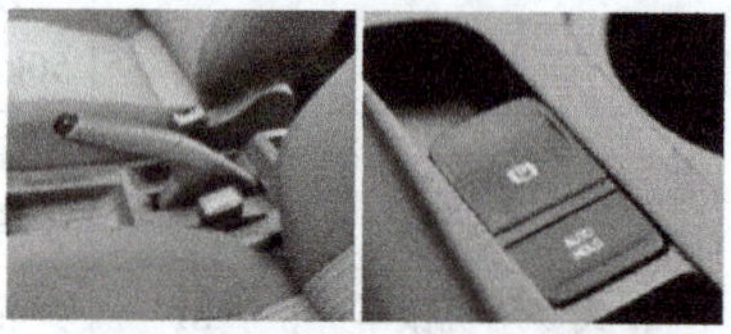
a）机械驻车制动 b）电子驻车制动

图 15-5 驻车制动器使用

4. 离合器踏板使用

离合器踏板位置见图 15-6，它由左脚控制。踩离合器踏板要踩到底，放离合器踏板要缓慢，以免汽车起步冲击。对于配置自动变速器的汽车，则没有离合器踏板。

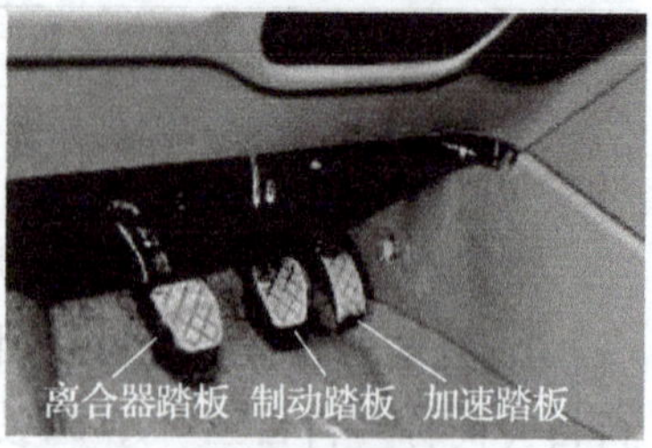

图 15-6 汽车离合器踏板、制动踏板及加速踏板

5. 制动踏板使用（图 15–6）

制动踏板用来施行汽车制动，由右脚控制，非紧急情况下，不要进行紧急制动，一般采用轻点制动。

6. 加速踏板使用（图 15–6）

加速踏板俗称“油门”，用来控制发动机转速，由右脚控制。根据道路、车载及环境情况确定车辆速度。

7. 方向盘使用

使用时左手轻握方向盘左上方，右手轻握方向盘右上方，左手和右手大拇指自然伸直靠于方向盘轮缘上部，其余四指应由外向内轻握（图 15–7）。

8. 点火开关使用

点火开关有三个位置（图 15–8a）：处于 LOCK 档时，全车锁止；处于 ACC 档时，附件通电；处于 ON 档时，全车通电；处于 START 档时，车辆启动。一键启动（图 15–8b）：先踩制动踏板，然后按压点火开关；车辆停好位置后，再按下启动按键即为关闭。

图 15–7　汽车方向盘使用

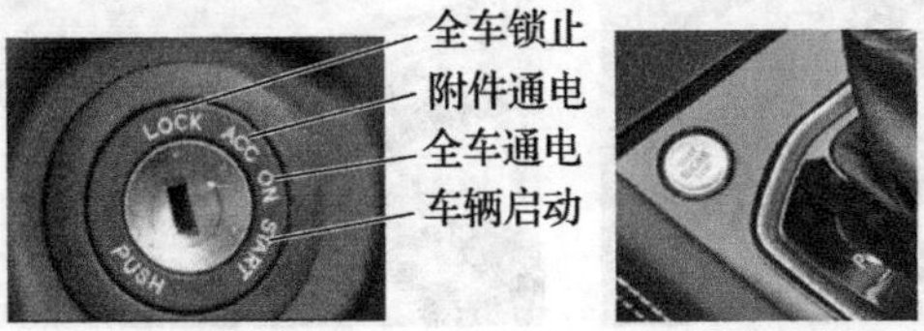

a）机械式开关　b）一键启动开关

图 15–8　汽车点火开关使用

9. 变速杆使用

1）手动变速器。上汽大众 2022 款桑塔纳汽车手动变速器的变速杆见图 15–9，有 5 个前进档和一个倒档。

换档动作依次为：踩离合器踏板同时松加速踏板→从原档位经空档拨入另一档位→适当加油→松离合器。挂入倒档时，应在车辆静止时，将变速杆按下，再挂入倒档。

2）自动变速器。一般包括 P（驻车档）、R（倒档）、N（空档）、D（前进档）等档位（图 5–10），有的前进档中包括 D、3、2、1 档。前进档高档位向下兼容，低档位不能自动向上换档。

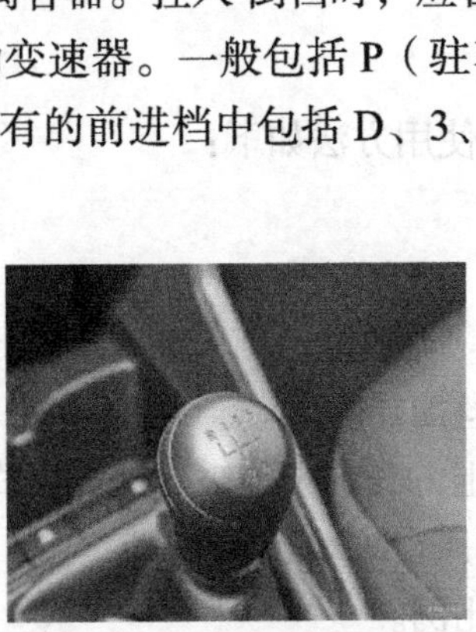

图 15–9　手动变速器的变速杆

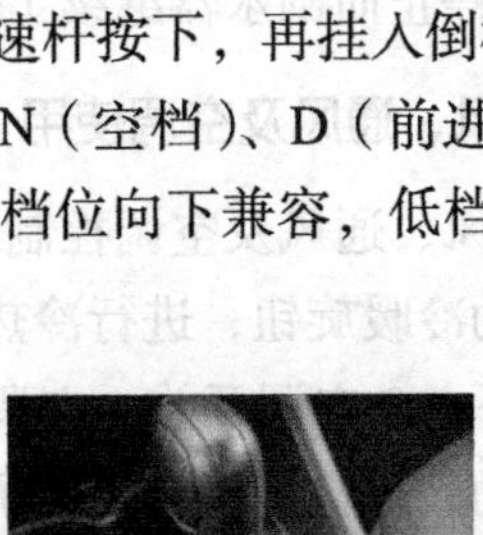

图 15–10　自动变速器的变速杆

自动档汽车正确的驾驶方法是将变速杆放在P位后起动发动机，要踩下制动踏板，方可由P位转入其他档位，起步时要将变速杆推到较低档位（即1、2或3档），待车速提高到一定程度后，再转入D位进入正常行驶。当车辆下长坡时，严禁N位滑行，应换入2档或1档，借用发动机制动，以避免制动器过热失效，并且容易控制车速，避免事故。倒档与前进档的转换一定要在车辆停止状态下进行，绝对不能在车轮转动时挂入R位。

10. 汽车灯光系统使用

1）灯光旋钮见图15–11。旋钮位于0，灯光处于关闭。旋钮位于，开启示宽灯夜间灯光模式。旋钮位于，开启前照灯模式。旋钮向外拉出一格位于，开启雾灯模式。

2）灯光拨杆见图15–12。下压灯光拨杆，可以进行前照灯近光、远光变换。灯光拨杆轻轻抬起，前照灯远光闪烁，当作用力解除后灯光拨杆自动回到零位。当灯光拨杆顺时针（逆时针）推动时右（左）转向灯亮；转向后，灯光拨杆复位转向灯自动熄灭。

11. 风窗刮水及洗涤系统使用

图15–13为汽车风窗刮水及洗涤系统共用拨杆，用于操纵风窗刮水器工作和洗涤装置。

图15–11　灯光旋钮

图15–12　灯光拨杆

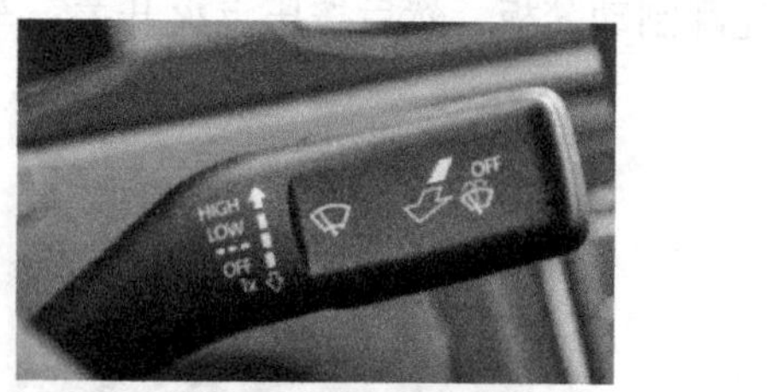

图15–13　风窗刮水及洗涤系统共用拨杆

1）风窗刮水系统使用。设有4个档位：手柄处于“OFF”档时刮水器停止工作；处于“---”档时，间隙刮水（每6s工作一次）；处于“LOW”档时，刮水器开启慢刮模式；处于“HIGH”档时，刮水器开启快刮模式。处于“1X”档时，刮水器工作一次。

2）自动洗涤装置使用。朝上抬起刮水开关拨杆，刮水器及洗涤器即开始工作。复原拨杆，洗涤器停止而刮水器继续工作约4s。朝下操作则后刮水器喷水并刮一次。

12. 暖风、通风及空调使用

汽车暖风、通风及空调控制装置见图15–14，其使用方法如下：

1）转动冷暖旋钮，进行冷热风温度选择。

2）按下AC空调开关，空调开始工作。

3）转动鼓风机旋钮，可以调节鼓风机转速。

4）按下后风窗玻璃除雾开关，后风窗玻璃电热丝加热除雾。

5）转动出风口模式旋钮，可以调节送风模式：上方，前风窗玻璃送风模式；左侧，吹面送风模式；下方，吹脚送风模式；右侧，吹脚与前风窗玻璃送风模式。

6）左右拉动通风控制拨杆，可以控制内外循环比例。

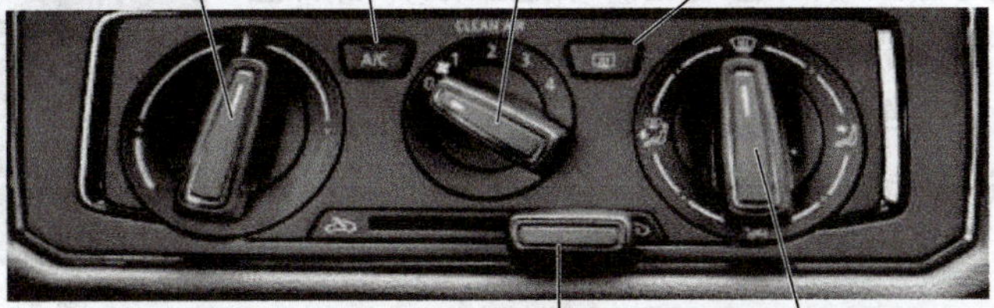

图 15-14　汽车暖风、通风及空调控制

"最美司机"吴斌：用生命履行职责

现代汽车为人们带来了极大的便利，推动了社会生产效率的提高。然而，汽车交通事故也随之而来，而很多事故的发生是由于驾驶员的安全意识不足和驾驶技术不够娴熟导致的。因此，驾驶员的角色变得非常至关重要。驾驶员需要注重每一个细节，例如，"最美司机"吴斌用生命履行职责，保障路上乘客的安全。当横在他面前的铁块飞来，击穿风窗玻璃，砸中他的手臂、腹部和肋骨时，他以极大毅力完成了一整套安全规范的操作，用生命践行了"一切为了顾客""诚信、爱岗、敬业"和忠于职守的职业道德观。这种高尚的职业操守是因为他深知生死在一瞬间、安全无小事的道理。他在 1 分 16 秒的时间里，挽救了 24 条生命。

15.4 汽车驾驶节油技术

汽车油耗高低很大程度上与驾驶员的驾驶技术有关，同一辆车，不同驾驶员驾驶，耗油量的差别可达 8%~15%。驾驶时应注意以下问题。

图 15-15　适宜的发动机冷却液温度

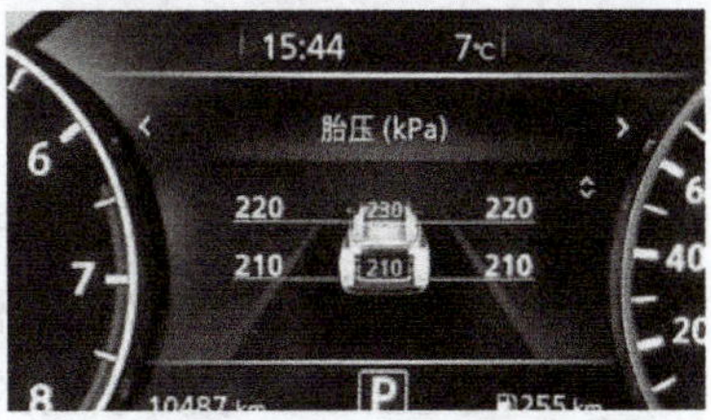

图 15-16　合适的轮胎气压

1. 适宜的发动机冷却液温度（图 15-15）

发动机正常的冷却液温度应保持在 80~90℃，过高或过低都会使油耗增加。

2. 合适的轮胎气压（图 15-16）

经常检查，保持轮胎气压在最佳状态，气压不足会增加耗油量，还会增加轮胎磨损。

3. 暖车起步

汽车冷起动时，应使发动机原地怠速运行一段时间，俗称"暖车"。再使汽车起步，由低档到高档，逐渐转入正常工作状态，可达到有效节油和延长汽车寿命的目的。

4. 经济车速运行

汽车说明书中写明了最省油的速度区间，行驶时，在遵守高速限速的前提下，利用加速踏板和汽车档位配合，使汽车尽量在经济车速下行驶。

5. 空档滑行节油（图 15-17）

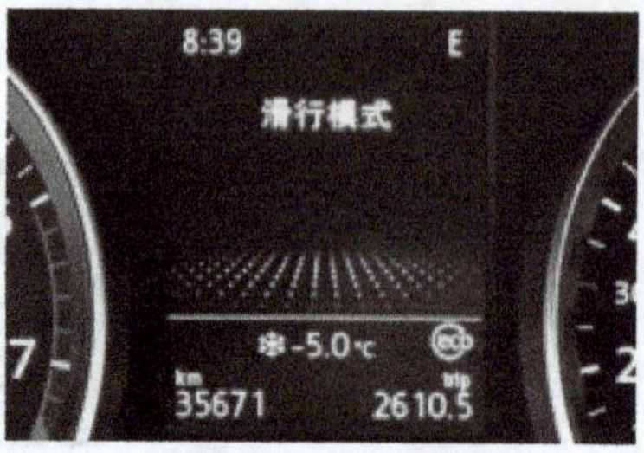

图 15-17　空档滑行

空档滑行节油是将汽车加速到经济车速上限，然后挂空档，让汽车利用惯性滑行，当车速降至经济车速的下限时，再踩加速踏板，使车速恢复到经济车速上限的一种方法。这种方法可以达到有效节油效果。

任务小结

1. 申请机动车驾驶证，应当符合公安部门规定的驾驶许可条件（如年龄条件、身体条件等）。经考试合格后，由公安交通管理部门发给相应类别的机动车驾驶证。

2. 汽车驾驶考试分三部分，即：道路交通安全法律、法规和相关知识考试科目（科目一）；场地驾驶技能考试科目（科目二）；道路驾驶技能和安全文明驾驶常识考试科目（科目三）。

课后测试

1. 不定项选择题

（1）准驾的车辆总质量小于（不包含等于）4500kg 的汽车列车准驾的车辆，代号 C6 属于（　　）准驾车型。

A. 小型汽车　　B. 轻型牵引挂车　　C. 中型汽车　　D. 重型牵引挂车

（2）驾驶考试科目分为（　　）。

A. 道路交通安全法律、法规和相关知识考试科目

B. 场地驾驶技能考试科目

C. 大路考

D. 道路驾驶技能和安全文明驾驶常识考试科目

（3）手动档车有三个踏板，从左到右分别是（　　）。

A. 离合器踏板　　B. 制动踏板　　C. 加速踏板　　D. 变速器踏板

2. 填空题

（1）汽车座椅可以通过相关的拨杆或按钮进行，________、________、座椅靠背角度调整、腰部支撑调整和________。

（2）小型汽车驾驶考试的科目二考试项目共五项，分别为________、________、________、直角转弯、________。

3. 思考题

（1）请回答任务描述所提出的问题。

（2）小张刚买新车不久，开车上下班发现油耗高，请同学们为他提供使汽车节油的驾驶操作建议。

项目 06

任务 16　如何进行汽车选购

学习目标

- 能够阐述汽车分类、主要性能指标及汽车选购技巧。
- 能够协助客户完成汽车贷款、保险与索赔事宜。
- 做好学生职业安全教育，提升学生安全责任意识。

任务描述

小张为了上班需要，拟购买一辆汽车，但经济实力有限，请你帮忙推荐一款车型。

知识参考

16.1 汽车分类

1. 汽车定义

不同国家、不同时代，对汽车定义有所不同，我国目前对汽车的定义是，由动力驱动，一般具有 4 个或 4 个以上车轮的非轨道承载车辆，包括电力线相连的车辆（如无轨电车），主要用于载运人、货物及其他的一些特殊用途。整车整备质量超过 400kg、不带驾驶室、用于载运货物的三轮车辆，整车整备质量超过 600kg、带驾驶室的三轮车辆，以及整车整备质量不超过 600kg、不带驾驶室、不具备载货结构或功能且设计和制造上最多乘坐 2 人（包括驾驶员）的三轮车辆也属于汽车。

汽车的常见英文单词是 automobile，由 auto 和 mobile 构成；也有的用 motor vehicle 表示汽车，由 motor（发动机）和 vehicle（车辆）构成；而 truck 多指载货汽车；bus 指大中型客车；car 多指轿车。

2. 汽车的分类

（1）按用途分

根据《机动车运行安全技术条件》（GB 7258—2017）规定，我国汽车分为载客汽车和载货汽车等 5 类，各类汽车定义见表 16-1。

汽车的分类

载客汽车是指主要用于载运人员的汽车，包括装置专用设备或器具但以载运人员为主要目的的汽车。

载货汽车（货车）是指主要用于载运货物或牵引挂车的汽车，包括装置专用设备或器具但以载运货物为主要目的的汽车。

客车是指主要用于载运乘客及其随身行李的汽车，包括驾驶员座位在内座位数超过 9 个的汽车。

校车是指用于有组织的 3 周岁以上幼儿或接受义务教育的学生上下学的 7 座以上的载客汽车。

表 16-1　汽车分类（按用途）

<table>
<tr><th colspan="4">分类</th><th>定义</th></tr>
<tr><td rowspan="11">载客汽车</td><td colspan="3">乘用车</td><td>主要用于载运乘客及其随身行李和 / 或临时物品的汽车，包括驾驶员座位在内最多不超过 9 个座位。它可以装置一定的专用设备或器具，也可以牵引一辆中置轴挂车</td></tr>
<tr><td colspan="3">旅居车</td><td>装备睡具及其他必要的生活设施、用于旅行宿营的汽车</td></tr>
<tr><td rowspan="5">客车</td><td rowspan="4">未设置乘客站立区的客车</td><td>公路客车（长途客车）</td><td>为城间（城乡）运输乘客设计和制造、专门从事旅客运输的客车（包括卧铺客车）</td></tr>
<tr><td>旅游客车</td><td>为旅游设计和制造、专门用于运载游客的客车</td></tr>
<tr><td>未设置乘客站立区的公共汽车</td><td>为城市内运输乘客设计和制造，有固定的公交营运线路和车站，主要在城市道路运营的客车</td></tr>
<tr><td>专用客车</td><td>用于载运特定人员并完成特定功能的客车，也包括装置有专用设备或器具，座位数（包括驾驶员座位）超过 9 个的专用汽车</td></tr>
<tr><td colspan="2">设有乘客站立区的客车</td><td>最大设计车速小于 70km/h、设有座椅及乘客站立区，并有足够的空间供频繁停站时乘客上下车走动，有固定的公交营运线路和车站，主要在城市建成区运营的客车（也包括无轨电车）</td></tr>
<tr><td rowspan="4">校车</td><td colspan="2">幼儿校车</td><td>接送 3 周岁以上学龄前幼儿上下学的校车</td></tr>
<tr><td colspan="2">小学生校车</td><td>接送小学生上下学的校车</td></tr>
<tr><td colspan="2">中学生校车</td><td>接送九年制义务教育阶段学生（小学生和初中生）上下学的校车</td></tr>
<tr><td colspan="2">专用校车</td><td>设计和制造上专门用于运送 3 周岁以上学龄前幼儿或义务教育阶段学生的校车</td></tr>
<tr><td rowspan="3">载货汽车</td><td colspan="3">半挂牵引车</td><td>装备有特殊装置用于牵引半挂车的汽车</td></tr>
<tr><td colspan="2" rowspan="2">低速汽车</td><td>低速货车</td><td>最大设计车速小于 70km/h，具有四个车轮的载货汽车</td></tr>
<tr><td>三轮汽车</td><td>最大设计车速小于或等于 50km/h，具有三个车轮的载货汽车</td></tr>
<tr><td colspan="4">专项（专用）作业车</td><td>装置有专用设备和器具，在设计和制造上用于工程专项（包括卫生医疗）作业的汽车，如汽车起重机、消防车、混凝土泵车、清障车、高空作业车、扫路车、吸污车、钻机车、仪器车、检测车、监测车、电源车、通信车、电视车、采血车、医疗车、体检医疗车等，但不包括装置有专用设备或仪器而座位数（包括驾驶员）超过 9 个的汽车（消防车除外）</td></tr>
<tr><td colspan="4">教练车</td><td>专门从事驾驶技能培训的汽车</td></tr>
<tr><td colspan="4">残疾人专用车</td><td>在采用自动变速器的乘用车上加装符合标准和规定的驾驶辅助装置，专门供特定类型的肢体残疾人驾驶的汽车</td></tr>
</table>

（2）按发动机位置及驱动形式分（图 16-1）

1）前置发动机前驱动（FF）：发动机位于汽车前部，前轮是驱动轮。

2）前置发动机后驱动（FR）：发动机位于汽车前部，后轮是驱动轮。

3）中置发动机后驱动（MR）：发动机位于汽车中部，后轮是驱动轮。

4）后置发动机后驱动（RR）：发动机位于汽车中部，后轮是驱动轮。

5）四轮驱动（4WD）：汽车所有车轮都是驱动轮，一般用于越野车。

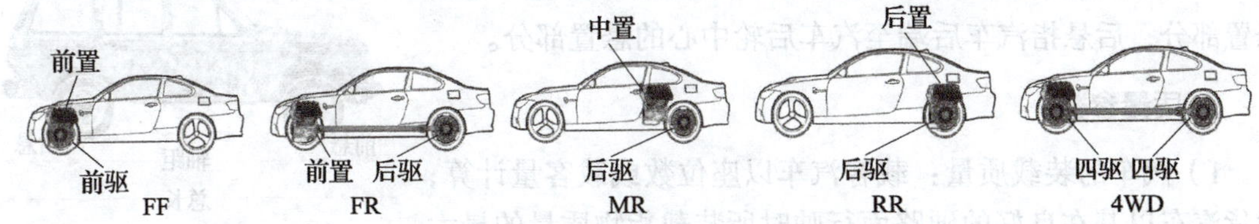

图 16-1　发动机位置及驱动形式

（3）乘用车按车身分（图 16-2）

1）单厢式：发动机舱、客舱和行李舱在外形上形成一个空间形态。

2）两厢式：发动机舱、客舱和行李舱在外形上形成两个空间形态。

3）三厢式：发动机舱、客舱和行李舱在外形上形成三个空间形态。

若乘用车顶盖不可开启，称该车身为闭式；若客舱顶为敞顶或按需要可开闭，称该车身为开式。

a）单厢式　b）两厢式　c）三厢式

图 16-2　乘用车按车身分类

（4）按汽车动力装置类型分

1）内燃机汽车。将燃料在气缸内燃烧所产生的热能转化为机械能，用以驱动汽车。如汽油车（以汽油为燃料）、柴油车（以柴油为燃料）、气体燃料汽车（以天然气、液化石油气等气体为燃料）、两用燃料汽车（有两套相互独立的燃料供给系统，分别但不共同向气缸供给燃料）和双燃料（同时使用两种燃料，并按预定的配比向气缸供给燃料）汽车。

2）电动汽车。以电能为动力的汽车，包括纯电动汽车、混合动力电动汽车和燃料电池电动汽车。

3）燃气轮机汽车。用燃气轮机产生动力的汽车，主要为赛车。

16.2 汽车主要性能指标

1. 尺寸参数（图 16-3）

1）轴距：指车轴之间的距离。

2）轮距：指左右两车轮中心线之间的距离。

3）汽车的外廓尺寸：指总长、总宽和总高。

4）汽车的前悬和后悬：前悬指汽车前端至前轮中心的悬置部分，后悬指汽车后端至汽车后轮中心的悬置部分。

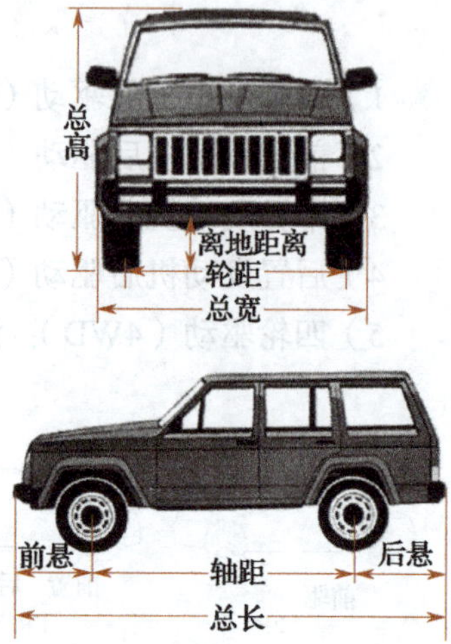

图 16-3　汽车主要尺寸参数

2. 质量参数

1）汽车的装载质量：载客汽车以座位数或载客量计算；载货汽车以其在良好的硬路面行驶时所装载货物质量的最大限额（t）计算。

2）汽车的整备质量：指汽车在加满燃料、润滑油、工作液（如制动液）及发动机冷却液并装备（随车工具及备胎等）齐全后但未载人、载货时的总质量。

3）汽车的总质量：指已整备完好、装备齐全并按规定载满客、货时的汽车质量。

3. 性能指标

1）最高车速：指在水平良好路面（混凝土或沥青）上和规定载质量条件下汽车所能达到的最高车速（km/h）。

2）加速时间：指汽车加速到一定车速所需要的时间。

3）爬坡性能：指汽车满载在良好路面等速行驶的最大爬坡度。

4）发动机有效功率：发动机曲轴输出的功率。我国内燃机功率标定分为四级，见表 16-2。

表 16-2　我国内燃机功率标定

分级	含义	应用
15min 功率	在标准环境条件下，内燃机能连续稳定运转 15min 时的最大有效功率	汽车等
1h 功率	在标准环境条件下，内燃机能连续稳定运转 1h 时的最大有效功率	工程机械、拖拉机等
12h 功率	在标准环境条件下，内燃机能连续稳定运转 12h 时的最大有效功率	部分拖拉机和电站等
持续功率	在标准环境条件下，内燃机能长期连续稳定运转的最大有效功率	铁路机车、船舶和发电机组等

5）发动机排量：指一台发动机所有气缸工作容积之和。

6）汽车的燃料消耗量：通常以百公里油耗衡量，即汽车在良好的水平硬路面以一定载荷（轿车半载、货车满载）及最高档等速行驶 100km 的燃料消耗量，单位为 L/100km。

7）最小转弯半径：当方向盘转到极限位置、汽车以最低稳定车速转向行驶时，外侧转向轮的中心平面在支承平面上滚过的轨迹圆半径 R（图 16-4）。

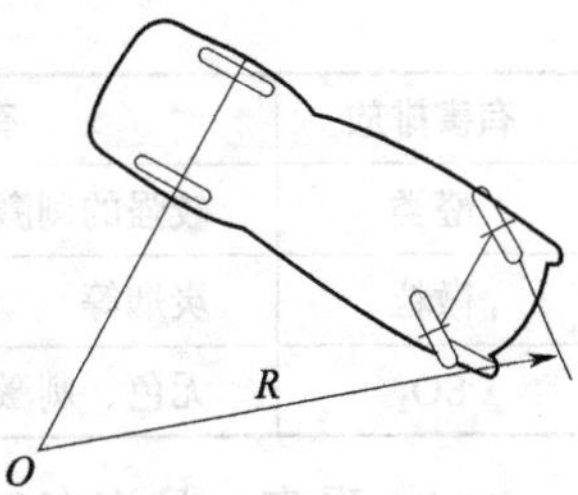

图 16-4　汽车最小转弯半径

8）汽车的制动距离：指汽车在良好的试验跑道上在规定的车速下紧急制动（紧急制动时踏板力对乘用车要求不大于 500N；对其他车要求不大于 700N）时，由踩制动踏板起到完全停车时的距离。按《机动车运行安全技术条件》（GB 7258—2017）要求，乘用车空载以 50km/h 初速度的制动距离应不大于 19m，其他不同类型的汽车有不同的制动距离要求。

9）汽车的最小离地间隙 h：指汽车满载、静止时，平直地面与汽车上的中间区域最低点之间的距离（图 16-5）。

10）接近角 γ_1：指汽车满载、静止时，前端突出点向前轮所引切线与地面间夹角（图 16-5）。

11）离去角 γ_2：指汽车满载、静止时，后端突出点向后轮所引切线与地面间的夹角（图 16-5）。

12）纵向通过角 β：指汽车满载、静止时，垂直于汽车纵向中心平面，分别与前、后车轮轮胎相切和相交，并与车轮底盘刚性部件（除车轮）接触的两个平面形成的最小锐角（图 16-5）。

13）汽车有害气体排放：主要来自发动机，有一氧化碳（CO）、碳氢化合物（HC）、氮氧化物（NO_x）、二氧化硫（SO_2）、醛类和微粒（含炭烟）等，其主要危害见表 16-3。

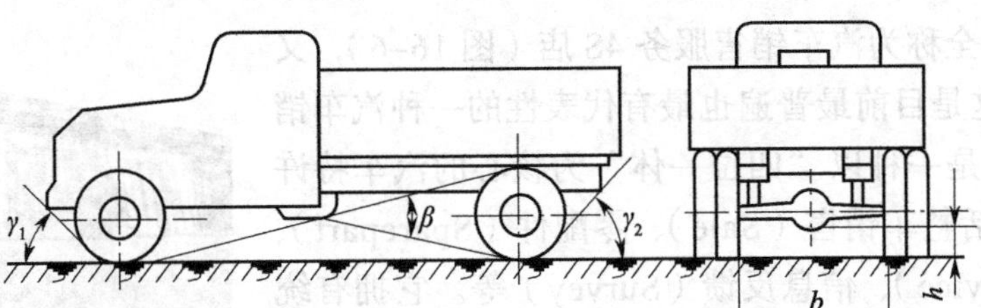

图 16-5　汽车通过性指标

h—最小离地间隙　b—两侧轮胎内缘间距　γ_1—接近角　γ_2—离去角　β—纵向通过角

表 16-3　发动机主要有害排放及危害

有害排放	有害物特征	危害
CO	无色、无臭、有毒气体	使人出现恶心、头晕、疲劳等缺氧症状，严重时窒息死亡
NO_2	赤褐色，具有刺激性的气体	伤害心、肝、肾。参与光化学反应形成臭氧和醛等
HC	刺激性的气体	破坏造血机能，造成贫血、神经衰弱，降低肺对传染病的抵抗力。参与光化学反应形成臭氧和醛等
光化学烟雾	HC 与 NO_x 在阳光作用下所形成的烟雾，有刺激性	降低大气可见度，伤害眼睛、咽喉，影响植物生长

（续）

有害排放	有害物特征	危害
醛类	较强的刺激性臭味	伤害眼睛、上呼吸道、中枢神经
微粒	炭烟等	伤害肺组织
SO_2	无色、刺激性气体	刺激鼻喉，引起咳嗽、胸闷、支气管炎等

14）噪声：是汽车工作时发出的一种声强和频率无一定规律的声音。它不仅损害人的听觉器官，还伤害神经系统、心血管系统、消化系统和内分泌系统，容易使人心情烦躁，反应迟钝，甚至耳聋，诱发高血压和神经系统的疾病，应该予以控制。

15）起动性能：是表征汽车发动机起动难易的指标，一般以一定条件下的起动时间长短来衡量。

16）可靠性和耐久性：可靠性是指发动机在规定的运转条件下，具有持续工作，不至于因故障而影响正常运转的能力，一般以保证期内的不停车故障数、停车故障数、更换主要零件和重要零件数等具体指标来衡量；耐久性是指发动机在规定的运转条件下，长期工作而不大修的性能，一般以发动机从开始使用到第一次大修前累计运转的时间表示。

16.3 汽车市场

现阶段的汽车市场有很多种，有传统的4S店、近几年兴起的平行进口汽车渠道、汽车电商网站、二级经销商和各类汽贸店、汽车超市、二手车市场等。

1. 汽车4S店

汽车4S店全称为汽车销售服务4S店（图16-6），又称“4S店”。这是目前最普遍也最有代表性的一种汽车销售渠道。4S店是一种以“四位一体”为核心的汽车特许经营模式，包括整车销售（Sale）、零配件（Sparepart）、售后服务（Service）、信息反馈（Survey）等。它拥有统一的外观形象、统一的标识、统一的管理标准。

图16-6 汽车4S店

4S店的汽车都是从厂家直接进货，其优势主要体现在汽车服务的专业度高、购买流程体验较好、售后服务非常完善等。这种店在一二线城市分布比较密集，贴近当地消费者，购车后的各种维修保养等也比较方便，因此这些区域的购车用户可以优先选择4S店这一购买渠道。

2. 平行进口汽车渠道（图16-7）

平行进口汽车全称是平行贸易进口汽车，是指未经品牌厂商授权，贸易商从海外市场购买，并引入中国市场进行销售的汽车。通过平行进口汽车渠道购买汽车的优势主要在于价格：平行进口车绕过了总经销商、大区经销商、4S店等销售环节，省去了不少中间环节；平行进口车经

图16-7 平行进口汽车渠道

销商定价不受厂商控制，比较自由，因此在价格上有较大优惠。但平行进口车的种类多局限于豪华车、进口车，此渠道适合相对有一定经济实力且喜好豪华品牌的消费者。另外，平行进口车的售后可能不像 4S 店那样完善，在遇到一些问题的时候可能会略显麻烦。

3. 汽车电商网站

这种购车方式是通过网上购买汽车。现阶段网络平台购车流程通常是线上预付，线下提车交接，其特点是电商系统种类繁多，价格相对透明，但在线下售后服务这方面，相比 4S 店还有较大的完善空间。

4. 二级经销商和各类汽贸店

这类渠道多分布在大中城市以外的地区，这些区域 4S 店数量少，但随着这些地区消费者的购车能力逐年提高，也都有很强的购车需求。

二级经销商和各类汽贸店通过和相关的 4S 店合作拿到车源。这种汽车销售方式能够方便大中城市以外的地区，但专业度和 4S 店相比要差一些。

5. 汽车超市

汽车超市是一种同时经营多种汽车品牌，并为顾客提供休息与服务的汽车销售模式（图 16-8）。汽车超市起源于欧洲，是高度发达和成熟的汽车产业发展到一定阶段的产物。现实中，汽车超市的车源大多是从 4S 店拿来的，属于二级网点的类型。

图 16-8　汽车超市

6. 二手车市场

二手车市场是汽车商品二次流动的场所（图 16-9），其功能有二手车评估、收购、销售、寄售、置换、拍卖、过户、转籍、上牌、保险等。

图 16-9　二手车市场

由于汽车更新换代快，部分车主把仅开了几年的车进行更换，因此，这种开了几年的车大约占二手车市场出售车辆的一半以上。

购买二手汽车不能光看价格，还应该注意其各种手续税费是否完整，使用年限、性能情况以及售后服务情况。

以上几种购车方式和渠道各有利弊，用户可根据自己的实际情况进行选择。

16.4 汽车选购技巧

1. 确定购车档次

根据购车目的和家庭经济条件，选择乘用车（微型、普通、中级、中高级、高级、新能源汽车）或货车，选择国产、合资车或进口车。

汽车选购流程

2. 确定汽车款式

一般三厢车造型经典但油耗高，两厢车灵活省油。配自动变速器的车操作简单，但是油耗高。多用途汽车（MPV）（图 16-10）可以用作家用车，也可以用作商务车，还可以用作休闲旅行车，甚至可被当作小货车来使用。运动型多用途汽车（SUV）（图 16-11）具有 MPV 的多功能性和越野性，很受年轻人青睐。轿跑车（图 16-12）兼有轿车和跑车特点。

图 16-10　多用途汽车

图 16-11　运动型多用途汽车

图 16-12　轿跑车

3. 汽车颜色选择

根据爱好选择，不同颜色给人的感觉不同。如：白色给人以明快、活泼、清洁、朴实大方的感觉，容易与外界环境相协调；黑色是一种矛盾的颜色，既代表保守和自尊，又代表新潮和性感，给人以庄重、尊贵、严肃的感觉；银灰色是最能反映汽车本质的颜色，看见银灰色就想起了金属材料，给人感觉整体感很强。美国杜邦公司的调查结果显示，银色汽车最具人气，也最具运动感。

4. 比较汽车性能

汽车好坏的本质在于性能，应该“既要马儿跑得快，又要马儿少吃草”，还要有舒适性和良好的排放性能。

5. 选择配置

根据需要、爱好和条件，选择主/被动安全装备、L2 辅助驾驶配置、多功能方向盘、智能车机系统、360° 全景影像、自适应灯光、座椅与方向盘加热、全景天窗、高级音响等。

6. 比较售后服务

车辆的保养和维修要延续几年甚至十几年，良好的售后服务会给你带来许多方便。

7. 比较他人对汽车的评价

请教有经验的汽车修理工、驾驶员、销售人员、专家，或者查询网上车友论坛和新闻媒体的报道。

8. 新车的现场选购

请有经验的师傅一同到汽车销售店现场选购。表面检查：查看车辆出厂日期、外观，开车门听响声。车内检查：转动方向盘，踩离合器、加速踏板和制动踏板；插入钥匙看起动快慢，发动机怠速时查看转速表的指针是否晃动，突然踩下加速踏板，看反应快慢。行驶检查：检查底盘是否有异响，检查制动性能。

16.5 汽车贷款、保险与索赔

1. 汽车贷款

(1) 汽车消费贷款及其形式

汽车消费贷款是贷款人向申请购买汽车的借款人发放的贷款，是一项刺激汽车消费、扩大汽车销量的措施。

我国的汽车消费信贷按贷款来源分为银行贷款、汽车金融公司贷款和汽车经销商消费信贷三种形式。它们分别是指银行、汽车金融公司和汽车经销商直接面向借款人的消费信贷。

(2) 贷款流程

不同汽车消费贷款方式的流程有所不同，以目前常用的汽车经销商信贷为例，其流程见图 16-13。

2. 汽车保险

(1) 汽车保险的概念

汽车保险是以汽车本身及第三者责任等为保险标的的一种不定值财产保险。保险客户主要是拥有各种汽车的法人团体和个人；保险标的主要是各种类型的汽车。

(2) 汽车保险的意义

随着社会经济的发展和人民生活水平的不断提高，汽车的数量不断增加，尤其是家庭拥有的乘用车数量增长迅速，交通事故频繁发生，给人民的生命财产造成了极大的威胁。因此，汽车保险使道路交通事故受害人依法得到赔偿，是保护人身财产安全的重要举措，是现代社会处理风险的一种非常重要的手段，是风险转嫁的一种最重要、最有效的方法，是不可缺少的经济补偿制度。

我国汽车保险相关条例规定：在中华人民共和国境内道路上行驶的机动车的所有人或管理人都应当投保交强险；机动车所有人、管理人未按规定投保交强险的，公安机关交通管理部门有权扣留机动车，通知机动车所有人、管理人依照规定投保，并处以应缴纳保险费的 2 倍罚款；商业险可以根据需要由车主自主参加；汽车保险由保险公司组织实施。

(3) 汽车保险的种类

我国汽车保险一般包括强制车险（交强险）和商业车险两大类。

1）交强险。交强险是由保险公司对被保险机动车发生交通事故造成第三方受害人（不包括本车人员和被保险人）的人身伤亡、财产损失，在责任限额内予以赔偿的强制性责任保险。

2）商业车险。商业车险包括基本险和附加险两部分。基本险包括车辆损失险和第三者责任险。

车辆损失险是指对由于保险责任范围内的自然灾害和意外事故造成投保车辆本身的损

流程	主办部门	关联文件资料
客户咨询	咨询部	1.汽车消费信贷购车须知；2.购车常识；3.汽车消费信贷实际操作问答；4.消费信贷购车价格明细表；5.消费信贷购车费用明细表；6.汽车分期付款销售计算表；7.客户需提供个人资料明细表；8.客户登记表
客户决定购买	咨询部	9.消费信贷购车初、复审意见表（需填写初审意见）；10.消费信贷购车申请表（一式两联，客户持一联回单位盖章）
复审	审查部	11.消费信贷购车资格审核调查表；12.银行汽车消费信贷申请书；9.消费信贷购车初、复审意见表（需填写复审意见）
与银行交换意见	审查部	将经过复审的客户文件提交银行进行初审鉴定
交首付款	财务部	通知客户交付首期购车款，为客户办理银行户头并为其办理银行信用卡
客户选定车型	服务部	13.车辆验收交接单（客户签字、选车和提车用同一单）
签订购车合同书	审查部	14.购车合同书
公正、办理保险	审查部	15.办理经济事务公证申请表（用于个人）；16.公证出具接洽笔录；17.车辆险投保单；18.机动车辆分期付款售车信用险或保证险投保单；19.分期付款售车分期付款险或保证保险问讯表；20.为保险公司准备的客户文件
终审	审查部	客户文件经银行初审确认，主管领导在文件的审批栏目签署意见，包括：消费信贷购车资格审核调查、银行汽车消费贷款申请书、个人销费贷款保证合同
办理银行贷款	审查部	21.送交银行的终审文件；22.个人消费贷款保证合同；23.委托付款授权委托书；24.委托收款通知书；25.个人消费贷款借款合同书；26.个人消费贷款审批书
车辆上牌	服务部	27.使用发票须知；28.出厂证；29.车辆挂牌流程（正式发票、购车人身份证、车辆合格证、停车泊位证、车辆保险单）
给客户交车	服务部	为客户办理完上牌手续后应留下：购车发票、车辆购置税发票、车辆合格证、行驶证复印件
建立客户档案	档案部	30.经销商建立客户档案

图 16-13　汽车经销商信贷流程（图中数字为操作性文件目录）

失由保险人负责赔偿的一种机动车辆保险。车辆损失保险的保险责任包括：①碰撞、倾覆、坠落；②火灾、爆炸；③外界物体坠落、倒塌；④暴雨、暴风、龙卷风、洪水、泥石流、海啸、冰雹；⑤地陷、冰陷、雷击、崖崩、雪崩；⑥载运被保险车辆的渡船遭受自然灾害（限有驾驶人员随船照料）。

第三者责任险是指保险人或其允许的驾驶人员在使用保险车辆过程中发生意外事故，致使第三者遭受人身伤亡或财产直接损毁，依法应当由被保险人承担的赔偿责任，由保险公司负责赔偿。

附加险种类与内容较多，见表16–4。

表16–4 附加险的种类与内容

序号	种类	内容
1	车上货物责任险	投保了第三者责任险的营运货车（含挂车）可购买该附加险，该附加险是用来保障投保车辆的货物损失，也就是说如果发生交通事故，导致投保车辆所载货物出现损毁时，由保险公司在保险金额内负责赔偿
2	新增设备损失险	车辆损失险的保险责任范围是根据车辆原厂配置确定的，并不涵盖车主购车后加装的新设备。因此，在车辆发生意外事故时，车辆损失险对车辆、新增加设备的损失不进行赔偿。附加新增加设备损失险，是对车损险责任的补充。新增设备损失险指车辆在使用过程中，因自然灾害或意外事故造成车上新增设备的直接损毁，保险公司负责赔偿
3	车身划痕损失险	该附加险是在车辆无明显碰撞痕迹的车身划痕损失，保险人负责赔偿的保险
4	修理期间费用补偿险	该附加险是当被保险车辆发生意外事故受损且需要修理时，保险公司可以向车主补偿修理期间的费用，作为代步车费用或者弥补平时损失
5	精神损害抚慰金责任险	该附加险指车辆发生交通事故造成第三者或车上人员人身伤亡的精神损害抚恤金，由保险公司在保险金额内负责赔偿。单纯的第三者责任险或车上人员责任险，其赔偿范围不包括精神损害抚慰金
6	法定节假日限额翻倍限	该附加险是在法定节假日的时候，可以让第三者责任险的保额翻倍的附加险。投保了第三者责任险的家用自用汽车，可以购买该附加险
7	医保外医疗费用责任险	医保外医疗费用又称非医保用药，是指医疗费种超出道路交通事故受伤人员。临床诊疗指南和国家基本医疗保险同类医疗费用标准的部分。根据保险条款的约定，单纯的三者险和座位险对伤者的医疗费用赔偿会剔除大概10%的非医保用药
8	车轮单独损失险	车轮蹭到路肩上，车轮受损，车身没事的情况下，车损险拒赔车轮单独损失，此时需要投保附加车轮单独损失险
9	发动机进水损坏除外特约险	该附加险的意义仅在于车主在投保时可以少交一部分保费，也就是说车主用自己承担发动机进水损坏的风险为代价，换取投保时少交保费的优惠，发动机进水损坏赔偿已经纳入了车损险的保障范围，不需要再另外投保附加险补充保险范围，附加发动机进水损坏除外特约条款，比较适合车辆行驶区域干旱少雨不易积水，车主追求经济型车险方案，希望尽量压缩投保费用的情况
10	绝对免赔率特约	指免赔额内的损失均由被保险人自己负责，保险人只负责超过免赔额之上且在赔偿限额之内的赔偿金额，是商业附加险的一种。而且附加绝对免赔特约险必须投保了第三者责任险、车损险或车上人员座位险以后才能投保，投保三个当中一个就行。附加了绝对免赔额后，赔付金额会相应减少，但是投保时的保费也会减少
11	机动车增值服务特约条款	车主可以根据需要选择投保道路救援服务、车辆安全检测服务、代驾服务、代为送检服务。该附加险允许车主从以上四项服务独立条款中选择其中部分或全部特约条款

（4）汽车保险种类的选择

汽车保险项目繁多，除交强险必选外，车主可以根据自己具体情况对其他保险进行选择。目前一般有表16–5所列5种组合方案可供选择。

表 16-5 汽车保险组合

组合方案	险种组合	优点	缺点	适用对象
最低保障方案	交强险 + 第三者责任险	费用较低	一旦撞车，自己车的损失自己负担	急于上牌照或通过年检的个人
基本保障方案	交强险 + 车辆损失险 + 第三者责任险	费用适当，能够提供基本的保障	不是最佳组合	有一定经济压力的车主
经济保险方案	交强险 + 车辆损失险 + 第三者责任险 + 机动车车上人员责任保险	投保最必要、最有价值的险种，性价比最高	不是最完善的保险方案	是个人精打细算的最佳选择
最佳保障方案	交强险 + 车辆损失险 + 第三者责任险 + 机动车车上人员责任保险 + 医保外医疗费用责任险	投保价值大的险种，物有所值	保费较高	一般公司或个人
完全保障方案	交强险 + 车辆损失险 + 第三者责任险 + 机动车车上人员责任保险 + 医保外医疗费用责任险 + 新增设备损失险 + 法定节假日限额翻倍险 + 车身划痕损失险 + 修理期间费用补偿险 + 车轮单独损失险	全部事故损失都能得到赔偿	保费高，某些险种出险的概率小	经济充裕的车主

（5）汽车投保方式

1）汽车投保。汽车投保是指经主管部门检验合格并领有牌照的机动车辆，其所有人或管理人向保险公司办理汽车保险手续，是被保险人与保险公司签订保险契约的过程。保险契约是具有法律效力的经济合同，涉及双方的权利与义务，一经签订，双方均必须执行。

目前我国影响较大的保险公司有中国人民保险公司、中国太平洋保险（集团）股份有限公司和中国平安保险（集团）股份有限公司等。

2）汽车投保方式（表 16-6）。汽车投保方式有多种，其保费价格、服务内容也不尽相同，如何选择方便快捷、价格便宜、服务全面的渠道，值得探讨。

表 16-6 汽车投保方式

方式	方法	优点	缺点	注意事项	适合人群
电话投保	拨打保险公司的车险销售电话即可，有专业人员上门服务	操作简单，投保快捷（3天左右），投保较优惠	需要选择较理想的保险公司，拨打正确电话	需提防“山寨”版投保电话，也要防止遭遇假保单	懂得电话投保业务，善于精打细算的人
网上投保	通过进入车险官方网站，自主选择险种	方便快捷（几分钟即可完成投保），投保最优惠	需要懂一些电脑网络知识，对汽车险种熟悉	务必在官方网站进行投保，谨防虚假的钓鱼网站	懂得计算机网络知识，同时对险种有明确要求的人
4S店投保	购车后在经销商处直接投保	简单方便，购车、投保一步到位，出险索赔与维修同步	保费浮动较大，费用相对较高	投保前需要事先了解哪些险种没必要购买	初次购车人群

（续）

方式	方法	优点	缺点	注意事项	适合人群
保险中介投保	将相关资料交予中介公司，由其代为购买	可货比三家，比较多个保险公司产品情况	容易出现中介骗保的情况	要选择资质过硬的中介公司，保单验证真伪后再付款	对保险中介熟悉的人群
营业厅投保	车主携带相关资料去保险公司营业网点，当场填单缴费投保	权威可靠，手续齐全，立等可取	没有上门服务，只能去固定业厅办理，优惠少	对险种熟悉，投保资料要齐全	对险种要求明确

（6）汽车投保流程

不同投保方式，流程有所不同，基本流程见图16-14。

图16-14中有以下三种情形可免验车：

1）单保责任险：指商业第三者责任险、车上人员责任险及其附加险。

2）按期续保：指本年度保单保险期间起期与上年度保单保险期间止期相连，且本年度承保的损失险类（包括车辆损失险、全车盗抢险及其附加险）险别上年均有承保。

3）新购置车辆：指车辆的购置日距保险日不超过7天。

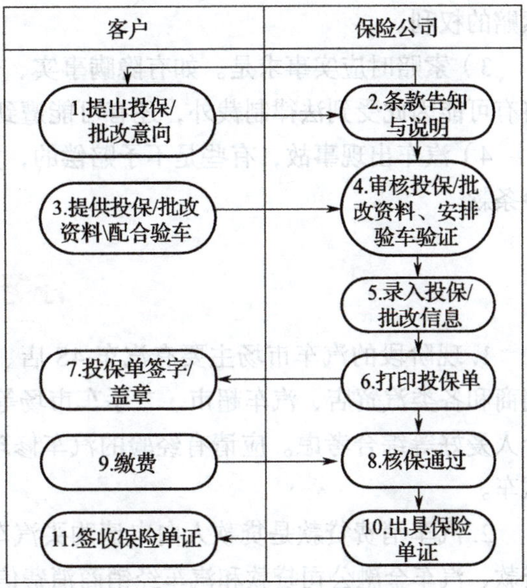

图16-14 汽车投保基本流程

提高安全意识——未雨绸缪，防患于未然

汽车给人类生活带来极大便利，但随着车辆的增多，交通事故（风险）也相应增加。重视交通安全问题，关系到千百万人的生命安全与家庭幸福。购买机动车保险是对于未知风险的防范，学会管理风险，通过技术手段对风险进行转移，做到未雨绸缪，防患于未然，做到珍爱生命，热爱生活，提升风险管理安全意识。

3. 汽车索赔

（1）汽车索赔含义

汽车索赔是指汽车发生交通事故后，被保险人可就自己的事故损失向保险人提出索赔要求，这是被保险人的一项权利。具体赔付数值，必须根据事故具体情况、保险条款和相关政策法规进行核算。

汽车保险理赔流程

（2）汽车索赔流程

汽车索赔基本流程见图 16–15。

图 16–15　汽车理赔与索赔流程

（3）汽车索赔注意事项

1）汽车出现事故后，未经保险公司认可，被保险人不要擅自修复受损车辆。

2）被保险人不要对第三者自行承诺赔偿金额，也不要在保险公司赔偿前放弃向第三者索赔的权利。

3）索赔时应实事求是。如有隐瞒事实、伪造单证、制造假案等行为发生，被保险人除将有可能因此受到法律制裁外，还有可能遭到保险公司拒赔。

4）汽车出现事故，有些是不予赔偿的，如醉酒驾车、某些自然灾害，应该仔细了解保险条款。

任务小结

1. 现阶段的汽车市场主要有汽车 4S 店、平行进口汽车渠道、汽车电商网站、二级经销商和各类汽贸店、汽车超市、二手车市场等。汽车选购应根据购车目的、家庭经济条件、个人爱好等综合考虑。应请有经验的汽车修理工、驾驶员等专家，进行新车的全面检查和试车。

2. 汽车消费贷款是贷款人向申请购买汽车的借款人发放的贷款，按贷款来源分为银行贷款、汽车金融公司贷款和汽车经销商消费信贷三种基本形式。

3. 汽车保险是以汽车本身及第三者责任等为保险标的的一种不定值财产保险，是保护人身财产安全的重要举措。我国汽车保险包括强制车险和商业车险。在道路上行驶的机动车的所有人或管理人都应当投保交强险。商业车险包括基本险和附加险两部分，基本险分为车辆损失保险和第三者责任保险，基本险可以根据投保人的经济状况和需要选择购买；附加险因保险公司而异，一般不能独立承保。

4. 投保人在汽车出现事故后，应按照规定的程序及注意事项及时向保险公司进行索赔。

课后测试

1. 不定项选择题

（1）汽车发动机位置及驱动形式可分为（　　）车型。

A. FF 前置前驱　　B. FR 前置后驱　　C. RR 后置后驱　　D. 4WD 四驱

（2）4S 店是一种以“四位一体”为核心的汽车特许经营模式，包括（　　）等。它拥有统一的外观形象、统一的标识、统一的管理标准。

A. 整车销售　　B. 零配件　　C. 售后服务　　D. 信息反馈

（3）汽车商业车基本险分别是（　　）。

A. 车损险　　B. 第三者责任险

C. 车身划痕损失险　　D. 车上人员责任险

2. 填空题

（1）我国汽车保险一般包括________和________两大类

（2）汽车索赔基本流程，分别为________、________、________、________、赔款理算、________。

3. 思考题

（1）请回答任务描述所提出的问题。

（2）陈小姐驾龄 4 年，在 2023 年新购了一辆哈弗 H6 轿车，无固定的车位，经济中等，请同学给她推荐一套汽车保险方案。

任务 17　汽车的使用与维护

学习目标

- 能够进行汽车油料的正确选用与日常维护。
- 熟知汽车道路驾驶应急处理原则与措施。
- 提升学生的品控和责任安全意识，强化工程伦理教育。

任务描述

请给一辆汽车做日常维护。

知识参考

17.1 汽车油料选用

汽车常用油料有汽油、柴油、发动机润滑油、齿轮油、润滑脂和制动液等。不正确地选用油料或劣质油料，会极大地影响汽车的动力性能、经济性能、排放性能、可靠性和耐久性。

1. 汽油

我国车用汽油按辛烷值分 92 号、95 号、98 号 3 个牌号。汽油牌号的选择应根据使用说明书要求进行，也可以参照表 17–1 进行。

表 17–1　我国汽油分类

牌号	适用汽车压缩比
92	8.6~9.9
95	10.0~11.5
98	大于 11.6

2. 柴油

我国车用柴油按等级分 3 级，每级又按凝点分 6 个牌号。柴油牌号的选择应根据气温进行（表 17-2）。

表 17-2 我国柴油分类与选择

等级	牌号	气温/℃	等级	牌号	气温/℃	等级	牌号	气温/℃
优等品	5 号	>8	一等品	5 号	>8	合格品	5 号	>8
	0 号	>4		0 号	>4		0 号	>4
	-10 号	>-5		-10 号	>-5		-10 号	>-5
	-20 号	>-15		-20 号	>-15		-20 号	>-15
	-35 号	>-30		-35 号	>-30		-35 号	>-30
	-50 号	>-45		-50 号	>-45		-50 号	>-45

3. 发动机润滑油（机油）

我国发动机润滑油分为 4 类和若干等级（表 17-3）。每一种级别又有若干种单一黏度等级（如 30、40 和 50 号）和多黏度等级（如 5W-30、10W-30、15W-40 等）。单一黏度等级的润滑油黏温性较差，只适应某一温度范围使用。多黏度等级的润滑油黏温性好，适应温度范围宽。

发动机润滑油的选用按照使用说明书进行，选用原则是汽油机选择汽油机机油，柴油机选择柴油机机油，通用油适用于汽油机与柴油机，再根据气温选用适当黏度等级的润滑油。

表 17-3 机油分类

种类	等级
汽油机油	SE、SF、SG、SH（GF-1）、SJ（GF-2）、SL（GF-3）、SM（GF-4）、SN（GF-5）
柴油机油	CC、CD、CF、CF-2、CF-4、CG-4、CH-4、CI-4、CJ-4
通用油	如 SJ/CF-4
农用柴油机油	用于农用柴油机及低速货车

4. 汽车齿轮油

汽车齿轮油用于汽车转向器、变速器、驱动桥等齿轮传动机构中，其分类、牌号及选用见表 17-4。

表 17-4 齿轮油分类、牌号及选用

牌号	分类	适用范围	备注
80w-90 85w-90 90	普通车用齿轮油（L-CLC）	适用于中等速度和负荷比较苛刻的齿轮变速器和弧齿锥齿轮驱动桥	80w-90 等齿轮油为多黏度等级齿轮油，带“w”为冬季低温用油，无“w”为夏季用油

（续）

<table>
<tr><th>牌号</th><th>分类</th><th>适用范围</th><th>备注</th></tr>
<tr><td rowspan="2">75w
80w–90
85w–90
90
85w–140</td><td>中负荷车用齿轮油（L–CLD）</td><td>适用于低速高转矩和高速低转矩各种齿轮变速器、弧齿锥齿轮，使用条件不太苛刻的准双曲面齿轮驱动桥</td><td rowspan="2">冬季气温不低于 –10℃地区，可全年选用 90 号齿轮油；气温不低于 –12℃地区还可全年使用 85w–90 号齿轮油；气温不低于 –26℃地区可全年选用 80w–90 号油；冬季气温低于 –26℃的严寒地区，应选用 75w 齿轮油</td></tr>
<tr><td>重负荷车用齿轮油（L–CLE）</td><td>适用于高速冲击载荷、高速低转矩和低速高转矩的各种齿轮，工作条件苛刻的准双曲面齿轮传动</td></tr>
</table>

5. 自动变速器油

我国自动变速器油分为 6 号、8 号两个牌号，6 号油主要用于内燃机车、载货汽车及工程机械，8 号油主要用于轿车。

6. 汽车润滑脂

润滑脂俗称“黄油”，其分类比较复杂，选用按各种汽车使用说明书要求进行。目前，一般推荐使用的是通用锂基润滑脂。

7. 制动液

我国将制动液分为 HZY3、HZY4 和 HZY5 和 HZY6 四个质量等级。制动液选用按车辆使用说明书要求进行。

17.2 汽车磨合

1. 汽车磨合意义

汽车磨合是指新购的汽车或大修后的汽车在投入满负荷工作前，按一定的规程所进行的适应性运转。它可以有效减轻汽车磨损、延长汽车寿命、提高汽车功率、降低汽车油耗、减少汽车排污。

2. 汽车磨合的方法

总的磨合原则是发动机转速及车速由低到高，负荷由小到大。变速器各档位应进行适当时间磨合，及时更换润滑油，注意发现和排除异常现象。磨合期长短随车型有所不同，按使用说明书要求进行，如轿车一般在 1000~1500km。

3. 汽车磨合期使用注意事项

1）正确驾驶操作。暖车升温，平稳起步，缓踩加速踏板，不越级减档，避免紧急制动。

2）减轻负荷。新车开始使用的 1000km 内，不能超过汽车额定载质量的 80%。

3）限制车速。一般不得超过发动机最高转速的 80%，不要使发动机急剧增速。新车磨合期间跑长途时速不要超 100km/h，发动机转速不要超 3000r/min。

4）选择道路。尽量选择平坦良好的道路行驶。

5）注意及时发现和排除故障。

6）更换润滑油。新车磨合结束，应及时更换发动机机油和变速器齿轮油，更换滤清器。

17.3 汽车道路驾驶应急处理

汽车驾驶过程中，可能会发生一些意想不到的事件，作为一名驾驶员应掌握先避人后避物的处理原则和一些应急处理措施。

1. 爆胎应急处理（图 17-1）

1）汽车行驶中，突然爆胎。马上把危险警告灯打开，让后车知道出现紧急情况。

2）稳稳地握住方向盘，保持车身稳定直行状态。

3）不要惊慌，抬起加速踏板（切忌急踩制动踏板）。

4）充分利用发动机降档制动减速，逐渐降低车速并配合轻微制动。

5）等待车速降到 60km/h 左右，再适当增加制动力度，然后靠边停车。

爆胎后，汽车会出现方向跑偏、甩尾的情况，这时一定不能猛打方向，因为车速很快时，猛打方向会造成失控。

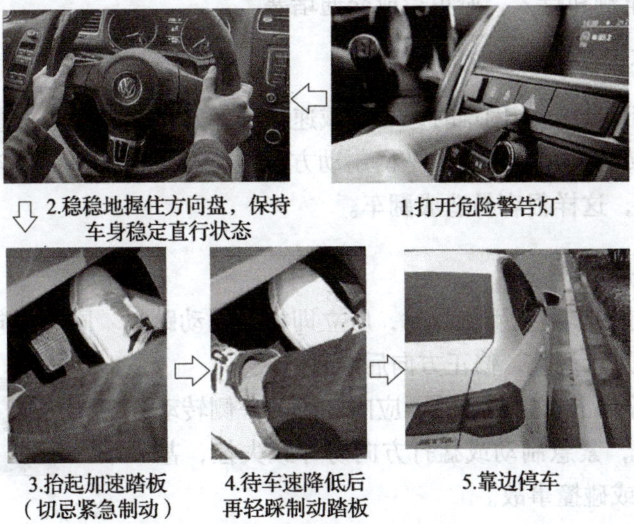

图 17-1 爆胎应急处理

2. 制动失灵应急处理（图 17-2）

首先，应该打开危险警告灯（俗称双闪），然后根据情况处理。

1）当路况风险较小时，可逐级迅速从高档换入低档，用发动机制动拖慢车速到 30km/h 以下，再采用驻车制动方式将车停下来。

图 17-2 制动失灵应急处理

2）当下坡而路况不好时，应尽量跳档换入低档后配合驻车制动。

3）在高速时勿采用驻车制动，尽可能不采用靠蹭路边障碍物的方法使车辆停止，除非不得已。

3. 车辆着火应急措施（图 17-3）

1）立即停车，打开危险警告灯。

2）尽快取下车载灭火器灭火，若无灭火器可用湿棉被、衣服、毛巾灭火。

3）若无法灭火立即拨打 119 或 122 报警电话。

4）树立警示标志，疏散过往车辆和行人，避免发生意外爆炸。

图 17-3　车辆着火应急措施

4. 交通事故应急处理（图 17-4）

1）马上停车保持现场，并打开危险警告灯、树立警示标志。

2）有人受伤较重时，应立即拨打 120 急救电话，并尽可能就地施救。

3）拨打 122 电话报警并报保险公司前来处理。

4）疏散过往车辆和行人，避免造成交通堵塞。

图 17-4　交通事故应急处理

5. 转向突然不灵、失控时应急处理

1）出现转向不灵或转向困难时，尽快减速，选择安全地点停车，查明原因。

2）发现车辆转向失控，应采取平衡制动方法控制车辆，切不可对转向失控的高速行驶车辆使用紧急制动，这样很容易造成翻车。

6. 车辆侧滑应急处理

1）紧急制动导致车辆发生侧滑时，应立即松抬制动踏板。同时，向侧滑的一方转动方向盘，并及时回转进行调整，修正方向后继续行驶。

2）车辆在泥泞路上发生侧滑时，应向侧滑的一侧转动方向盘并适量修正，紧急制动或猛打方向易导致失控，甚至造成翻车、坠车或碰撞事故。

3）若车辆因转向或擦撞引起侧滑，应先控制车辆前进方向后制动。

7. 发动机突然熄火应急处理

行车中发动机突然熄火后，先按图 17-5 处理。若不能再次起动应开启右转向灯，将车缓慢滑行到路边停车检查熄火原因。

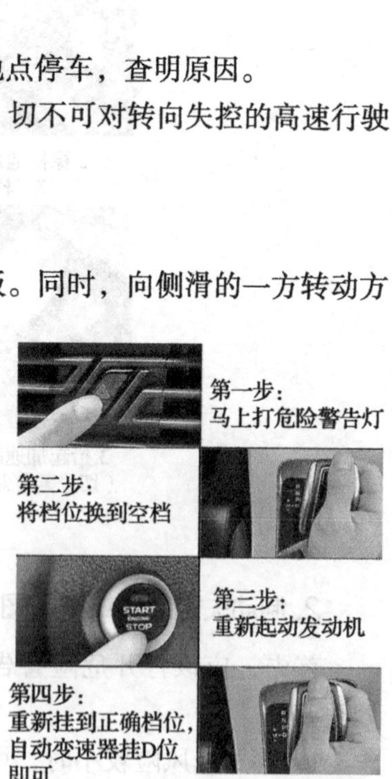

图 17-5　发动机突然熄火应急处理

8. 车辆落水应急处理

车辆落水，车门受水压力难以打开，应迅速开启车窗（天窗）或用粗重的物体敲碎车窗玻璃（必要时可用脚踹），快速逃生。不得采用关闭车窗阻挡车内进水或打急救电话告知救援人员等错误方法。不要过于惊慌，意外落水通常会有 3~5min 的时间逃生。

9. 高速公路应急处理

1）车辆在高速公路行驶不准停车上下人员或者装卸货物，应选择服务区停车。当发生故障必须停车检查时，应逐渐向右变更车道在紧急停车带停车（图 17-6），并打开危险警告灯、树立警告标志。

图 17-6　在紧急停车带停车

2）在高速公路上，发现突然有人或动物横穿时，应果断采取损失小的避让措施。

3）车辆在高速公路急转弯，极易造成侧滑碰撞或翻倾的事故。因此，在高速公路上发生紧急情况，应首先采取制动减速。车辆在高速公路意外撞击护栏时，应稳住方向盘，适当修正，切忌猛转方向盘。

4）雨天在高速公路行车，为避免发生“水滑”现象而造成方向失控，应保持较低的车速。发生“水滑”现象时，应握稳方向盘，逐渐降低车速，不得迅速转向或急踏制动踏板减速。

5）雾天行车应开启雾灯和危险警告灯（图 17-7）。若大雾天在高速公路遇事故不能继续行驶时，必须开启危险警告灯和尾灯，按规定设置警告标志，驾乘人员尽快从右侧离开车辆并站到防护栏以外，不得在高速公路上行走。

图 17-7　雾天行车

6）车辆在高速公路行至隧道出口或凿开的山谷出口处，可能遇到横风。当感到车辆行驶方向变化时，应双手稳握方向盘，进行轻微修正，并适当减速。

17.4 汽车维护

“三分修、七分养”，说明了汽车平时维护的重要性。我国汽车维护分日常维护、一级维护、二级维护三个等级。

1. 日常维护

日常维修在每天出车前、行车中和收车后进行。日常维护以清洁、补给和安全检视为作业中心内容，由驾驶人负责执行。

日常维护的具体内容如下：

1）对汽车外观、发动机外表进行清洁，保持车容整洁。

2）对汽车各处润滑油（图 17-8）、燃油、冷却液（图 17-9）、制动液（图 17-10）、各种工作介质、轮胎（图 17-11）及其气压（图 17-12）进行检视补给。

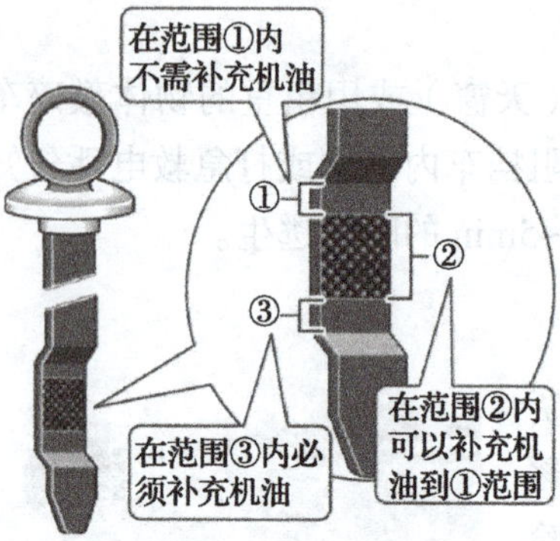

图 17-8　润滑油检查

图 17-9　冷却液检查

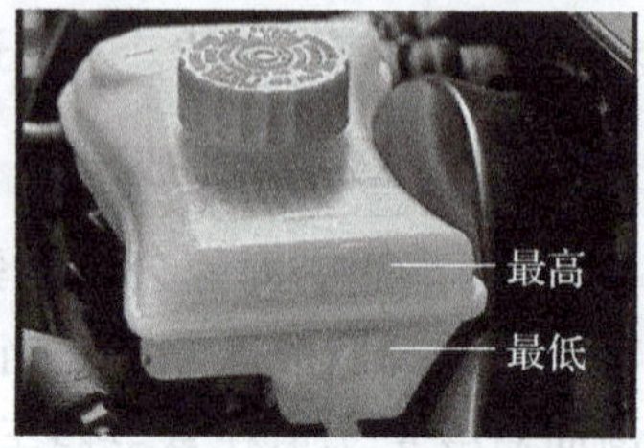

图 17-10　制动液检查

图 17-11　清除轮胎杂物

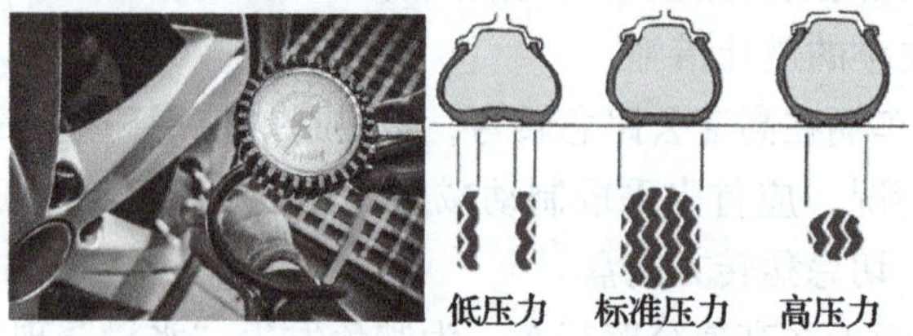

图 17-12　轮胎气压检查

2. 一级维护（图 17-13）

按使用说明书要求进行，如轿车一般在行驶5000~7500km 后进行。同时，还应该根据汽车使用条件的不同有所区别。

图 17-13　一级维护

一级维护以清洁、润滑、紧固为作业中心内容，并检查有关制动、操纵等安全部件，由维修企业负责执行。

一级维护的具体内容如下：点火系统检查调整；滤清器的清洁或更换；油面、液面检查；曲轴箱通风装置、三元催化转化装置检查；散热器、油底壳、发动机前后支垫、水泵、空压机、进排气支管、燃油喷射系统各部件连接螺栓的检查；空压机、发电机、空调机传动带检查；转向器检查；离合器检查调整；变速器、差速器检查；制动系检查；车架、车身及各附件检查紧固；轮胎检查；悬架机构检查；蓄电池检查，灯光、仪表、信号装置检查；全车润滑点检查；全车检查，确认全车不漏油、不漏水、不漏气、不漏电、不漏尘，各种防尘罩齐全有效。

汽车板件外观检查　　汽车内部操控检测检查　　汽车发动机舱内部检测检查　　汽车外部检测检查

3. 二级维护

二级维护以检查、调整为主，由维修企业负责执行，具体内容见表 17–5。

表 17–5 汽车二级维护检测项目

序号	检测项目	序号	检测项目
1	发动机功率，气缸压力	8	前照灯
2	汽车排气污染物，三元催化转化装置的作用	9	操纵稳定性，有无跑偏、发抖、摆头
3	电控燃油喷射系统	10	变速器，有无泄漏、异响、松脱、裂纹等现象，换档是否轻便灵活
4	柴油车检查供油提前角、供油间隔角和喷油泵供油压力	11	离合器，有无打滑、发抖现象，分离是否彻底，接合是否平稳
5	制动性能，检查制动力	12	传动轴，有无泄漏、异响、松脱、裂纹等现象
6	转向轮定位，主要检查前轮定位角和方向盘自由转动量	13	后桥，主减速器有无泄漏、异响、松动、过热等现象
7	车轮动平衡		

树立“服务于车，用心到人”的工匠精神

车辆入厂维护保养，以及恢复车辆完好技术状况与汽车维修人员的技术高低、维修是否科学严谨息息相关。因此，汽车维修人员不仅要通过不断学习来提升专业知识与技能，而且要遵循岗位职责和职业道德，杜绝配件以次充好、以旧代新，将配件质量与维修品控放在首位，树立“服务于车，用心到人”的工匠精神。

任务小结

1. 驾驶员必须熟练掌握各种操纵机构的使用，学会油料选用、汽车日常维护、汽车驾驶节油技术。

2. 驾驶汽车要特别注意雾天、雨天、冰雪天及山区等特殊环境的行车安全。

3. 应掌握应急处理爆胎、制动失灵、车辆侧滑、车辆落水、车辆着火、交通事故等情况的措施。

课后测试

1. 不定项选择题

（1）我国车用汽油按辛烷值分（　　）三个牌号。

A. 90 号　　B. 92 号　　C. 95 号　　D. 98 号

（2）我国汽车维护分（　　）三个等级。

A. 日常维护　　B. 一级维护　　C. 二级维护　　D. 三级维护

（3）汽车发动机保养时机油尺处于（　　）属于正常。

A. 超过上刻度线　　B. 上下刻度线间

C. 低于下刻度线　　D. 加满

2. 填空题

（1）我国将制动液分为________、________、________和________四个质量等级。

（2）轿车一般在行驶________后进行一级维护。

3. 思考题

（1）请完成任务描述所提出的任务。

（2）汽车保养流程中有哪些工作是必须双人配合的？

项目07

争奇斗艳的汽车展览文化

小小车展，万千世界。汽车展览是汽车制造商们展示新产品、树立企业形象、展示企业实力、争夺汽车市场的舞台，也是进行汽车技术交流、发展经贸合作的良好机会。同时，各种汽车展览具有的风格及形成的文化氛围，促进了全球汽车文化的交流与发展。

任务 18　国内外著名汽车展览检索

学习目标

- 能阐述国内外著名汽车展览及分类。
- 能阐述概念车的含义及作用。
- 培养学生科学创新精神，树立民族汽车品牌自信心和自豪感。

国内著名车展

国外著名车展

任务描述

图 18-1 是世界著名的慕尼黑车展，请检索其发展历史与特点。

知识参考

世界著名的汽车展览主要有慕尼黑车展、巴黎车展、日内瓦车展、北美车展和东京车展。我国的北京车展已跻身世界著名汽车展览前十位。

18.1 慕尼黑车展

慕尼黑车展（图 18-1）前身为德国国际车展（IAA），即世界五大车展之一的“法兰克福车展”，创办于 1897 年，是世界上最早、最大的汽车展之一，有世界汽车工业“奥运会”之称。

图 18-1　慕尼黑车展

该车展 1951 年以前在德国柏林举行，此后移到法兰克福市，每两年举办一次，展览时间一般在 9 月中旬，2021 年，搬迁至慕尼黑，并更名为慕尼黑车展。2023 年慕尼黑车展以“体验互联智慧出行”为主题，参展商达 675 家，新车共达 48 款，其中新能源车型 42 款。与首届相比，中国汽车企业（整车、三电、智能电子等）的参与数量达 75 家，实现了翻倍增长。

18.2 巴黎车展

1）车展地：法国巴黎（图 18-2）。

2）创办时间：起源于 1898 年的国际汽车沙龙会。

3）车展历史：1898 年至 1976 年每年一届。此后，每两年一届，在 9 月底至 10 月初举行。巴黎车展如同时装展，各种汽车新颖独特，新奇古怪的概念车云集，给人以争奇斗艳的感觉。第一届巴黎车展共有 14 万人参加。2008 年，巴黎车展迎来了将近 150 万观众及来自 100 个国家的 13000 名记者，还有 80 多个国家的领导人出席。

图 18-2　巴黎车展

18.3 日内瓦车展

1）车展地：瑞士日内瓦（图 18-3）。

2）创办时间：起源于 1924 年。

3）车展历史：每年 3 月在瑞士日内瓦举行。日内瓦车展档次高、水准高，是各大汽车厂商首次推出新产品的最主要的展出平台，素有“国际汽车潮流风向标”之称。

图 18-3　日内瓦车展

18.4 北美车展

1）车展地：美国汽车城——底特律。

2）创办时间：起源于 1907 年。

3）车展历史：1907 年开始，每年 1 月在美国底特律举行，叫底特律车展，1989 年更名为“北美国际汽车展”。从 1965 年开始，车展迁移到现在的 COBO 展览中心（图 18-4），那里是世界上最大的平面室内展览会场之一，可同时容纳上万名参观者。

图 18-4　COBO 展览中心

18.5 东京车展

1）车展地：日本东京（图 18-5）。

2）创办时间：始于 1954 年。

3）车展历史：一般每年 10 月在日本东京举行。自 2007 年的第 40 届车展起，改为两年一届。东京车展历来以规模大、注重新产品和新技术的推出、展出产品实用性强而闻名于世界。

图 18-5　东京车展

18.6 北京车展

1）车展地：中国北京（图 18-6）。

图 18-6　北京车展

2）创办时间：始于1990年。

3）车展历史：每两年定期在北京举办，秉承展品精、品牌全、国际化的办展理念和特色，规模不断扩大，众多跨国汽车企业将北京车展列为全球A级车展。

图 18-7　上海车展

18.7 上海车展

1）车展地：中国上海（图18-7）。

2）创办时间：始于1985年。

3）车展历史：是中国最早的专业国际汽车展览会，逢单数年举办。2004年6月，上海车展通过了国际博览联盟（UFI）的认证，成为中国第一个被UFI认可的汽车展，是国际上最具影响力的汽车展之一。

2023上海车展被仰望的比亚迪——技术为先，创新赋能

比亚迪仰望品牌携旗下产品U8、U9及仰望架构亮相2023上海车展展台，多项自研技术成就汽车行业天花板。继刀片电池、DM-i混动系统、CTB等关键技术之后，比亚迪秉持“技术为王，创新为本”的理念，比亚迪仰望U8、U9搭载了易四方技术和云辇架构，具备“超高能、无边界、可进化”三个特点，造就了仰望系列车型天赋异禀的独特性能，成功打造了自主新能源汽车的高端品牌和技术高地。

一系列核心技术创新使比亚迪在业内的竞争力不断提升，充分展现了中国车企驰骋新能源汽车赛道的决心与实力。未来，我们期待比亚迪更多新技术的诞生，为全球消费者带来更优秀的新能源汽车。

18.8 广州车展

1）车展地：中国广州（图18-8）。

2）创办时间：始于2003年。

3）车展历史：基于“高品位、国际化、综合性”的定位，经过几年的发展，已成为中国大型国际车展之一。立足于为业界打造开拓中国市场、宣传企业形象的优秀平台，广州汽车展与海内外汽车品牌互相促进、共同进步，促进我国汽车行业的稳健成长。

图 18-8　广州车展

18.9 其他专项车展

1. 概念车展

（1）什么叫概念车

概念车由英文“Concept Car”直译而来，它不是将要投产的车型，只是向人们展示设计人员新颖、独特、超前的构思而已，例如红旗新L系概念车（图18-9）。

图 18-9　红旗新 L 系概念车

概念车是各类汽车中内容最丰富、最深刻、最前卫，最能代表世界汽车科技发展和设计水平的汽车。世界各大汽车公司都不惜巨资研制概念车，借以向公众显示本公司的技术进步，提高自身形象。概念车展一般与汽车展览同步进行。

（2）概念车分类

通常概念车分为两种，一种是能跑的真正汽车，另一种是设计概念模型。

第一种比较接近于批量生产，其先进技术已步入试验并逐步走向实用化，因而一般在5年左右可成为公司投产的新产品。

第二种虽是更为超前的设计，但因环境、科研水平、成本等原因，只是未来发展的研究设想。

（3）概念车展示

各种车展上展示的概念车繁多，本书列举少数概念车，见图 18-10~ 图 18-13。

图 18-10　吉利 Vision Starburst

图 18-11　奥迪 A6 Avant E-Tron

图 18-12　比亚迪 ocean-X

图 18-13　奇瑞 Alan Derosier

2. 艺术汽车展

（1）什么叫艺术汽车

艺术汽车是指以汽车为题材传达主体特定的思想、观念、心理与情感活动的一种艺术形态。

美国休斯敦每年举办一届艺术汽车展，图 18-14 是 2023 年 4 月 15 日的艺术汽车展，有 250 多辆车参加展出。

图 18-14　美国休斯敦艺术汽车展

（2）艺术汽车展示

艺术汽车展示见图 18-15~ 图 18-18。

图 18-15　艺术汽车 1

图 18-16　艺术汽车 2

图 18-17　艺术汽车 3

图 18-18　艺术汽车 4

3. 老爷车展

（1）什么叫老爷车展

顾名思义，老爷车展是指以老爷车为题材的车展（图 18-19）。老爷车也叫古典车，一般指历史久远、具有文化价值的汽车，是人们过去曾经使用的，现在仍可以工作的汽车，是一种怀旧的产物。

图 18-19　老爷车展

（2）老爷车展历史

“老爷车”这一概念始于 1973 年，出现在英国《名人与老爷车》杂志上，很快得到老爷车爱好者的认同，并迅速蔓延，成为世界各地爱好者对老式汽车的统一称谓。许多地方都有老爷车协会或俱乐部。例如，中国香港老爷车协会成立于 1979 年，主要推广收藏及保养老爷车，并通过定期举办车会活动（如“星期日游车河”“把酒言欢”“老爷车中国游”“老爷车展览”等），让会员一起驾驶爱车，并互相交换心得。在香港遮打道举办的车展是一年一度的老爷车盛会。2014 年，香港老爷车展展车（图 18-20）多达 90 多款，最古老的展车是 1926 年宾利 3 Litre，它是宾利成立推出的第一款车，被英国《Autocar》杂志誉为“宾利鼻祖”（图 18-21）。

（3）老爷车展示

老爷车展示见图 18-22~ 图 18-24。

图 18-20　2014 年中国香港老爷车展

图 18-21　1926 年宾利 3 Litre

图 18-22　梅赛德斯 - 奔驰 770K

图 18-23　法拉利 250 GTO

图 18-24　阿尔法 · 罗密欧 8C 2900B Touring Berlinetta

4. 汽车模型展

（1）什么叫汽车模型展

汽车模型展是指以汽车模型为题材的展览。

汽车模型（图 18-25）是完全依照真车的形状、结构、色彩，甚至内饰部件，严格按比例缩小而制成的比例模型，有很高的仿真性，与玩具小汽车不一样。

（2）汽车模型用途

汽车模型因为真实地再现原车主要特征，且做工精良，其本身蕴含着汽车文化，所以具有很高的观赏、收藏或竞赛价值。一套用心收藏的汽车模型可以完整真实地再现一个汽车公司、一个汽车品牌的历史。我国天津的杨国发先生（图 18-26），以收藏 1200 辆汽车模型创吉尼斯世界纪录。

图 18-25　汽车模型

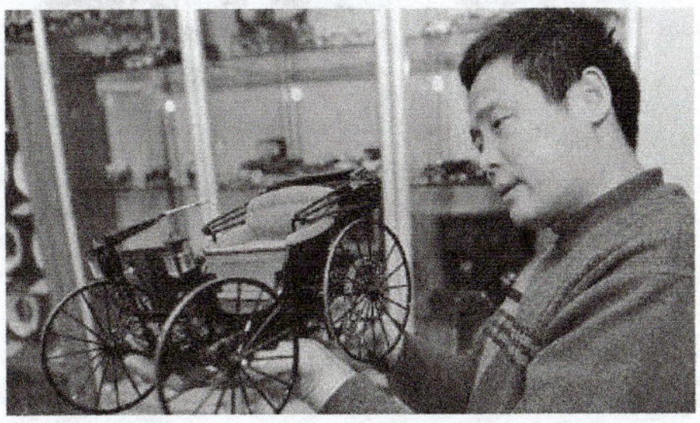

图 18-26　汽车模型收藏家杨国发先生

（3）汽车模型分类

汽车模型主要有高仿真汽车模型、竞赛用汽车模型两大类。

1）高仿真汽车模型分为金属汽车模型和塑料汽车模型两类，要求比例准确、形象逼真，一般不装动力故不能行驶。常用的缩小比例为1：8、1：12、1：16、1：18、1：24、1：34、1：43、1：64、1：87等。

2）竞赛用汽车模型主要用于参加汽车模型比赛，装有动力及制动装置，有的还有遥控装置（图18-27），可以行驶。由于它具有较强的趣味性和对抗性，得到不少青少年的喜爱，正在作为一种体育运动项目在世界上兴起。我国香港及台湾地区近年举办过多次亚太地区汽车模型比赛，内地也多次举办全国性比赛。

图18-27　遥控汽车模型

（4）汽车模型竞赛

1）按行驶路面，可分为公路赛和越野赛两种。公路赛的场地设有沥青跑道，跑道宽4m，全长约200m，设各种弯道和护板。越野赛的场地设有土质跑道，有各种弯道、草地、水洼、沙地、坡道等障碍，跑道宽4m，全长约200m。

2）按比赛方法，可分为计时赛和耐久赛两种。计时赛按完成规定圈数的时间计算名次。耐久赛按在规定的时间内行驶的圈数计算名次。一般多采用耐久赛，每场比赛8min。

3）按汽车动力，主要分为内燃机汽车模型赛和电动汽车模型赛两种。

内燃机汽车模型赛以微型汽油机为动力（图18-28），其外形模仿大型赛车，尺寸比例为1：8，发动机排量不得超过35mL，油箱容积不得超过125mL。汽车模型规定尺寸参数为：轴距305mm，轮距240mm，总长605mm，其外形模仿大型赛车或自行设计。

电动汽车模型由无线电遥控，并装有可靠的制动机构。电动汽车模型赛以电池和微型电动机为动力（图18-29）。

图18-28　内燃机汽车模型赛

图18-29　电动汽车模型赛

（5）汽车模型历史

世界上第一批汽车模型诞生于1914年。当时，美国福特汽车公司在销售新出品的T型车的同时，还赠送给购车者一个精致的T型车小模型（图18-30），福特汽车公司的本意纯粹是为了和通用汽车公司进行竞争。然而，出人意料的是，无心插柳柳成荫，这种被用于赠送的汽车模型一经问世，便很快受到爱车人士的青睐。各汽车生产厂继而争相效仿，在推出新车的同时纷纷推出新款汽车模型。据不完全统计，自汽车模型产生以来，全世界的汽车生产厂共推出数万种款式的汽车模型（图 18-31）。汽车模型逐渐发展成为一种风行全世界的收藏和投资项目。

图 18-30 福特 T 型车模型

图 18-31 形形色色的汽车模型

（6）汽车模型论坛

汽车模型论坛（图 18-32）是众多汽车模型爱好者在这里讨论收藏汽车模型、新品模型、拼装模型，同其他汽车模型爱好者交流的平台。

目前，著名的汽车模型论坛主要有车模全球汇俱乐部、modelclub 汽车模型论坛、爱车时光汽车模型论坛、百度汽车模型贴吧、火柴盒迷你模型中国社区以及太平洋汽车模型频道等。

图 18-32 汽车模型论坛

（7）汽车模型展示

汽车模型展示见图 18-33。

a）红旗 S9

b）科尼塞克 Agera One:1

c）奔驰 AMG ONE 限量版

图 18-33 汽车模型展示

5. 玩具车展

（1）玩具车展

玩具伴随着每一个儿童度过幸福的童年。在充满汽车的现代社会里，汽车玩具更是受到广大儿童的喜爱。玩具车展就是展示玩具汽车的展览（图 18-34），一般与玩具展或车展同步举行。

（2）汽车玩具

汽车玩具是根据汽车的基本构造和外观造型，按一定比例制作供儿童游戏的玩具，具有很好的开发智力的作用。

玩具汽车在玩具产业中占有相当的份额，全世界玩具汽车的产量每年几千万辆。其中，游乐车是指一种大型的玩具车，可供人们乘坐、驾驶和游乐，一般见于公园等游乐场所。例如孩子们爱玩的“碰碰车”（图 18-35），它一般采用铅酸蓄电池作为动力，有的采用有线电缆，具备转向机构，由于车速很低，没有制动系统，为安全起见，车的周围装有较厚的橡胶缓冲保护层，以减轻发生碰撞时的冲击。

图 18-34　玩具车展

图 18-35　碰碰车

18.10 汽车模特

1. 汽车模特简介

模特由英语的“Model”音译而来，主要是指担任展示艺术、时尚产品、广告等媒体的人，也代表从事这类工作的人的职业。汽车模特在体型、相貌、气质、文化基础、专业知识、职业感觉、展示能力等方面必须具备一定条件（图 18-36），要求较高。

图 18-36　汽车模特

2. 汽车模特的文化意义与发展历史

（1）汽车模特的文化意义

随着汽车展览的兴起，汽车模特已经形成一道靓丽的风景线。他们通过肢体造型，伴随着音乐、灯光、布景，演绎着各类汽车迥异的内涵和气质，化单调的车展为神奇，吸引着人们的眼球，使人感受到现代汽车与现代社会文明融合后的文化，给人以强烈震撼。

（2）汽车模特发展历史

1391 年在法国第一次出现了“Model”一词。1886 年发明了汽车以后，汽车模特就和汽车紧紧联系在一起。各大车展都有汽车模特助阵，有的还进行汽车模特比赛。我国首届汽车模特大赛于 2004 年在广州天河体育中心举行（图 18-37），图 18-38 是 2011 年北京汽车模特大赛的情况。为了适应社会对汽车模特的需求，有些院校开设汽车模特专业或方向，还有车模校园评选的形式（图 18-39）。

图 18-37　我国首届汽车模特大赛

图 18-38　2011 年北京汽车模特大赛

图 18-39　吉利车模校园评选

18.11 汽车博物馆

汽车博物馆是征集、典藏、陈列和研究汽车实物的场所，并对那些有科学性、历史性或者艺术价值的物品进行分类，是为公众提供知识、教育和欣赏的汽车文化宣传、普及和教育机构。

世界各地汽车博物馆星罗棋布，部分著名汽车博物馆见表 18-1，值得汽车爱好者参观学习。

表 18-1　部分著名汽车博物馆

国家 / 地区	博物馆名称	地点
中国	北京汽车博物馆	北京市丰台区南四环西路 126 号
	上海汽车博物馆	上海市嘉定区安亭镇博园路 7565 号
	长春汽车博物馆	吉林省长春市绿园区东风街道长春汽车产业开发区东风大街与西湖大路交汇处
欧洲	梅赛德斯 – 奔驰博物馆	德国斯图加特市
	宝马博物馆	德国慕尼黑市
	奥迪汽车博物馆	德国因戈尔施塔特市
	保时捷博物馆	德国斯图加特 – 祖文豪森市
	大众汽车博物馆	德国沃尔夫斯堡市
	雪铁龙藏车博物馆	法国欧奈苏布瓦市
	标致创业史博物馆	法国弗朗什 – 孔泰大区杜省索肖地区
	米卢斯汽车博物馆	法国东北部阿尔萨斯的米卢斯城
	宾利野禽与汽车博物馆	英国东苏塞克斯郡哈兰德
	法拉利博物馆	意大利摩德纳市马拉内洛小镇
	菲亚特博物馆	意大利都灵
	劳斯莱斯博物馆	奥地利福拉尔贝格州多恩比恩
	沃尔沃汽车博物馆	瑞典哥德堡

（续）

国家 / 地区	博物馆名称	地点
美国	通用汽车博物馆	美国密歇根州斯特林海茨市
	福特博物馆	美国密歇根州迪尔伯恩市
	克莱斯勒汽车博物馆	美国密歇根州底特律市奥伯恩希尔镇
	彼特森汽车博物馆	美国加利福尼亚州洛杉矶市
	国家汽车博物馆	美国内华达州里诺市特拉基河南部
亚洲其他国家	丰田汽车博物馆	日本爱知县长久手市
	马自达汽车博物馆	日本广岛县安芸郡
	世界汽车济州博物馆	韩国济州道西归浦市
	阿联酋国家汽车博物馆	阿拉伯联合酋长国阿布扎比市

任务小结

1. 世界著名的车展有慕尼黑车展、巴黎车展、日内瓦车展、北美车展和东京车展。国内著名的车展有北京车展、上海车展、广州车展等。除此之外，还有艺术汽车、老爷车展、汽车模型展等。

2. 概念车主要是向人们展示设计人员新颖、独特、超前的构思，还处在创意、试验阶段。

3. 汽车模特是指从事与汽车相关的模特，已经形成车展的一道靓丽的风景线。

4. 世界各地都有众多汽车博物馆，蕴藏着大量汽车文化精髓，值得参观学习。

课后测试

1. 不定项选择题

（1）概念车是各类汽车中内容（　　），最能代表世界汽车科技发展和设计水平的汽车。

A. 最丰富　　B. 最深刻　　C. 最前卫　　D. 最快速

（2）国内知名的汽车展览主要有（　　）。

A. 上海车展　　B. 广州车展　　C. 北京车展　　D. 广东车展

（3）艺术汽车是指以汽车为题材传达主体特定的（　　）与情感活动的一种艺术形态。

A. 思想　　B. 观念　　C. 心理　　D. 科技

2. 填空题

（1）国际著名五大车展包括慕尼黑车展、________、________、________和________。

（2）汽车模型分类主要有________、________两大类。

3. 思考题

（1）请回答任务描述所提出的问题。

（2）汽车展览的举办有哪些意义？

08

项目

扣人心弦的汽车运动文化

人类在发明汽车的同时，也创造了辉煌的汽车运动文化，各种汽车竞赛激烈、惊险、刺激、惊心动魄，它考验着人的勇气、意志、毅力和技术，也考验着汽车的性能，极大地推动了汽车科技的发展和汽车的销售。

任务 19 检索各种汽车竞赛

学习目标

- 能描述汽车运动的意义。
- 能描述各种汽车竞赛的发展历史及其内容特征。
- 培养学生不怕困难、勇敢、坚强的品质。

任务描述

图 19-1 是什么车？有何特点？有什么用途？

图 19-1 辨认汽车及其用途

知识参考

19.1 汽车竞赛概述

1. 汽车竞赛

汽车竞赛又叫赛车运动，是指利用汽车在各种道路上进行汽车性能（速度、耐力、油耗等）和驾驶技术等比赛的一种活动。

2. 汽车竞赛意义

汽车竞赛能够考验和锻炼人的勇气、意志、毅力和技术，也考验着汽车的性能，极大地推动了汽车科技的发展和汽车的销售。

3. 汽车竞赛历史

1887 年 4 月 20 日，举办了世界上第一次汽车比赛，只有法国乔尔基·布顿驾驶一辆蒸汽汽车（图 19-2）参加，标志着汽车运动的诞生。

图 19-2 第一次参赛的汽车

1895 年，进行了第一次有汽油机汽车参加的长距离公路赛（图 19-3），比赛路线是从巴黎到波尔多，往返共 1178km。本哈特和拉瓦索驾驶的汽油机汽车夺得了冠军。

1904 年，由法国等欧洲国家发起，成立了国际汽车联合会（FIA）组织，其会徽见图 19-4。

中国汽车运动联合会（FASC）于 1975 年成立，1983 年加入国际汽车联合会，其会徽见图 19-5。FASC 的主要任务是负责全国汽车运动的业务管理，组办国内外汽车比赛和体育探险活动，指导群众性活动，培训运动员、教练员和裁判员，参加国际交往和技术交流。FASC 是中国境内管辖汽车运动唯一的全国性组织。

图 19-3　1895 年汽车赛

图 19-4　国际汽车联合会会徽

图 19-5　中国汽车运动联合会会徽

4. 汽车竞赛类型

汽车竞赛按照比赛场地分为场地赛和非场地赛，每一大类又可以分为若干小类。部分汽车竞赛的分类见表 19-1。

表 19-1　汽车竞赛的分类

<table>
<tr><th>比赛大类</th><th colspan="2">比赛细分类</th></tr>
<tr><td rowspan="10">场地赛（在规定的固定场地中进行比赛）</td><td rowspan="6">方程式汽车赛</td><td>F1 汽车赛</td></tr>
<tr><td>F3 汽车赛</td></tr>
<tr><td>F3000 方程式汽车赛</td></tr>
<tr><td>雷诺方程式汽车赛</td></tr>
<tr><td>亚洲方程式汽车赛</td></tr>
<tr><td>卡丁车方程式汽车赛</td></tr>
<tr><td rowspan="3">耐力赛</td><td>法国勒芒 24h 耐力锦标赛</td></tr>
<tr><td>日本铃鹿 8h 耐力锦标赛</td></tr>
<tr><td>印第 500 大奖赛</td></tr>
<tr><td>其他场地赛</td><td>漂移赛、轿车赛、运动汽车赛、直线竞速赛等</td></tr>
<tr><td rowspan="6">非场地赛（赛场地不是封闭的）</td><td rowspan="3">世界拉力锦标赛</td><td>蒙特卡罗汽车拉力赛</td></tr>
<tr><td>巴黎—达喀尔汽车拉力赛</td></tr>
<tr><td>其他汽车拉力赛（港京汽车拉力赛、东非沙法里汽车拉力赛等）</td></tr>
<tr><td rowspan="2">越野赛</td><td>北京—巴黎马拉松汽车越野赛</td></tr>
<tr><td>其他汽车越野赛（突尼斯沙漠挑战赛、阿拉伯联合酋长国沙漠挑战赛等）</td></tr>
<tr><td>其他非场地赛</td><td>登山赛、沙滩赛、泥地赛、大脚车赛等</td></tr>
</table>

19.2 方程式汽车赛

方程式汽车赛是汽车场地比赛的一种。赛车必须依照国际汽车联合会制定的车辆技术规则规定的方式制造，包括车体结构、长度和宽度、最低重量、发动机工作容积、气缸数量、油箱容量、电子设备、轮胎的距离和大小等。

根据各级方程式赛车的制造方式不同，方程式汽车赛又有 F1、F3、F3000、雷诺方程式、亚洲方程式、卡丁车方程式、电动车方程式等。

1. F1 汽车赛（图 19-6）

一级方程式（Formula One，简称“F1”）汽车赛是目前世界上速度最快、费用最昂贵、技术最高的比赛。

图 19-6　F1 汽车赛

世界上首次举行 F1 比赛是 1950 年在英国的银石赛车场。目前 F1 共有 11 支参赛车队，22 辆赛车，每年规划 16~17 站比赛。通常在 3 月中旬开跑，10 月底结束。每场比赛取前 6 名，第一名是 10 分，第二名是 6 分，第三到第六分别是 4 到 1 分，获得总积分最高者即为世界冠军。每站比赛可吸引超过 10 亿人次通过电视转播或其他媒体观赏这一世界顶级赛事。2004 年 9 月 26 日，在中国上海赛车场举行第 16 站 F1 比赛（图 19-7）。

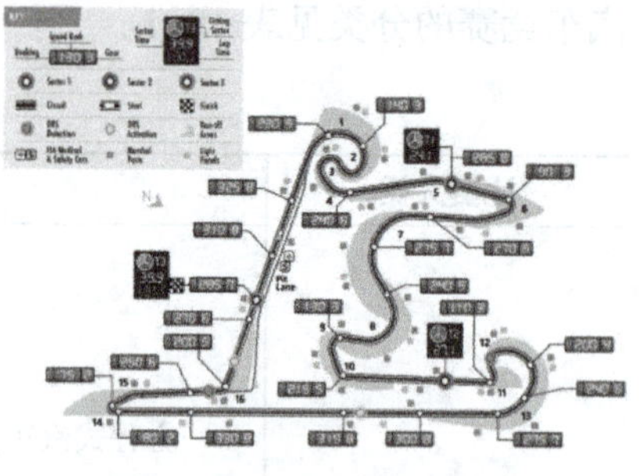

图 19-7　2004 年 F1 上海站

F1 比赛每年都要选择地理条件迥然不同的 16~17 条赛道。有的选在高原上，有的是城市街道串成的赛道，有的建在森林中，跑道起伏大，以考验车手的各种技术和应对能力。每个赛道的周长不等，最短的是摩纳哥的蒙特卡罗街道赛道，单圈长度为 3.3km，最长的是比利时的斯帕赛道，单圈长度为 6.9km。匈牙利布达佩斯赛道见图 19-8。

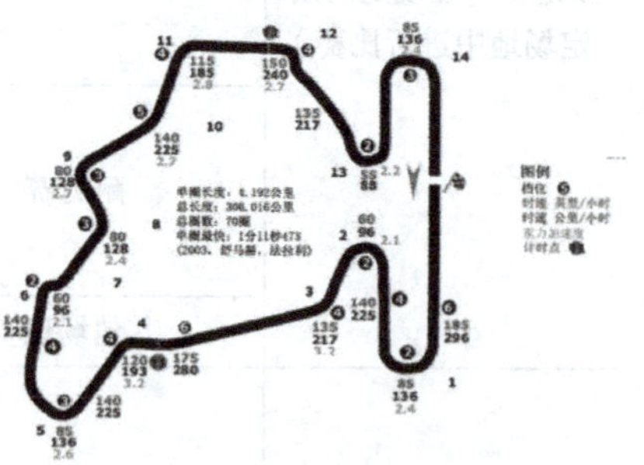

图 19-8　匈牙利布达佩斯赛道

每一辆赛车都需在比赛前三天进行排位赛，共有 28~30 辆赛车参加，但最终只取前 22 辆赛车参加正式比赛。正式比赛开始，各车手按各自排位从相距不远的位置出发。跑完规定圈数（每场为超过 305km 的最小圈数），时间短者获胜。一场 F1 的比赛时间不能超过 2h。

之前 F1 赛车（图 19-9）使用的发动机为四冲程往复活塞式、V8、排量 2.4L 以下，转速超过 19000r/min，功率 700kW 以上，自然吸气式汽油机，禁止增压。2014 年起，F1 实施新规则，更加关注经济性和环

图 19-9　F1 赛车

保性，由原来自然吸气式 2.4L 发动机改为排量 1.6L 的 V6 涡轮增压发动机。F1 赛车的油箱用特种橡胶制成，底盘采用碳纤维制造，自动电子变速系统，6~7 档，变速按钮在方向盘上，最小离地间隙仅有 50~70mm，四轮外露，一个轮胎只用一个螺栓，前轮胎宽 305mm，后轮胎宽 457mm，单座，连人带车及燃料总重不得低于 550kg，一般 0—100km/h 加速只需 2.3s，最高速度可达 350km/h。F1 赛车造价达上千万美元，不亚于一架小型飞机。

F1 车手必须持有 FIA 签发的“超级驾驶证”，全世界不超过 100 名，是经过千挑万选的车坛精英。通常在一场比赛中，车手必须换档 2500 次，平均 2s 要换档一次，车手的注意力必须高度集中，急转弯时承受自身重量 4 倍的负荷，身体主要靠安全带固定，但头部必须靠极强壮的颈部肌肉才能支撑。

比赛过程中必须视轮胎的磨损及油耗的状态进入维修站（Pit Stop）换轮胎及加油，需要 21 个人花 6~12s 来完成（图 19-10）。

图 19-10　F1 比赛途中换轮胎并加油

F1 赛场上有不同颜色的旗帜作为指挥信号，指挥旗为长方形，由赛道各处的裁判执掌。不同旗帜含义（旗语）见图 19-11。

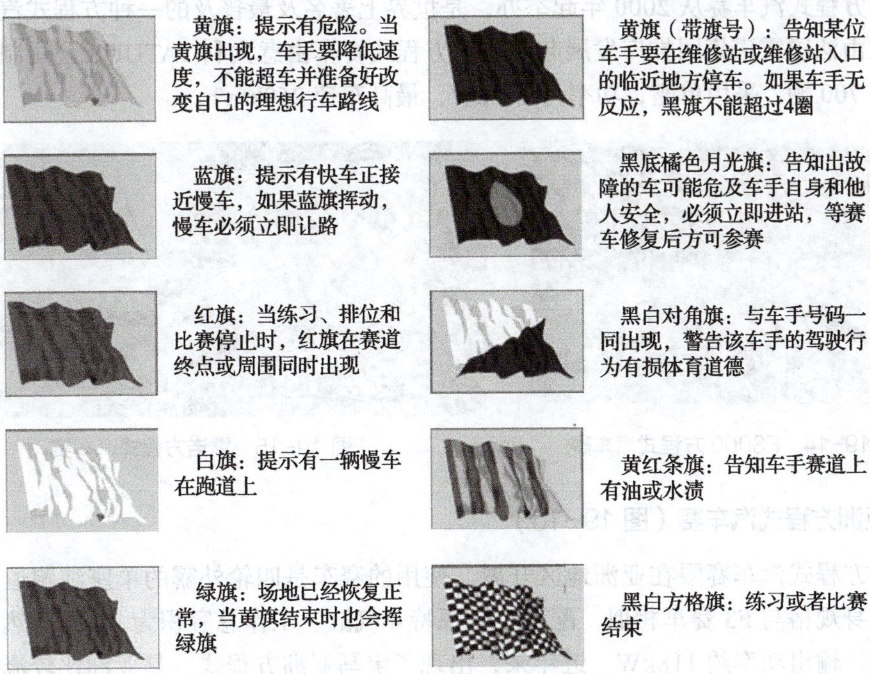

图 19-11　F1 比赛旗语

F1 旗语

比赛结束颁奖，先奏冠军车队所在国的国歌，再颁奖，之后开香槟庆祝（图 19-12）。

2. F3 汽车赛（图 19-13）

F3 汽车赛使用的赛车是四轮外露的单座纯跑道用方程式赛车，外形与 F1 赛车相类似，但体积较小，最低重量为455kg，配备4气缸、工作总容积为2L的自然吸气式汽油发动机，输出功率约125kW。

图19-12　F1比赛颁奖后开香槟庆祝

图19-13　F3汽车赛

3. F3000方程式汽车赛（图19-14）

F3000方程式汽车赛使用的赛车是四轮外露的单座纯跑道用方程式赛车，装备8气缸、工作总容积为3L的自然吸气式汽油发动机，输出功率约350kW。至2005年起停办，由GP2系列赛取代。

4. 雷诺方程式汽车赛（图19-15）

雷诺方程式汽车赛从2000年起举办，是世界上著名及最普及的一种方程式汽车赛。该项赛事是由法国雷诺集团推广发展起来的。方程式赛车由意大利TATUUS公司制造，每年制造超过700辆，采用单座，功率为170kW，最高车速260km/h。

图19-14　F3000方程式汽车赛

图19-15　雷诺方程式汽车赛

5. 亚洲方程式汽车赛（图19-16）

亚洲方程式汽车赛限在亚洲地区开展，使用的赛车是四轮外露的单座纯跑道用方程式赛车，车身规格与F3赛车相似，配备1台福特4气缸、工作总容积为2L的自然吸气式汽油发动机，输出功率约118kW。近年来，出现了宝马亚洲方程式，是亚洲比较流行的方程式汽车赛。

6. 卡丁车方程式汽车赛（图19-17）

卡丁车方程式汽车赛起源于20世纪50年代的美国，使用的赛车是轻钢管结构车身，无车体外壳，装配排量100mL、125mL或250mL汽油发动机，重心低。该汽车赛在曲折的环形路线上行驶，比赛速度感强，是世界方程式赛车的最初级形式。由于许多著名的 F1 赛车手都是从卡丁车方程式汽车赛起步的，因此卡丁车被视为 F1 的摇篮。

图 19-16　亚洲方程式汽车赛

图 19-17　卡丁车方程式汽车赛

7. 电动方程式汽车赛（图 19-18）

电动方程式（Formula E，FE）汽车赛是由国际汽车联盟认证的赛车运动，其所有赛车必须由电力推动，被称为“零排放”赛事。比赛的目标是在推广清洁能源汽车的可持续发展理念的同时，促进相关的电池、电机、变速器、电子控制、快充技术、安全保证等方面的技术进步，为全球新能源汽车的推广和应用提供良好的国际平台，并且为治理城市污染、创造清洁环境提供解决思路。

图 19-18　电动方程式汽车赛

19.3 耐力赛

耐力赛是汽车场地比赛的一种，为长时间耐久性汽车比赛。比赛车辆分旅行车和运动原型车两类，并根据发动机的工作容积分为若干级别。比赛中每车可设 2~3 名驾驶员，轮流驾驶。

每年国际汽车耐力系列赛分为 11 站，在世界各地举行。比赛一般进行 8~12h，以完成圈数的多少评定成绩。较著名的比赛有法国勒芒（Le Mans）24h 耐力锦标赛、日本铃鹿（Suzuka）8h 耐力锦标赛、印第 500 大奖赛等。

1. 法国勒芒 24h 耐力锦标赛（图 19-19）

勒芒位于法国西南面约 200 km 处，它有一条 13.5km 的环形赛道，从 1923 年开始（1936 年、1940—1948 年除外），每年 6 月都要举行汽车连续行驶 24h 的比赛，行驶距离最长者获胜，一般超过 5000km。这是长距离的耐力赛，对汽车和驾驶员都是极其严峻的考验。

图 19-19　法国勒芒 24h 耐力锦标赛

2. 日本铃鹿 8h 耐力锦标赛

日本铃鹿位于大阪和名古屋之间的三重县的铃鹿市中部。铃鹿赛道（图 19-20）在 1962 年建成，呈 8 字形，由许多不同形式的弯路和直路所构成，为赛车提供了顺时针和逆时针两种行向。

图 19-20　铃鹿赛道图

3. 印第 500 大奖赛（图 19-21）

该比赛全称为印第安纳波利斯 500 英里大奖赛（Indianapolis 500-Mile Race），在美国印第安纳州波利斯赛车场进行（图 19-22），环形赛道周长 4km，一年一度的大奖赛要行驶 200 圈，总赛程 500mile（约 800km）。

图 19-21　印第 500 大奖赛

图 19-22　印第安纳波利斯赛车场

19.4 世界拉力锦标赛

WRC 精彩漂移
飞跃集锦

世界拉力锦标赛（World Championship）简称“WRC”，又叫集合赛、多日赛，是英语单词“Rally”（集合）的音译（图 19-23）。WRC 的参赛车辆必须严格按照比赛规定的行驶路线，在规定的时间内，到达每一个地点进行比赛。WRC 是与 F1 齐名的另一个世界顶级汽车赛事，各队车手驾驶经过专业改装的量产车，转战全球各地，战胜包括沙石、冰雪、泥泽、雨地在内的种种恶劣地形，才能决出最终的王者，被誉为世界上最严苛的汽车拉力赛。

图 19-23　世界拉力锦标赛

WRC 参赛车（图 19-24）必须为各大汽车厂家年产量超过 2500 辆的原型轿车，必须经过不同程度的改装方可参赛。无限制改装的称为 A 组赛车，除了保留外形、原厂标志以外，几乎所有的部件都可以改装。有限制改装的称为 N 组赛车，只允许进行安全改装和有限的性能改装，发动机内部必须维持民用车的标准。

图 19-24　WRC 参赛车

拉力赛的赛段为各种临时封闭后的普通道路，包括山区和丘陵的盘山公路、沙石路、泥泞路、冰雪路等，也有无法封闭的沙漠、戈壁、草原等地段。复杂的地形和漫长的赛程不仅考验车手的车技和经验，还要考验领航员的配合、车辆的性能以及车队保障的力量。

大型拉力赛的车队往往由几十名队员和多种运输工具组成，其中有负责传递信息的摩托车、装载备用部件的货车、医疗用车，甚至有时还有直升机。每次比赛持续 5 天至二十几天不等，全年在世界各地举行 13 站（也有过 7 站、16 站等情况）比赛，每个分站产生一对车手和领航员分站冠军，全年各分站成绩总积分最高的一对车手和领航员赛手成为当年度的 WRC 世界冠军。

图 19-25 蒙特卡罗汽车拉力赛

图 19-26 巴黎—达喀尔汽车拉力赛

世界上较为著名的汽车拉力赛有蒙特卡罗汽车拉力赛、巴黎—达喀尔汽车拉力赛等。

1. 蒙特卡罗汽车拉力赛（图 19-25）

蒙特卡罗位于法国、意大利之间的一个欧洲小国摩纳哥，也是一个著名的赌城。1911 年，欧洲 10 国进行了以各自首都为起点，到摩纳哥的蒙特卡罗集合的汽车长途拉力赛，全程限 7 天完成，以各自行驶的平均速度作为胜负的标准。这次比赛，以 RALLY 命名，成为世界上第一次正式的汽车拉力赛。以后比赛每年 1 月举行，路线在摩纳哥附近的山区，由于冬季冰雪，行驶条件十分恶劣。比赛全程约 5000km，赛程 4~5 天。

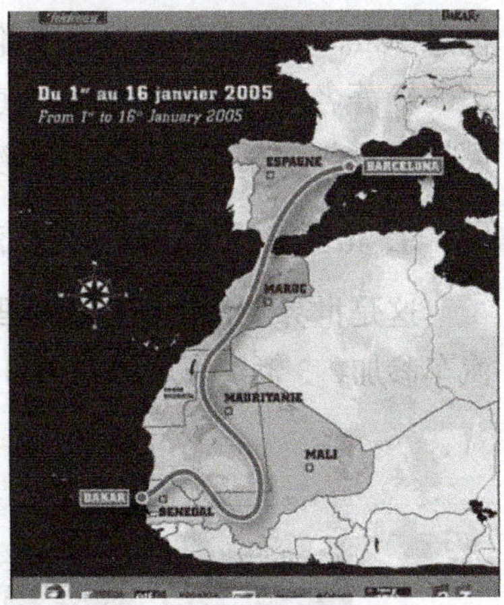

图 19-27 2005 年巴黎—达喀尔汽车拉力赛路线图

2. 巴黎—达喀尔汽车拉力赛（图 19-26）

巴黎—达喀尔拉力赛是世界上最长、最艰苦的汽车拉力赛之一。图 19-27 是 2005 年的巴黎—达喀尔拉力赛路线图。该拉力赛自 1979 年开始，每年 1 月举行。从法国巴黎出发，乘船渡过地中海，在非洲北部上岸。然后，穿越非洲的撒哈拉大沙漠、潮湿的热带雨林及各种崎岖的路段。赛手白天要经受 40℃的高温，晚上又要在零下的低温中度过，最后到达塞内加尔的首都达喀尔，总行程约 13000km，历时约 20 天，是一场人与自然真正较量的比赛。

3. 其他汽车拉力赛

（1）港京汽车拉力赛

图 19-28 中国车手卢宁军

该赛事从 1985 年开始举办，从香港出发，途经广东省韶关市的世界地质公园丹霞山，再经长沙、武汉、郑州、石家庄，终点为北京天安门广场，总行程约 3900km，历时约 7 天。中国车手卢宁军（图 19-28）在 1986 年勇夺冠军。这是中国车手首次在国际汽车拉力赛上取得优良成绩。1999 年，港京汽车拉力赛停办。

（2）东非沙法里汽车拉力赛（图 19–29）

比赛从 1953 年起每年举行一次，途径肯尼亚、乌干达等国家，路面条件十分恶劣，路线长达 6000km，赛程 4~5 天。

除上述拉力赛以外，还有 1971 年从英国伦敦到澳大利亚悉尼的拉力赛，以及摩洛哥、奥地利阿尔卑斯、法国阿尔卑斯、希腊阿克罗波拉斯、美国奥林巴斯、芬兰千湖等拉力赛。

图 19–29　东非沙法里汽车拉力赛

19.5 越野赛

越野赛（图 19–30）是在一个国家或几个国家的公路和自然道路上进行的汽车比赛。总行程超过 10000km 的称为马拉松越野赛。

越野赛不同于拉力赛，比赛必须在白天进行。除国际汽联特别批准外，赛程不得超过 15 天，每经过 10 个阶段后，至少休息 18h。参赛车辆必须是全轮驱动汽车。

图 19–30　越野赛

较著名的比赛有巴黎—北京马拉松汽车越野赛、突尼斯沙漠挑战赛、阿拉伯联合酋长国沙漠挑战赛等。

1. 北京 – 巴黎马拉松汽车越野赛

这是世界上最早的汽车越野赛，在 1907 年举行（图 19–31）。汽车从北京出发，有 5 辆汽车参加，3 辆汽车历经两个月才到达巴黎。图 19–32 是当时赛车经过八达岭长城的情况。

图 19–31　北京—巴黎马拉松汽车越野赛（图为驶出德胜门）

图 19–32　赛车经过八达岭长城

1992 年 9 月，又举行了一次巴黎—北京马拉松越野赛。比赛从巴黎出发，经莫斯科，进入我国新疆，最后到达北京。全程 16135km，途经 11 个国家，历时 27 天，有 50 辆赛车在规定时间内跑完全程。

2. 突尼斯沙漠挑战赛

突尼斯位于非洲大陆最北端，是世界上少数几个集中了海滩、沙漠、山林和古文明的国家之一，是悠久文明和多元文化的融合之地。2022年，突尼斯沙漠挑战赛精彩瞬间见图 19–33。

图 19–33 突尼斯沙漠挑战赛精彩瞬间

3. 阿拉伯联合酋长国沙漠挑战赛（图 19–34）

阿拉伯联合酋长国的夏季（4 月—10 月）酷热潮湿，气温达到 45℃以上，湿度达 100%，局部有小沙暴。世界最高级别的越野赛车手每年参加阿拉伯联合酋长国举办的沙漠挑战赛。

图 19–34 阿拉伯联合酋长国沙漠挑战赛

19.6 其他汽车赛

1. 直线竞速赛（Drag Racing）

直线竞速赛也称为冲刺赛，是一种由静止加速起跑的竞赛，属于汽车场地赛的一种（图 19–35）。比赛按不同车型及发动机工作容积分为 12~14 个级别，在两条并列长 1500m、宽 15m 的直线柏油跑道上进行，实际比赛距离为 402.336m（1/4mile）或 201.168m（1/8mile），胜者进入下一轮竞赛，负者被淘汰；然后，两个胜者再进行一对一比赛，最后一位胜者便是冠军。

图 19–35 直线竞速赛

比赛使用特别设计制造的活塞式或喷气式专用赛车，以汽油、甲醇或煤油为燃料，车重 500~1000kg，其中："高级酒精发烧友"（TAFC）级的发动机容积达 8930mL，输出功率 1838kW，速度达 382km/h；"三脚架高级燃料车"（TFD）级的发动机容积为 8127mL，输出功率 3680kW，速度可达 460km/h；"喷气发烧友"级的发动机输出功率和速度都是最大的。

图 19–36 老爷车赛

2. 老爷车赛（图 19–36）

老爷车赛开始于 1896 年，当时英国伦敦为庆祝汽车的诞生及放宽的交通条例（即废除"红旗条例"），举办了伦敦海德公园至布莱顿的汽车赛，总行程为 96km。后来演变成老爷车赛，由皇家俱乐部举办，每年 11 月的第一个星期日在伦敦举行。1927 年，第一届老爷车赛开始举行，当时规定只有 1905 年以前生产的汽车才能参加比赛（图 19–37、图 19–38），后来这个规定一直延续至今。作为历史最悠久的老爷车赛，它吸引了世界各地的老爷车主参加。2008 年的参加者有皇室成员、美国领事及 F1 车手，老爷车数量达到了 550 辆。老爷车赛现在已经风靡全世界（图 19–39）。1997 年，英国绅士菲利普·杨帝主办了一次世界范围内的老爷车拉力赛，来自世界 20 多个国家和地区的 92 辆老爷车参加了由北京到巴黎的老爷车拉力赛，在世界范围内掀起了一股老爷车旋风。

2000 年，欧洲老爷车协会组织了"环游地球 80 天"老爷车全球行拉力赛，有 100 辆老爷车参赛，从伦敦出发，途经北京、纽约，80 天之后再次返回伦敦。中国的老爷车收藏家雒文有（图 19-40）受到邀请，驾驶“大红旗”出征，参加了中国段的比赛。

图 19-37　1896 LUTZMANN 4HP VICTORIA

图 19-38　L&K Voiturette A

图 19-39　英国老爷车赛

图 19-40　中国的老爷车收藏家雒文有

3. 房车世界杯（图 19-41）

房车世界杯（World Touring Car Cup，WTCR），是于 2018 年由 FIA 举办，是著名的 WTCC 赛事与 TCR 系列赛合并后的一项全新比赛，也是获得国际汽联认可的一项与 F1 和 WRC（世界汽车拉力锦标赛）齐名的顶级房车赛事。

图 19-41　房车世界杯

WTCR 采用 TCR 技术规则（即前轮驱动，2.0L4 缸涡轮增压直喷发动机，最大功率约 257kW，最高速度 260km/h），使参赛成本更低。WTCR 赛车必须以量产车为基础进行改装，赛事仅对个人车队进行合作，禁止厂商直接参赛，厂商只能给予车队有限的技术支持。WTCR 为了平衡各个车队实力，使比赛更加精彩，还在比赛中加入了 BOP 和 CW 规则。

WTCR 赛程由练习赛、排位赛、正赛三部分组成。WTCR 赛事积分由排位赛积分、第一场正赛积分、第二场正赛积分合计而成。获得积分规则见图 19-42。

排位赛

排位名次	第一名	第二名	第三名	第四名	第五名
获得积分	10	8	6	4	2

正赛一

完赛名次	1	2	3	4	5	6	7	8	9	10	11	12	13	14	15
获得积分	30	23	19	16	14	12	10	8	7	6	5	4	3	2	1

正赛二

完赛名次	1	2	3	4	5	6	7	8	9	10	11	12	13	14	15
获得积分	25	20	16	13	11	10	9	8	7	6	5	4	3	2	1

图 19-42　WTCR 赛事积分规则

4. 派克峰国际汽车爬山赛（图 19-43）

这是一个每年 7 月都会在美国科罗拉多州的派克峰（Pikes Peak）山进行的汽车爬山赛，历史悠久，首度举办于 1916 年。赛道全程共接近 20km，沿途共有 156 个弯道，是全世界比赛场地海拔最高（4301m）、车辆性能水平也最高的越野赛车活动之一。

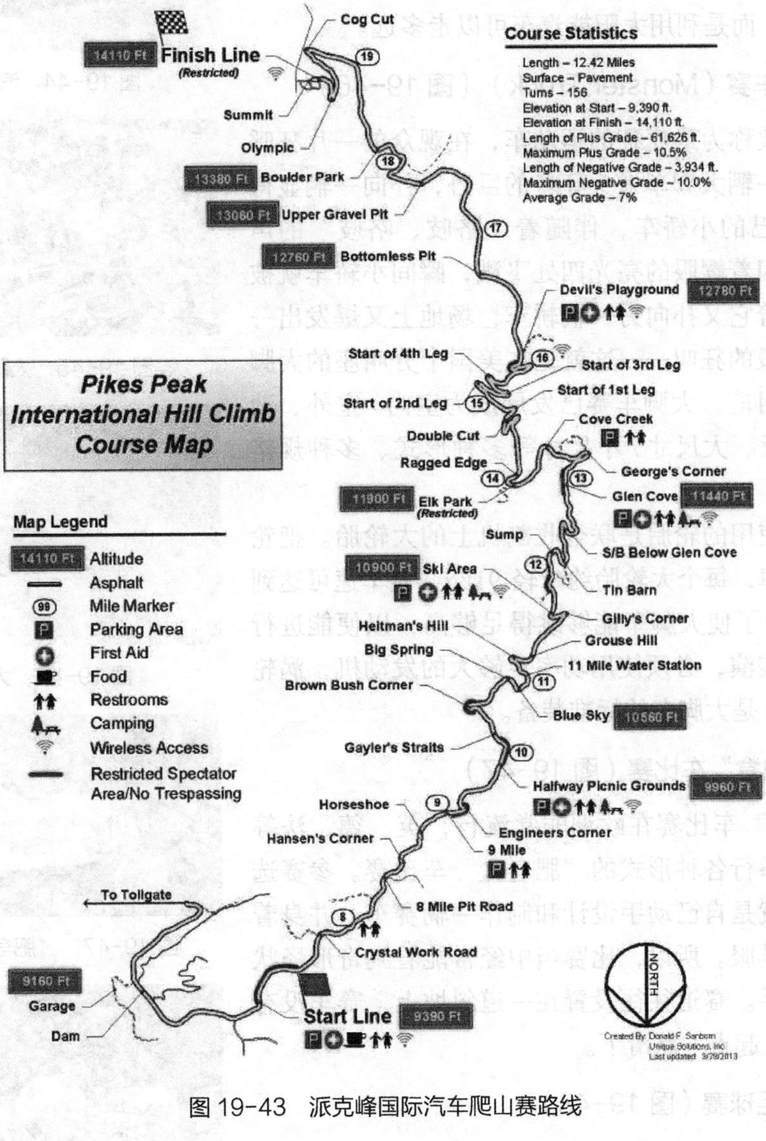

图 19-43 派克峰国际汽车爬山赛路线

5. 汽车漂移赛（图 19-44）

漂移是赛车术语，指让车头的指向与车身实际运动方向之间产生较大的夹角，使车身侧滑过弯的系列操作。漂移是一种极具观赏性的驾驶方式，在拉力赛中也是一项常用的技术。这些年漂移在国内很热门，尤其是很多年轻的驾驶员都喜欢，但方法不当会造成事故。

图 19-44　汽车漂移赛

6. 太阳能汽车赛（图 19-45）

太阳能汽车赛的比赛用车的动力能源不是汽油，而是太阳能。目前，许多国家都举办太阳能汽车比赛，但最有名的是自1987年开始举办的澳大利亚太阳能汽车挑战赛。比赛路程长3000km，比赛目的不是考验驾驶员能开多远，而是利用太阳能汽车可以走多远。

图 19-45　太阳能汽车赛

7. 大脚车赛（Monster Truck）（图 19-46）

大脚车被称为最疯狂的运动车，在观众的一片狂呼尖叫声中，一辆大脚车像头狂暴的巨兽，扑向一辆显得有些可怜巴巴的小轿车，伴随着“咯吱、咯吱”的声音，碎玻璃闪着耀眼的亮光四处飞溅，瞬间小轿车就被碾扁了。接着它又扑向另一辆轿车，场地上又爆发出一阵山呼海啸般的狂叫——这就是在美国十分叫座的大脚车赛场面。目前，大脚车赛已发展成为室内 / 室外、动力版 / 脚踏版、大尺寸 / 小尺寸等多种形式、多种规格的比赛。

大脚车使用的轮胎是联合收割机上的大轮胎。把轮胎的花纹削掉，每个大轮胎约减轻91kg，使车速可达到120km/h。为了使大脚车能够跳得足够高，以便能进行惊险的空中表演，必须使用功率足够大的发动机，涡轮增压器目前已是大脚车的标准装备。

图 19-46　大脚车赛

8. “肥皂盒”车比赛（图 19-47）

“肥皂盒”车比赛在欧洲非常流行，英、德、法等国每年都会举行各种形式的“肥皂盒”车比赛。参赛选手需要做的就是自己动手设计和制作一辆赛车，并身着相应的奇装异服。所以，比赛当中经常能看到奇形怪状的赛车和车手。赛道往往设置在一道斜坡上，赛车没有动力装置，从起点一路滑下。

图 19-47　“肥皂盒”车比赛

9. 汽车足球赛（图 19-48）

图 19-48　汽车足球赛

近年来，在美国和法国等国家兴起了一种“新式足球运动”——汽车足球。参赛的运动员不用脚踢球，而是要开着甲虫一般的汽车追击足球，把足球撞进对方球门。这种比赛所用的球比一般足球大得多，运动员都戴着防撞头盔，车身四周也加有防护设备，以防相撞时发生意外。

10. 汽车跳远比赛（图 19–49）

国外盛行一种汽车跳远比赛。法国年轻赛车运动员迪埃里·罗宾在一次比赛中，驾驶汽车以 165km/h 的速度疾驰，然后汽车冲上高度为 5.6m 的助跑道斜面腾空越起，在空中“飞越”一段距离后，再重重地落在由数千个纸盒堆成的“沙坑”里，而迪埃里·罗宾却从倾倒的汽车左门安然无恙地爬了出来，观众对他的表演惊叹不已。他创造了汽车腾空“跳远”101.17m 的世界纪录。

图 19–49　汽车跳远比赛

11. 泥潭汽车大赛（图 19–50）

美国的德克萨斯州近年来兴起一种泥潭汽车比赛，参赛车均为改装的小轿车和小货车。比赛是在一个长 60m、宽 23m 的人造泥潭中进行。赛手们经过抽签后，驾车开进泥潭。跑完全程的最好成绩为 9s。泥潭汽车大赛也在世界其他地方兴起。

图 19–50　泥潭汽车大赛

12. 汽车趣味赛（图 19–51）

汽车趣味赛的宗旨是，怎么有趣怎么玩。比赛的规则和方式都是由组委会自行确定的：有可能是装人最多、跑得最快；也有可能是倒车最久、绕桩最好、往返直线竞速；还有可能是让汽车跳舞跳得最好、跳得最远、爬得最高等。

汽车比赛五花八门，除上述汽车比赛外，还有汽车沙滩赛（图 19–52）、滑稽车比赛（图 19–53）、毁车比赛和汽车选美赛（图 19–54）等。

近年来，随着无人驾驶汽车技术的快速发展，智能汽车竞赛不断涌现，图 19–55 为我国 2022 年举办的智能网联汽车大赛。

图 19–51　汽车趣味赛

图 19–52　汽车沙滩赛

图 19–53　滑稽车比赛

图 19–54　汽车选美赛

图 19–55　2022 年智能网联汽车大赛

19.7 著名 F1 车队与赛车手

1. 著名 F1 车队

（1）法拉利（Ferrari）车队

1929 年建队，1950 年首次参加一级方程式比赛，1961 年、1964 年、1975 年、1976 年、1977 年、1979 年、1982 年、1983 年、1999 年、2000 年、2001 年、2002 年、2003 年、2004 年、2007 年、2008 年，法拉利车队均获得了世界车队冠军。

图 19-56、图 19-57 为 2023 年法拉利车队赛车和 2023 年赛季车手。

图 19-56　2023 年法拉利 SF-23 赛车

图 19-57　法拉利车队 2023 年赛季车手

（2）迈凯轮（Melaren）车队

迈凯轮车队由布鲁斯·迈凯轮于 1963 年创建。1966 年首次参赛，1974 年、1984 年、1985 年、1988 年、1989 年、1990 年、1991 年、1998 年，迈凯轮车队均获得了世界车队冠军。图 19-58、图 19-59 为 2023 年迈凯轮车队赛车和 2023 年赛季车手。

图 19-58　2023 年迈凯轮 MCL60 赛车

图 19-59　迈凯轮车队 2023 年赛季车手

（3）威廉姆斯车队

1977 年建立，1980 年、1981 年、1986 年、1987 年、1992 年、1993 年、1994 年、1996 年、1997 年，威廉姆斯车队均获得了世界车队冠军。

图 19-60、图 19-61 为 2023 年威廉姆斯车队赛车和 2023 年赛季车手。

（4）梅赛德斯 AMG 车队（Mercedes-AMG Team）

梅赛德斯 AMG 车队全称梅赛德斯 AMG 马石油 F1 车队（Mercedes-AMG Petronas F1 Team），总部位于英国布拉克利，以德国制造商身份参赛，成立于 2010 年。2014 年、2015 年、2016 年、2017 年、2018 年、2019 年、2020 年、2021 年，梅赛德斯 AMG 车队连续 8

年获得了世界车队冠军。

图 19–62、图 19–63 为 2023 年梅赛德斯 AMG 车队赛车和 2023 年赛季车手。

图 19–60　2023 年威廉姆斯 FW45 赛车

图 19–61　威廉姆斯车队 2023 年赛季车手

图 19–62　2023 年梅赛德斯 AMG W14 赛车

图 19–63　梅赛德斯 AMG 车队 2023 年赛季车手

（5）红牛车队

红牛车队是奥地利 Red Bull 公司旗下的一级方程式车队之一，中文全称甲骨文奥地利 Red Bull（红牛）车队。2010 年、2011 年、2012 年、2013 年、2022 年、2023 年红牛车队均获得了世界车队冠军。

图 19–64、图 19–65 为 2023 年红牛车队赛车和 2023 年赛季车手。

图 19–64　2023 年红牛 RB19 赛车

图 19–65　红牛车队 2023 年赛季车手

（6）其他著名车队

其他著名车队有阿斯顿·马丁车队、阿尔法·罗密欧车队、Alpine 车队、哈斯车队、Alpha Tauri 车队、蓝旗亚车队、莲花车队等。

2. 著名赛车手

（1）胡安·曼纽尔·方吉奥（图 19–66）

1911 年出生在阿根廷一个工厂主家庭，1934 年进入赛车界。

1951 年、1954—1957 年 5 届 F1 年度总冠军。他是赛车史上的一位传奇人物、一代元老、一个神话。

图 19-66　胡安 · 曼纽尔 · 方吉奥

（2）尼克·劳达（图 19-67）

1949 年出生在奥地利。1971 年开始参加 F1 大赛，三次世界冠军得主。

（3）阿兰·普罗斯特（图 19-68）

1955 年生于法国圣日尔曼，早年以卡丁车汽车赛起家，夺得两次法国冠军。1979 年转入 F3，1980 年加盟迈凯轮车队，开始了其 13 年的 F1 历程。共夺得 4 次 F1 年度总冠军，在 F1 的历史上居于第二位，迄今他仍保持着获得 51 次 F1 分站赛冠军的世界纪录。

图 19-67　尼克 · 劳达

（4）埃尔顿·塞纳（图 19-69）

1960 年出生在巴西圣保罗，13 岁时就参加卡丁车比赛，17 岁时夺得南美冠军。1984 年进入 F1 车队，1988 年、1990 年、1991 年三度夺得 F1 年度总冠军。这位天才车手 1994 年在圣马力诺伊莫拉赛道代表威廉姆斯车队参赛时发生事故，不幸遇难。

图 19-68　阿兰 · 普罗斯特

（5）迈克尔·舒马赫（Michael Schumacher）（图 19-70）

1969 年 1 月 3 日出生于德国许尔特，到 2004 年已获得 F1 7 次年度总冠军，创造了车手五连冠的神话，独占 F1 冠军榜首席。2006 年，退出 F1。2010 年，正式复出。2012 年，再次宣布退役。

图 19-69　埃尔顿 · 塞纳

（6）赛巴斯蒂安·维特尔（Sebastian Vettel）（图 19-71）

1987 年 7 月 3 日出生于德国黑彭海姆，2010—2013 年 4 次年度总冠军，并在 2013 年维特尔创造了单赛季 9 连胜的纪录。2015 年，转投法拉利车队；2021 年，加盟阿斯顿·马丁车队。

图 19-70　迈克尔 · 舒马赫

（7）其他著名赛车手

其他著名 F1 车手及拉力赛车手还有布拉海姆、斯图尔特、皮盖特、阿斯卡利、格拉汉姆·希尔、菲蒂鲍尔蒂、哈基宁、阿隆索、莱克宁、汉密尔顿、肯库宁、马基宁、麦克雷、塞恩斯等。

图 19-71　赛巴斯蒂安 · 维特尔

向世界展现中国速度——周冠宇

一路难与险，成就了他的梦与愿，中国首位 F1 车手周冠宇，就像刘翔对于田径、姚明对于篮球。从卡丁车到 F4(普及型方程式)、F3、F2，再到如今的 F1，一路的艰辛、起伏和挫折磨炼了他，他却凭借出色的战绩“打怪升级”。

周冠宇的成功离不开他坚持不懈的努力，日复一日的训练。他这种不怕困难、勇敢、坚强的意识品质，激励着更多的年轻人、更多的企业投入到汽车运动与汽车文化的传播中。

任务小结

1. 汽车竞赛是指利用汽车在各种道路上进行汽车性能（速度、耐力、油耗等）和驾驶技术等比赛的一种活动，它考验和锻炼人的勇气、意志、毅力和技术，也考验着汽车的性能，极大地推动了汽车科技的发展和汽车的销售。

2. 汽车竞赛按是否有固定场地分为场地赛和非场地赛。著名汽车竞赛主要有方程式汽车赛、耐力赛、世界拉力锦标赛、越野赛等。

3. F1 汽车赛是目前世界上速度最快、费用最昂贵、技术最高的比赛。

4. 电动方程式汽车赛（FE）旨在推动新能源汽车技术的发展和治理环境污染。

5. 世界著名 F1 车队有法拉利车队、迈凯轮车队、威廉姆斯车队、梅赛德斯 AMG 车队、红牛车队等。

课后测试

1. 不定项选择题

（1）目前世界上速度最快、费用最昂贵、技术最高的汽车比赛是（　　）。

A. F1　　B. F2　　C. F3　　D. F4

（2）以下哪些赛事属于耐力赛？（　　）

A. 法国勒芒 24h 耐力锦标赛

B. 日本铃鹿 8h 耐力锦标赛

C. 印第 500 大奖赛

D. 蒙特卡罗汽车拉力赛

（3）首次 F1 正式比赛于 1950 年在（　　）举行（　　）获得大奖赛冠军。

A. 德国的霍根海姆赛道

B. 英国的银石赛道

C. 朱塞佩·法里纳

D. 胡安·曼努尔·方吉奥

2. 填空题

（1）汽车竞赛是指利用汽车在各种道路上进行________和________等比赛的一种活动。

（2）F1 赛道最短的是________，单圈长度为 3.3km；最长的是比利时的________赛车场，单圈长度为 6.9km 。

（3）WTCR 赛程由练习赛、________、________三部分组成。

3. 思考题

（1）请回答任务描述所提出的问题。

（2）请现场观看或在电视上看一场汽车竞赛，谈谈比赛的类型、规则和个人的感想。

09

项目

百花齐放的汽车组织文化

继前面介绍的汽车展览和汽车运动外，还有百花齐放的汽车俱乐部、汽车学会与协会、汽车媒体等汽车组织，为汽车的普及、推广、发展、服务和娱乐起了巨大作用，是汽车文化的重要组成部分。

项目 09

任务 20 检索著名汽车组织

学习目标

- 能描述汽车俱乐部、汽车学会与协会、汽车媒体的组织性质和作用。
- 能熟练获取汽车信息。
- 树立爱岗敬业意识与服务意识。

任务描述

检索汽车俱乐部的性质和主要作用。

知识参考

20.1 汽车俱乐部

1. 汽车俱乐部（图 20-1）简介

汽车俱乐部是由汽车车主及汽车爱好者组织起来的一种联谊组织。现阶段，世界范围内已有 100 多个全国性汽车俱乐部和附属机构，还有一些各国汽车俱乐部的联合组织。

图 20-1 汽车俱乐部

2. 汽车俱乐部的主要作用

汽车俱乐部的主要作用包括：举办各种活动（发行刊物、举办展览、车赛等），宣传汽车的优点，促进汽车的普及和使用；呼吁政府大力建设公路，放宽对汽车使用的限制，制定有利于汽车发展的政策和法规；为会员提供各种服务，如汽车驾驶培训、汽车救援、组织驾车旅游、代办汽车保险、维修、加油、停车等服务。

3. 世界主要国家的汽车俱乐部

1）最早的汽车俱乐部是美国汽车协会（American Automobile Association，AAA），其总部位于佛罗里达州的希思罗（图 20-2）。

美国汽车协会于 1902 年 3 月 4 日在伊利诺伊州芝加哥成立，目的是解决当时缺乏适合汽车行驶的道路和公路的问题。最初，九个汽车俱乐部共计 1500 名会员联合成立了美国汽车协会，目前在美国和加拿大已拥有超过6000万会员。美国汽车协会在呼吁建立美国的国家公路系统及维护汽车用户利益方面发挥了重要作用，在汽车的普及和汽车服务上也做了大量工作。同时，美国汽车协会也是世界上最大的“美国快速旅行支票”的销售者，向会员们卖出了数千万美元的信用卡、旅行支票、保险单、行李票。

图 20-2　美国汽车协会

2）德国的全德汽车俱乐部（Der Allgemeine Deutsche Automobil-Club e. V.，简称ADAC）是欧洲最大的交通俱乐部，总部位于慕尼黑（图20-3）。1903年5月24日，该俱乐部在斯图加特的诗尔铂酒店成立，最初名为德国摩托车驾驶者联盟（德语：Deutsche Motorradfahrer-Vereinigung），并于1911年更名为全德汽车俱乐部（ADAC）。目前，ADAC拥有约2140万会员，是仅次于美国AAA的世界第二大汽车俱乐部。

图 20-3　全德汽车俱乐部

ADAC在德国境内设有多个交通安全中心，其最早且最著名的服务是交通事故救援。俱乐部通过直接或附属公司为德国的汽车、摩托车和小型船只驾驶员提供各种服务，并出版地图和交通图。ADAC的所有交通救援车辆均为黄色，因此被德国人称为“黄色天使”。

图 20-4　澳大利亚汽车俱乐部

3）澳大利亚汽车俱乐部（图20-4）创建于1905年，目前已发展会员近600万。从1991年起，澳大利亚全国统一启用提供道路服务的单一号码系统，这个号码为“131111”，依靠这一电话号码系统，可以随时保证待援者与救援中心的联系，平均每个会员每年有一次要求提供救援服务的权利。

图 20-5　大陆汽车俱乐部

4）我国最早的汽车俱乐部是1995年建立的北京大陆汽车援救中心，即现在的大陆汽车俱乐部（CAA）（图20-5），隶属于澳大利亚保险集团。我国的汽车俱乐部目前已经在北京、上海、广州等许多大城市展开，主要进行汽车救援、售后服务、技术维修、旅游、越野、赛车、摄影等工作。

爱岗敬业、诚信服务——“大陆救援”深入人心

365天、每天24小时，在接到救援电话后的45分钟之内赶到车主的身边，平均到达时间为18分钟。在高达86%的情况下，专业技术人员在现场直接排除故障，若无法排除的故障，派拖车将客户的爱车拖到本人指定的维修地点。大陆汽车俱乐部技术人员凭借爱岗敬业的意识，专心、专注、专业的服务承诺，使得“大陆救援”深入人心，客户满意度高达96%。诚信的服务也巩固了大陆汽车俱乐部作为“北京最专业高效的汽车救援和服务组织”的地位。

20.2 汽车学会与协会

汽车学会是由汽车科技工作者自愿组成的社会组织，主要进行汽车科技方面的学术研究与交流。汽车协会是由汽车制造企业及汽车相关行业的企事业单位和团体组成的社会组织，主要进行汽车研发、制造与管理方面的技术交流。以下简要介绍国内外部分著名的汽车学会与汽车协会。

1. 国际汽车工程师学会联合会（FISITA）

国际汽车工程师学会联合会于 1948 年在巴黎成立，是世界性汽车工程师学会联合组织，旨在通过各种先进汽车技术交流提高汽车的研究水平和发展速度。

图 20-6　FISITA 2012 年年会

FISITA 年会每两年举办一次，每次年会就当时世界汽车工业发展的主题进行研讨和展开科学技术交流，并同时举办展览会，展示汽车新技术，是当前世界上规格最高、规模最大的汽车专业技术会议之一。FISITA 1994 年年会和 FISITA 2012 年年会（图 20-6）曾在北京成功举办。

2. 国际汽车制造商组织（OICA）

图 20-7　国际汽车制造商组织

国际汽车制造商组织成立于 1919 年，总部设在巴黎（图 20-7）。它是由世界各国汽车制造商组织组成的国际组织。中国汽车工业协会是其会员单位。

OICA 主要职责包括：代表全球汽车工业界参与联合国汽车法规协调活动；研究汽车工业界普遍关心的问题以及各国汽车行业的政策等事项；关于道路交通运输领域 CO_2 减排综合方法的研究；汇集整理和公布全球汽车生产的统计数据和组织安排国际汽车展览会事宜。

3. 美国汽车工程师协会（SAE）

美国汽车工程师学会成立于 1902 年，是美国乃至世界汽车工业（包括航空和海洋）有重要影响的学术团体，现有会员约 69000 人，分别来自全球 90 多个国家和地区。SAE 每年在美国底特律举办各种学术会议和汽车博览会进行学术交流，展示最新科技成果，是世界上汽车、海洋和航空 / 航天运输机械技术信息的资源之一。SAE 每年都推出大量的标准资料、技术报告、参数（工具）书籍和特别出版物，建有庞大的数据库。SAE 所制定的标准不仅在美国国内被广泛采用，而且成为国际上许多国家工业部门和政府机构在编制标准时的依据，为国际上许多机动车辆技术团体广泛采用，成为国际上最著名的标准体系。

4. 中国汽车工程学会（China-SAE）

中国汽车工程学会成立于 1963 年，是由中国汽车科技工作者自愿组成的全国性、学术性法人团体（图 20–8）。它是由中国科学技术协会主管的非营利性社会组织，是国际汽车工性、学术性法人团体，是国际汽车工程学会联合会常务理事，是亚太汽车工程年会（APAC）发起国之一。

图 20–8　中国汽车工程学会

中国汽车工程学会目前拥有个人会员数万人，团体会员数千家，其服务宗旨是：推动汽车工业科技进步，培养汽车科技人才，促进国内外汽车产业技术交流，传播、普及汽车科技知识，弘扬汽车文化，筑建科技工作者之家。

5. 中国汽车工业协会（CAAM）

中国汽车工业协会成立于 1987 年 5 月，是经中华人民共和国民政部批准的社团组织，地址设在北京（图 20–9）。它是国际汽车制造商组织的常任理事会员单位和副会长单位。中国汽车工业协会是在中国境内从事汽车（摩托车）整车、零部件及汽车相关行业生产经营活动的企事业单位和团体在平等自愿基础上依法组成的自律性、非营利性的社会团体，现有近 2000 家会员单位。

图 20–9　中国汽车工业协会

中国汽车工业协会以贯彻执行国家方针政策、维护行业整体利益、振兴中国汽车工业为己任，以反映行业愿望与要求、为政府和行业提供双向服务为宗旨，以政策研究、信息服务、行业自律、国家交流、会展服务等为主要职能，充分发挥提供服务、反映诉求、规范行为、搭建平台等方面的作用，以促进中国汽车行业健康快速发展。

20.3 汽车媒体

汽车媒体包括汽车报纸和杂志、汽车书籍出版机构、汽车网站等，是传播汽车信息、汽车技术和文化的重要手段，也是广大汽车工作者、汽车驾驶人、汽车修理技术人员提升技能水平的重要途径之一。

1. 汽车报纸和杂志

国外著名汽车报纸和杂志主要有《汽车与驾驶员》（美国）（图 20–10）、《汽车趋势》（美国）、《汽车杂志》（美国）、《汽车技术杂志》（德国）、《自动车技术》（日本）、《汽车工程师》（法国）、《汽车工程师》（英国）、《汽车工程》（意大利）、《汽车工业》（俄罗斯）等。

国内著名汽车报纸和杂志主要有《汽车工程》《世界汽车》《中国汽车报》《汽车之友》《汽车与配件》《汽车维修与保养》以及《汽车技术》（图 20–11）等。

图 20–10　美国《汽车与驾驶员》

图 20–11　《汽车技术》杂志

2. 汽车书籍出版机构

汽车书籍出版机构是指进行汽车图书、图画和电子物品等有版权物品的出版活动的组织，一般以出版社、出版集团等形式出现，如英国的培生集团、美国的汤姆森学习出版集团、德国的贝塔斯曼集团，以及中国的机械工业出版社、人民交通出版社、高等教育出版社等。它们每年都出版海量的汽车图书及教材，广泛进行汽车知识传播，是人们系统获取汽车知识的重要途径。

3. 汽车网站

汽车网站能及时反映汽车的新信息，每天都有大量的国内外汽车发展新动态、新技术，以及广大网民的意见和评论，是快速获取汽车信息的一种方法。

国内主要专业汽车网站见表20-1。除此之外，还有大量的汽车集团公司网站，汽车销售、学校及个人创办的网站，它们根据各自需要介绍汽车的相关内容，各有特色。

表20-1　国内主要专业汽车网站

序号	网站名称	网站地址
1	中国汽车工业协会	http://www.caam.org.cn
2	汽车之家	https://www.autohome.com.cn
3	懂车帝	https://www.dongchedi.com
4	易车	https://www.yiche.com
5	爱卡汽车网	https://www.xcar.com.cn
6	太平洋汽车	https://www.pcauto.com.cn
7	凤凰网汽车	https://auto.ifeng.com
8	搜狐汽车	https://auto.sohu.com
9	58汽车	https://www.58che.com
10	新浪汽车	https://auto.sina.com.cn
11	腾讯网－汽车	https://news.qq.com/ch/auto
12	中国汽车报	http://www.cnautonews.com
13	驾校一点通	https://www.jxedt.com
14	新能源汽车网	http://www.chinanev.net
15	汽车维护与修理	http://www.autorepair.com.cn

任务小结

1. 汽车俱乐部是由汽车车主及汽车爱好者组织起来的一种联谊组织，主要任务是为会员提供各种汽车服务，也是与政府沟通的一个渠道。

2. 汽车学会是由汽车科技工作者自愿组成的社会组织，主要进行汽车科技方面的学术研究与交流。汽车协会是由汽车制造企业及汽车相关行业的企事业单位和团体组成的社会组织，主要进行汽车研发、制造与管理方面的技术交流。

3. 汽车媒体包括汽车报纸和杂志、汽车书籍出版机构、汽车网站等，是传播汽车信息、汽车技术和文化的重要手段。

课后测试

1. 不定项选择题

（1）汽车俱乐部是由汽车（　　）组织起来的一种（　　）组织。

A. 经销商　　B. 车主　　C. 调研　　D. 联谊

（2）汽车俱乐部能为会员提供哪些服务？（　　）

A. 汽车驾驶培训　　B. 汽车救援

C. 组织驾车旅游　　D. 代办汽车保险

（3）汽车媒体包括（　　）等，是传播汽车信息、汽车技术和文化的重要手段。

A. 汽车报纸和杂志　　B. 汽车 4S 店

C. 汽车书籍出版机构　　D. 汽车网站

2. 填空题

（1）汽车学会是由________自愿组成的社会组织，主要进行________方面的学术研究与交流。

（2）汽车书籍出版机构是指进行汽车________、________和电子物品等有版权物品的出版活动的组织。

3. 思考题

（1）调研一家汽车俱乐部是如何组织各种活动的，之后写一篇报道并在全班交流。

（2）检索中国汽车工业协会本年度的工作安排。

10

项目 发人深思的汽车名人趣事

汽车在全世界的迅速发展和普及，给人类社会发展和生产生活带来了巨大的贡献，无数的汽车名人功不可没，他们的艰苦奋斗创业故事和坚忍不拔的探索精神，给后人留下了极其宝贵的精神财富，永远值得我们学习和深思。

任务 21　检索汽车名人及故事

学习目标

- 能叙述汽车名人的生平事迹及其奋斗历程。
- 会分析总结汽车名人的经验与教训。
- 重温伟人经典故事，崇敬伟人，学习伟人精神。

任务描述

认识图 21-1 中的人吗？他们在做什么？他们对汽车做出了什么贡献？

图 21-1　看图说事

知识参考

21.1 卡尔 · 本茨及其夫人的故事

图 21-2　卡尔 · 本茨

卡尔·本茨（Karl Benz，1844—1929，图 21-2）发明了世界上第一辆三轮汽车，人称“汽车之父”。

卡尔·本茨 1844 年出生于德国，父亲是火车司机。从中学时期，本茨就对自然科学产生了浓厚的兴趣，1860 年进入一所综合科技学校学习发动机制造等课程。

1871 年组建了“卡尔·奔驰和奥古斯特·里特工厂”。1879 年 12 月制造出第一台单缸煤气发动机。1883 年创建奔驰公司莱茵煤气发动机厂。1888 年 10 月，研制出单缸汽油发动机，并安装在自己设计的三轮车架上，这辆汽车被公认为世界上第一辆汽车，并于 1886 年 1 月 29 日取得了世界上第一个“汽车制造专利”。

汽车刚出现时经常抛锚，本茨不敢驾驶它上街。宗教界认为他造了一个怪物，企图毁灭人类，要将本茨送到宗教审判台进行审判，本茨得到消息后逃到瑞士避难。

图 21-3　贝尔塔 · 本茨

卡尔·本茨的妻子贝尔塔·本茨（图 21-3）对本茨的汽车事业给予极大的支持。她对两个孩子说：“如果你们的爸爸没有勇气把汽车开上街，那么我来开。”

1888 年 5 月清晨，丈夫还在梦乡中，贝尔塔·本茨便唤醒了她的两个孩子，把汽车推出工作室，然后起动发动机，她要把它从曼海姆城开到 100km 之外的她的娘家普福尔茨海姆（图 21-1）。

马路两旁早起的人们一听到机器的响声都从窗口伸出头看热闹。忽然，汽车停住了，她发现油箱里没有燃料了，只好推着汽车走了一段路到维思洛赫的一家医院药房，买了几十小瓶汽油倒入油箱，这里便成了世界第一个“加油站”（图 21-4）。后来，制动不灵了，是皮革做的制动器磨损了，临近中午才找到皮匠把制动器修好。布鲁赫萨尔的一个铁匠帮助她修补了链条。化油器被堵塞了，她用帽子上的发针将其修好。点火导线发生短路，聪明的她用吊袜带作为绝缘垫将导线绝缘。历尽波折到达目的地，已经是傍晚时分，她的娘家人以及成千上万的人对贝尔塔·本茨的勇敢行动惊叹不已，贝尔塔·本茨被称为世界上第一个开汽车的女人。兴奋的贝尔塔·本茨立即给丈夫拍了一个电报：“汽车经受了考验，请速申请参加慕尼黑博览会。”贝尔塔·本茨这次行程意义重大，一是大力宣传了汽车，二是帮助本茨改进并完善了汽车。后来贝尔塔·本茨所走过的路被命名为贝尔塔·本茨纪念之路，以此纪念贝尔塔·本茨和她的历史性创举。2008 年 2 月 25 日，德国政府正式批准认可贝尔塔·本茨纪念之路为旅游观光路线，成为全长 194km 的德国工业文化动态纪念碑。

a）

b）

图 21-4　世界上第一个“加油站”和贝尔塔·本茨纪念雕塑

21.2 戈特利布·戴姆勒的故事

戈特利布·戴姆勒（Gottlieb Daimler，1834—1900，图 21-5），世界上第一辆四轮汽车的发明人，与卡尔·本茨同称“汽车之父”。

图 21-5　戈特利布·戴姆勒纪念邮票

戴姆勒于 1834 年 3 月 17 日出生在如今德国西南部巴符州中部的一个名叫舍恩多夫的小镇，出身于一个面包师的家庭，毕业于斯图加特高等工业学校。他从小热爱机械，特别对发动机有浓厚的兴趣，学徒后即能制造双管手枪。

他曾就职于奥托建立的道依茨发动机公司，改进了奥托四冲程发动机。1884 年 5 月制造出一台立式发动机（图 21-6），奠定了现代高速发动机的基础，取名“立钟”，并于 1885 年 4 月 3 日取得德国专利，成为世界上第一台立式发动机。1885 年 8 月 29 日，戴姆勒将该发动机安装在一辆车子上，取得“骑士式双轮车”专利权，它实际上是世界上第一辆摩托车。

1886年，为了庆祝妻子埃玛43岁生日，戴姆勒将该发动机装在一辆四轮马车上，成为世界上第一辆四轮汽车。

图 21-6　1884 年戴姆勒立式发动机

1890年，戴姆勒汽车公司成立，主要生产发动机，并在英国和奥地利开设分公司。戴姆勒不断改进发动机，于1899年改进了点火装置，从热管型改成了电点火，化油器也从表面型改成了喷雾型。从这时起，不仅是汽车，在飞机上也应用了这种汽油发动机。图21-7是1899年的戴姆勒汽车。

1926年6月，戴姆勒公司与奔驰公司合并，改名为戴姆勒－奔驰汽车公司。遗憾的是，虽然戴姆勒和卡尔·本茨居住的两座城市仅相距80km，但他们从未谋面。各自的公司在他们去世后由各自的继承人掌管。第一次世界大战之后通货膨胀，汽车销售陷入了困境，在这样的背景下，戴姆勒公司和奔驰公司由激烈竞争转为强强联合，开创了世界大公司联合的先河，一直至今。

图 21-7　1899 年的戴姆勒汽车

21.3 尼古拉斯·奥托的故事

尼古拉斯·奥托（Nicolais August Otto，1832—1891，图21-8），德国工程师。22岁时弃商，开始从事煤气发动机的试验工作。

1866年，奥托研制出具有划时代意义的立式活塞式四冲程内燃机，转速达到80～100r/min。翌年，此项发明荣获巴黎博览会金质奖章。

1876年，奥托对四冲程内燃机又作了改进，试制出第一台实用活塞式四冲程内燃机，转速提高到250r/min。1877年8月4日取得专利，并成批投入生产。

奥托还提出了内燃机的工作原理，即“奥托循环”（图21-9），可燃气体先在气缸中压缩，在点燃压缩可燃气体时产生较强的爆发力，提高了内燃机的热效率和输出功率。同时，他利用活塞的四个行程，把进气、压缩、做功及排气融为一体，使内燃机的结构紧凑和简化，从而推动了小型内燃机的实用化。奥托创建的内燃机工作原理，在现代汽车发动机上沿用至今。

图 21-8　尼古拉斯·奥托纪念邮票

1886年，奥托宣布放弃自己所获得的四冲程发动机专利，任何人都可根据需要随意制作，因为他看到了法国工程师罗彻斯写的一本小册子，是在奥托发明四冲程内燃机之前出版的，比较完整地提出了四冲程内燃机的原理。奥托这种尊重科学、实事求是的精神受到大家的一致赞赏。但是，第一个研制出这种内燃机的人却是奥托，因此后来人们仍然把四冲程循环称为奥托循环，把四冲程汽油机称为奥托机。

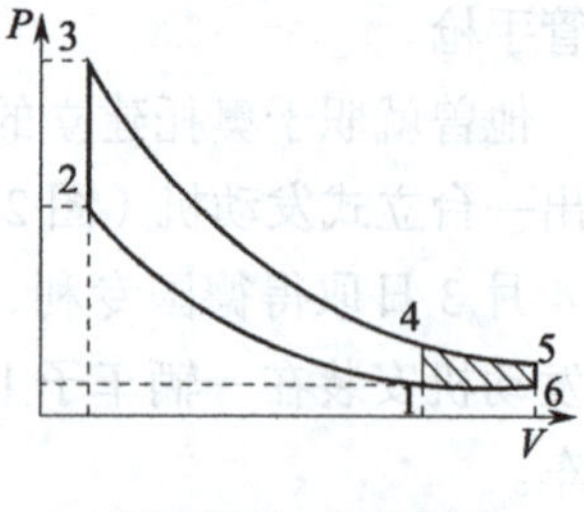

图 21-9　奥托循环

21.4 鲁道夫·狄塞尔的故事

鲁道夫·狄塞尔（Rudolf Disesel，1858—1913，图 21-10），德国工程师，柴油机发明人。

图 21-10　鲁道夫·狄塞尔纪念邮票

1858 年 3 月 18 日狄塞尔生于巴黎，在伦敦读了职业学校，并作为成绩最优秀的学生毕业。1875 年，他获得奖学金，进入慕尼黑工业大学读机械制造专业，喜欢物理和热力学，成绩优异，颇受著名教授林德的器重。1879 年，21 岁的狄塞尔毕业，在瑞士温特图尔一家机械厂任零件设计员，两年后回到巴黎任林德冷藏企业热机工程师、安装工和推销员。在工作中，他深感蒸汽机的效率低下，于是萌发了设计新型发动机的念头，并开始积蓄资金。1885 年，他辞去工程师职务，在巴黎设立了自己的发动机实验室。

1892 年，狄塞尔经过多年潜心研究，在题为“转动式热机的原理和结构”的论文中，第一个提出了压燃式柴油机的理论。他在 1892 年 1 月 28 日向柏林皇家专利局申请了发明专利，并于 2 月 27 日取得了柴油机的专利权。

1893 年，狄塞尔与奥格斯堡机器制造厂老板签订了试制合同，于当年试制出了试验柴油机，其缸径为 150mm，行程 400mm。试验时，首先用传动机带动运转，待运转趋向平稳时喷入燃料，不料刹那间像开炮似的一声轰鸣，装在上面的测功指示器像炮弹一样飞去，排气管内喷射出浓烟，不断地“乒乓”作响，火花四溅，吓得在场人员纷纷逃开，第一台样机失败了。1894 年 2 月 17 日，狄塞尔将改进后的柴油机再次试验，仅运行了一分钟，但有人称之为“划时代的一分钟”。

1897 年，狄塞尔制成了完全依靠压缩点火燃烧、以柴油为燃料的四冲程柴油机，这是一项震惊世界的卓越发明，1898 年投入商业性生产。

遗憾的是，狄塞尔晚年穷困潦倒，债务重重。1913 年 9 月，狄塞尔去伦敦旅行，在船上突然失踪，谜一般地死去了。人们为了纪念发明者，将柴油机称为“狄塞尔发动机”，获得了“人类最伟大的发明”金银纪念币奖。该套纪念币介绍了世界 18 项伟大的发明及其发明者，我国蔡伦的造纸术等发明名列其中。

21.5 亨利·福特的故事

图 21-11　《时代周刊》封面人物亨利·福特

亨利·福特（Henry Ford，1863—1947，图 21-11），美国福特公司创始人，人称“汽车大王”。

1863 年 7 月 30 日福特出生于美国密歇根州，其父是位农场主。福特从小就对机械充满了浓厚的兴趣，17 岁去密歇根汽车制造公司工作，别人需要花好几个小时才能修复的机器，他只要半个小时就修好了。他后来到爱迪生电气公司边工作边学习电气知识。

1893年，他制成汽油发动机，1896年开始设计汽车。1899年至1902年之间，他两次创建自己的公司，由于缺少经验都失败了。1903年，他第三次创业，与11位投资者筹措2.8万美元，在底特律的一间狭小工厂中，创建了福特汽车公司，投产A型车（图21-12）。1906年，生产N型车，售价定为500美元，比其他公司上市的车价便宜30%，很受欢迎。1908年，举世闻名的T型车问世（图21-13），其为农民而设计，大车轮、多用途、高强度、低价格。福特汽车公司为T型车做的广告词是“1908年美国重大事件之一，T型车进农家”。他建立了8000个经销点，样车每到一处，订单纷至沓来，T型车供不应求，促使公司改进生产技术。

图21-12 当年福特A型车的宣传

图21-13 福特T型车

福特从生猪屠宰场流水线（图21-14）得到启发，采用流水线生产汽车（图21-15）。以前装配一辆汽车要12小时28分钟，到1920年，实现了每分钟装配1辆汽车，大大降低了成本，同时每辆车售价降至360美元，使大多数人都能买得起。工厂实行一工作日5美元（相当于原工资的2倍），极大调动了工人积极性。T型车至1928年停产，共生产15456868辆，创当时单车型生产世界纪录。1908—1920年，全世界汽车数量的50%来自T型车，为“装在汽车轮上的美国”立下不朽功勋。1999年，《财富》杂志将他评为“20世纪商业巨人”，以表彰他和公司对汽车工业发展所做出的杰出贡献。福特先生成功的秘诀只有一个：尽力了解人们内心的需求，用最好的材料，由最好的员工，为大众制造人人都买得起的好车。

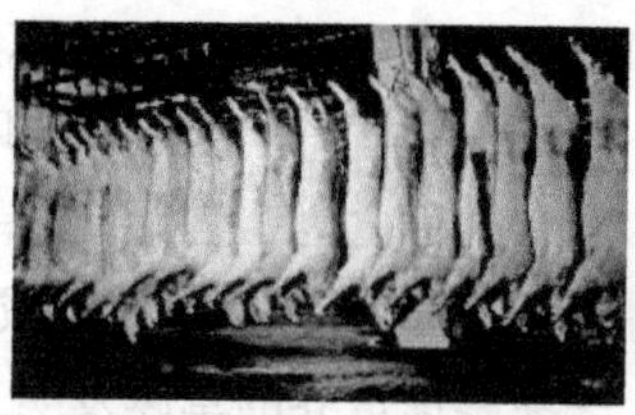
图21-14 生猪屠宰场流水线

图21-15 福特流水线

但是，由于福特得意忘形，固步自封，坚持单一车型，无视富裕了的美国人民的要求，没有进一步推出新的车型，而通用汽车公司及时推出许多时髦多样和先进豪华的汽车，使福特汽车滞销，汽车市场占有率从最高时期的70%下降到不足20%，1945年亨利·福特让位于他的孙子亨利·福特二世。

1947年4月，亨利·福特因脑溢血在底特律逝世，终年83岁。

21.6 威廉·杜兰特的故事

图 21-16 威廉·杜兰特

威廉·杜兰特（William Crapo Durant，1861—1947，图 21-16，也称为比利·杜兰特），美国通用汽车公司创始人，历史上一位传奇式的人物。

1861 年杜兰特出生于美国的波士顿市，自小就和其母一起被嗜酒成性的父亲丢弃，住在家境颇为富裕的外婆家，受到了外婆的精心教导。

1886 年，杜兰特创建马车制造公司，经过 15 年在全美范围内推销各种款式和颜色的马车，他将最初的资本 2000 美元变成了 200 万美元。并且，他的马车业务也走向了世界，成为当时美国最大的马车制造商。他是一个超级的推销员、一个不知疲倦的经营者、一个白手起家的百万富翁。

1904 年，他果断地投资 50 万美元给经营陷入了困境的别克汽车公司，逐步控股了这家公司。

图 21-17 杜兰特创建了通用汽车公司

1908 年，杜兰特将别克公司并入早期的通用汽车公司（图 21-17），之后通过股票互换的办法，将 20 多家汽车公司（包括奥兹莫比尔、凯迪拉克、庞蒂克等知名汽车企业）合并成立了今天名震全球的通用汽车公司，自己任总经理。可惜由于过分扩张，经营不善，下属各企业是各自独立的经营单位，没有建立必要的公司管理机构，也没有建立必要的现金储备，公司出现了严重的资金危机，杜兰特被迫辞职。

杜兰特并不甘心于自己的失败，他与路易斯·雪佛兰组建了雪佛兰汽车公司。他励精图治，取得了辉煌的经营成就，于 1916 年将通用汽车公司从银行家的控制下夺了回来，重新获得了通用汽车公司的领导权。

21.7 艾尔弗雷德·斯隆的故事

图 21-18 艾尔弗雷德·斯隆

艾尔弗雷德·斯隆（Alfred Sloan，1875—1966，图 21-18），1923 年开始担任通用汽车公司总经理，极善经营管理，是车界企业家十巨头之一，第一位成功的职业经理人，20 世纪最伟大的 CEO。

斯隆毕业于麻省理工学院，电气工程师，原本供职于联合汽车公司，因公司并于通用汽车公司，于 1919 年任通用汽车公司副总裁。1923 年，他担任通用汽车公司总裁，并任总裁 32 年，一直到 1966 年 91 岁高龄离开人世，始终担任着通用汽车公司的总裁、董事长、名誉董事长等职，为通用汽车公司的振兴、发展和壮大立下汗马功劳，登上了《时代周刊》封面（图 21-19）。面对濒临倒闭的通用汽车公司，斯隆进行了一系列的整顿与改革，提出了“集中政策、分散经营、财务独立”的经营管理体制，对产品生产进行专业化分工，标准化生产，协作价结算，并建立了公司计划制度和报表制度（旬报），形成了公司完整的管理体系。

根据市场需求，生产不同档次和价格的汽车，最大限度满足市场竞争的需要，斯隆提出著名的“不同的钱包、不同的目标、不同的车型”“汽车越造越好，附件越来越全，革新越来越多，使汽车不仅是交通工具”的产品战略。他针对当时美国人生活富裕、要求提高的需求，采用新发明的杜邦漆生产出色彩丰富的雪佛兰等车，成为抢手货，使通用汽车公司从濒临倒闭变成世界巨头。1923 年通用汽车公司在国内市场占有率为 12%，1956 年为 53%，成为世界最大的汽车公司。

改革使通用汽车公司下属各分公司的经营积极性充分地调动起来，又在公司的总体控制下进行分工合作、有序运作，汽车产量逐年上升。通用汽车公司自 1928 年超过福特汽车公司之后，一直稳居世界首位。斯隆所建立的管理体制，被后人称为企业管理上的一场革命，有极强的生命力，至今仍被世界各国所效仿（图 21-20）。

图 21-19 《时代周刊》封面人物艾尔弗雷德·斯隆

图 21-20 斯隆的经典管理

图 21-21 斯隆的自传

斯隆的自传《我在通用汽车的岁月》（图 21-21）等著作里有大量成功的管理经验，值得一读。

21.8 李·艾柯卡的故事

李·艾柯卡（Lee Iacocca，1924—2019，图 21-22），1970—1978 年担任福特汽车公司总裁，1981 年开始担任克莱斯勒公司总裁，人称“世界汽车巨子”。

图 21-22 李·艾柯卡

1924 年 10 月艾柯卡出生于美国宾夕法尼亚州艾伦敦。艾柯卡大学是学工科的，却对推销很感兴趣，认为销售是企业的精华。22 岁进入福特汽车公司后，创造性提出购车分期付款的方案，获得了很大成功，被福特汽车公司作为全国性的销售策略。1960 年，艾柯卡担任福特汽车公司轿车部经理，1970 年荣升福特汽车公司总裁（图 21-23）。在他就任的 8 年里，为福特汽车公司净挣了 35 亿美元的利润，在该公司的历史上留下了最辉煌的业绩，但招致忌妒，1978 年被亨利·福特二世解雇。

1981 年，当时正值克莱斯勒公司濒临破产之时，艾柯卡受命于危难之际，担任克莱斯勒公司总裁（图 21-24），并大刀阔斧地进行一系列惊人的改革，改组领导班子，辞退了 35 个副总裁中的 33 个，关闭了公司的 20 个工厂，解雇 9 万人，削减高级职员 10% 的薪金，他自己也主动放弃每年 36 万美元的年薪，只领取 1 美元象征性工资。艾柯卡取得了美国政府的 15 亿美元贷款，开发了新型轿车“道奇 400 新型敞篷车”，并畅销市场。艾柯卡还经常下厂与工人直接对话，促进劳资双方通力合作。艾柯卡通过上述一系列改革，使克莱斯勒公司起死回生，经过三年的努力，公司扭亏为盈，1984 年一年盈利 24 亿美元，比克莱斯勒公司此前 60 年利润总和还要多，提前 7 年偿还了政府担保贷款。1986 年，公司股息增长 860%，1996 年销售收入为 613.97 亿美元，纯利润为 35.29 亿美元，居当年全球最大 500 家公司的第 26 位。艾柯卡也成为美国家喻户晓的大人物，美国人心目中的英雄。

图 21-23　艾柯卡担任福特汽车公司总裁

图 21-24　艾柯卡担任克莱斯勒公司总裁

《艾柯卡自传》（图 21-25）在全球已发行 700 多万册，书中有大量成功经验，值得一读。

图 21-25　艾柯卡的自传

21.9 费迪南德·保时捷的故事

费迪南德·保时捷（Ferdinand Porsche，1875—1951），甲壳虫汽车设计者，世界著名的豪华跑车保时捷公司的创始人，获 20 世纪最佳工程师称号。

保时捷于 1875 年 9 月 3 日出生在奥地利，父亲是一个白铁工，从小就喜欢干白铁工的活，同时对电工也感兴趣，15 岁时进入夜校。后来，他一边在维也纳工学院学习，一边在火电厂工作。

保时捷在 22 岁获得汽车混合传动系统专利，于 1898 年发明了电动汽车，名扬四海，并在 1900 年设计出第一部保时捷汽车。他在 1905 年任戴姆勒汽车公司分厂的技术部经理，1923 年晋升为戴姆勒总厂的总工程师。1926 年，保时捷向公司建议生产一部大众都买得起的轿车，遭到董事会的否决，这使得保时捷不得不挂冠而去。

1930 年，保时捷在几位投资者的帮助下，在斯加图特建立了一家设计公司，专门开发汽车、飞机及轮船的发动机，设计出 16 缸增压发动机的赛车，打破了 8 项世界纪录，被民众誉为“银箭”车（图 21-26）。

图 21-26　保时捷“银箭”车

1938 年，保时捷父子俩开发出高性能大众化的“甲壳虫”汽车，可减少风阻和车尾气体涡流，受到国内外的好评。该车由大众汽车公司制造生产，从 1936—1973 年共生产 2150 万辆，创单产世界纪录。

由于第二次世界大战期间，保时捷参与过德军坦克的研制工作，投标过虎式坦克（图 21–27）的设计，战后被美国人逮捕，后交给了法国，坐了两年牢，于 1947 年 8 月获释，重操旧业。

图 21–27　虎式坦克

1948 年设计的保时捷 356 型跑车，先后进行过 356 次设计变动，在一次重大比赛中战胜了许多欧美名车。

1951 年 1 月 30 日，保时捷病逝，终年 76 岁。

1982 年，保时捷汽车公司推出的保时捷 956 连续四年夺得勒芒 24h 耐力赛冠军，1983 年一举包揽前 10 名中的 9 个座次，书写了前无古人后无来者的辉煌战绩。

21.10 恩佐·法拉利的故事

恩佐·法拉利（Enzo Ferrari，1898—1988，图 21–28），意大利车手、企业家，法拉利公司的创始人，人称“赛车之父”。

图 21–28　恩佐·法拉利

法拉利 1898 年 2 月 18 日出生于意大利北部摩德纳（Modena）的一个小钣金工厂主的家中。他的父亲阿勒法多（Alfredo）不仅是一个技艺超群的铸铁好手，而且是一个如醉如痴的“赛车迷”。法拉利 10 岁那年，他的父亲带他到波伦亚观看了一场汽车比赛，赛车场那种惊心动魄的场面深深地吸引了他，他盼望着自己也能成为一名优秀赛车手。法拉利 13 岁就能单独驾驶汽车，在阿尔法·罗密欧汽车厂先后干过技工、试车员、赛车手。图 21–29 是年轻时的法拉利。

图 21–29　年轻时的恩佐·法拉利

1916 年，凭借着对赛车的狂热，怀着“钟爱跑车胜家人和挚友，跑车是生命不可分割的一部分”的痴恋，法拉利自费参加了森姆尼赛车队（Costruzione Meccaniche Nazionalia），第一次体验了赛车运动独具的疯狂刺激（图 21–30）。他在 22 岁那年的大奖赛中夺得亚军，并得到了阿尔法·罗密欧汽车制造公司老板的垂青，成为一名“拿生命开玩笑”的试车员。

图 21–30　恩佐·法拉利在森姆尼赛车队的赛车手生涯

1929 年，法拉利回到家乡创建了“法拉利赛车俱乐部”；1947 年生产出第一辆以自己名字命名的法拉利汽车。他积极参加汽车大赛，赢得了 14 次勒芒 24h 耐力赛冠军和 9 次 F1 总冠军，被誉为“赛车之父”。他设计的 F1 赛车在世界上共夺得 100 多次胜利，至今无人打破这个纪录。

法拉利汽车集技术性、艺术性于一体，采用了类似于劳斯莱斯、保时捷等世界名车那样的半机械、半手工化的加工工艺精心制作，质量一丝不苟，堪称稀世珍品。

1988 年 8 月 4 日，法拉利走完了他辉煌的一生，终年 90 岁。

21.11 丰田喜一郎的故事

丰田喜一郎（1894—1952），丰田汽车公司的创建者，创造了风靡全球的“丰田生产方式”。

丰田喜一郎出生于 1894 年，其父亲是日本有名的纺织大王，自动纺织机的发明者丰田佐吉。丰田喜一郎在东京帝国大学工学系机械专业毕业后，到父亲的工厂当机师，经过 10 年磨炼，担任管技术的常务经理。他继承了父亲研究与创造的精神，毕生致力于汽车的创造，提出“不是照搬美国，而要结合本国国情创造性地运用批量生产方式，生产出性能和价格两方面都能与外国车抗衡的国产车”的思想。

1933 年，丰田公司设立汽车部，通过拆装、研究美国雪佛兰汽车，于 1935 年 8 月造出了第一辆 A1 型汽车（图 21-31）。1937 年 8 月 28 日，正式成立丰田汽车工业公司。从 20 世纪 50 年代起，丰田汽车公司开始快速发展。1955 年，丰田汽车公司生产出第一辆皇冠轿车（图 10-3），以后又陆续生产出雷克萨斯、凯美瑞等著名轿车。1957 年，丰田汽车公司出口汽车到 47 个国家。1959 年，丰田汽车公司在巴西建立第一个国外汽车生产基地。2004 年，丰田汽车公司汽车产量达 754 万辆，居日本第一、世界第二，同时是世界上出口汽车最多的公司。

图 21-31 丰田 A1 型汽车

丰田喜一郎对生产过程的合理组织和科学管理具有重要贡献，创造了风靡全球的“丰田生产方式（TPS）”（图 21-32），通过“准时化生产、全面质量管理、并行工程”等一系列方法，最终达到企业利润的最大化和成本的最低化，成为世界许多国家争相学习的先进经验。

图 21-32 丰田生产方式

1952 年 3 月 27 日，丰田喜一郎因脑溢血去世，终年 57 岁。

21.12 饶斌的故事

饶斌（1913—1987，图 21-33），曾任中国第一汽车制造厂厂长，第二汽车制造厂党委书记，第一机械工业部部长，中国汽车工业公司董事长，是中国汽车工业的奠基人。

饶斌的事迹

图 21-33 饶斌

饶斌原名饶鸿熹，1913 年生于吉林省吉林市，曾任中共吉林市委书记、吉林省委委员。

1952 年 12 月，饶斌任第一汽车制造厂厂长，带领一汽职工，用三年的时间，高速度、高质量建成中国第一座汽车制造厂（图 21-34）。1956 年 7 月、1958 年 8 月，分别生产出我国第一辆解放牌载货汽车（图 21-35）和红旗牌轿车，结束了中国不能生产汽车的历史。1965 年任第二汽车制造厂党委书记，带领二汽职工，生产出东风牌载货汽车。

图 21-34　第一汽车制造厂

图 21-35　第一辆解放牌载货汽车下线

20 世纪 80 年代初，饶斌先后担任第一机械工业部部长和中国汽车工业公司董事长，主持并推进了汽车工业的技术引进、中外合资经营，提出了汽车工业调整改组和发展规划方案，加速产品换型，结束了汽车产品几十年一贯制的局面，指挥全国汽车行业建立起一个“重、中、轻、微”的货车系列布局。

退居二线后，饶斌仍然为推进中国汽车工业的改革和发展，深入基层，实地考察，调查研究，直到生命的最后一刻。1987 年 8 月，饶斌在上海考察工作期间突发疾病，经抢救医治无效，在上海逝世，终年 74 岁。

名人堂

纵观饶斌的汽车生涯，就是把中国装在轮子上，为了民富国强。从建立汽车工业体系到建设国民经济支柱产业，从发展轿车工业到民有民享的自强，饶斌为汽车工业付出了毕生的精力和心血。

记住饶斌——共和国的脊梁，这是汽车人值得尊敬的民族英雄。感悟汽车前辈的家国情怀，要勇敢地担负起继往开来、迎接挑战、振兴中华的历史使命，为新时期实现祖国伟大复兴的中国梦尽职尽责。

21.13　孟少农的故事

孟少农的事迹

孟少农（1915—1988，图 21-36），汽车专家，中国科学院院士，祖籍为湖南省桃源县，童年在北京度过。

图 21-36　孟少农

1940 年，孟少农毕业于西南联合大学，后考取留美研究生（图 21-37），曾任美国司蒂贝克汽车公司工程师。1946 年，孟少农回国，在清华大学机械系任副教授、教授，创办了汽车专业。

新中国成立后，孟少农任重工业部汽车工业筹备组副主任（图 21-38）、一汽副厂长兼副总工程师、二汽第一副厂长兼总工程师，并当选为中国科学院学部委员。

图 21-37　孟少农（后排右一）赴美留学前在中国香港与同学合影

在一汽，孟少农主持和组织引进苏联技术并消化吸收及人员培训，为解放牌汽车性能改进和质量提高，为一汽新产品的开发，特别是为军用越野车的研制，以及为东风牌及红旗牌高级轿车的开发做出了贡献。

图 21-38　1950—1952 年担任重工业部汽车工业筹备组副主任

在二汽，孟少农以渊博的常识和丰富的经验，大胆决策，攻克了产品质量、产品滞销和工厂组建三大难题，总结出世界汽车工业发展许多共性规律，为中国汽车工业发展方向提出许多精辟的见解，对中央决策起了重要的作用。1985 年，孟少农荣获全国“五一”劳动奖章，1988 年 1 月 15 日在北京逝世。

21.14 李书福的故事

李书福（图 21-39）于 1963 年 6 月出生在浙江省台州市一个农民家庭里，哈尔滨理工大学管理工程本科毕业，并获燕山大学机械工程硕士学位，高级经济师职称。现为浙江吉利控股集团有限公司董事长、中国民间商会副会长。

李书福的创业史

图 21-39　李书福

1982 年，李书福高中毕业后，拿着父亲给的 120 元做起了照相生意，掘到了“第一桶金”之后，他正式开起了照相馆，自己买零件组装照相机，后来又改做从废旧零部件中提取金银等贵金属的生意。

1984 年，李书福和几个兄弟合伙办了冰箱配件厂，他担任厂长。一年后开始生产电冰箱，到 1989 年，他的北极花电冰箱厂的年产值超过千万元，每天到工厂拉货的车子排起了长队。

1993 年，李书福收购了一家摩托车厂，并研制成功四冲程摩托车发动机。接着又与行业老大“嘉陵”合作生产“嘉吉”牌摩托车，不到一年的时间，销量占据国内踏板摩托车龙头地位，还出口美国、意大利等 32 个国家。

1994 年，李书福决定造汽车，筹建了吉利“豪情汽车工业园区”。1997 年，李书福投资 1400 万元，收购了四川一家濒临倒闭的生产小客车的企业，成立了四川吉利波音汽车制造公司，并拿到了小客车、面包车的生产权。1998 年 8 月 8 日，没有“准生证”的第一辆两厢“吉利豪情”车下线。2001 年 12 月，吉利终于获得了轿车生产资格，成为中国第一家生产轿车的民营企业。

2008 年，四川汶川大地震后，吉利集团首批向地震灾区捐款 1000 万元，李书福也个人捐款 120 万元。在同胞受难的关键时刻，他迅速作出了反应，慷慨解囊，体现出了作为当代企业家应有的社会责任。

在李书福的领导下，吉利集团多年来坚持走自主创新的道路，在中国汽车行业率先取得发动机、变速器等核心技术领域的重大突破。吉利集团投资超过 8 亿元，创建了吉利学院。吉利集团先后收购沃尔沃轿车公司 100% 的股权，收购戴姆勒 9.69% 股份，成为戴姆勒公司最大股东。目前，吉利集团旗下拥有吉利汽车、领克汽车、沃尔沃汽车、Polestar、宝腾汽车、路特斯汽车、伦敦电动汽车、远程新能源商用车、太力飞行汽车、曹操专车、荷马、盛宝银行、铭泰等众多国际知名品牌。2022年，吉利集团全球销售汽车超230万辆，同比增长4.3%，其中新能源汽车销量超64万辆，同比增长100.3%，新能源渗透率达27.9%。吉利集团总资产超过4800亿元，连续十年成为《财富》杂志评出的全球500强企业。

2018年12月18日，党中央、国务院授予李书福改革先锋称号，并获评民营汽车工业开放发展的优秀代表。

21.15 王传福的故事

王传福的创业史

图21-40　王传福

王传福（图21-40）出生于1966年2月15日，安徽芜湖人，中共党员，硕士研究生学历，高级工程师、副教授，现为比亚迪股份有限公司董事长兼总裁。

王传福少年时的经历，用孟子的一句“天降大任于斯人也，必先苦其心志，劳其筋骨，饿其体肤”，便可以概括。其双亲早逝、家境艰难，靠着兄嫂微薄的收入完成学业，于1983年考进中南工业大学，攻读冶金物理化学专业，于1987年进入北京有色金属研究总院攻读硕士，从事电池技术研究，1990年毕业后留院工作。1993年，研究院在深圳成立比格电池有限公司，由于和王传福的研究领域密切相关，他被任命为公司总经理。

1995年2月，王传福下海经商，在深圳注册了比亚迪实业有限公司，就此开启了比亚迪品牌的传奇历程。

1995—1997年，比亚迪以电池产品优秀的品质、低成本优势获得市场的认可，先后获大霸、飞利浦、松下、索尼等公司的大额采购订单。在镍镉电池市场，比亚迪只用了3年时间，便抢占了全球近40%的市场份额，成为镍镉电池当之无愧的老大。

2000年，王传福举一反三，投入大量资金攻克锂电池和其生产线难题，成功投标TCL、诺基亚及摩托罗拉手机电池供货商。

2002年7月，比亚迪在香港上市。

2003年，比亚迪超越日本三洋成为了世界电池之王。同年，王传福力排众议收购西安秦川汽车77%股份，投资近2.7亿，造车大梦正式揭开帷幕。两年后比亚迪F3诞生并获得了市场的认可，累计销量破200万辆。

2008年9月，巴菲特买入比亚迪10%股票，价值2.3亿美金。当时，王传福和比亚迪的名字响彻全球。同年，F3DM车型正式进入市场，作为比亚迪首款插电混合动力汽车，成为了带动全球汽车行业电动化的里程碑。

2014年，比亚迪发布“5-4-2”战略，重新出发加速新能源汽车发展，随后在全球各国投放新能源客车等产品。

2022年，比亚迪新能源乘用车以186.8万辆的销量成绩位列全球第一。

2020—2023年，在王传福的带领下，比亚迪频频在电动化上发力，从自研刀片电池、DM-i超级混动技术、CTB电池车身一体化、易四方平台等，到如今的云辇系统，一系列核心技术创新使比亚迪在业内的竞争力不断提升。

2019 年，王传福入选中国工程院院士增选候选人名单。

2019 年 8 月 29 日，王传福被授予“第五届全国非公有制经济人士优秀中国特色社会主义事业建设者”称号，同年，入选“2019 福布斯中国发展年度商业人物之跨国经营商业领袖”名单。

2022 年 8 月，王传福位列福布斯中国最佳 CEO 排行榜第一位。

致敬共和国院士

21.16 中国汽车工业两院院士风采（表 21-1）

表 21-1 中国汽车工业两院院士个人简历

序号	姓名	个人简历
1	徐冠华	 徐冠华，资源遥感学家，1941 年 12 月 16 日出生于上海。1963 年毕业于北京林学院。第三世界科学院院士、瑞典皇家工程科学院外籍院士、国际宇航科学院院士。中国科学院遥感与数字地球研究所研究员。曾任中国科学院遥感应用研究所所长、中国科学院副院长、科学技术部部长 在卫星数字图像处理研究方面，发展了边界决策、训练样地分析、图像分类、图斑综合、生物量估测等理论和技术，研制成功中国最早的遥感卫星数字图像处理系统，发展了遥感综合调查和系列制图的理论和方法，领导编制了第一部再生资源遥感综合调查与系列制图技术规程，在分类系统、制图比例尺、技术流程、专题图种类等方面具有开拓性和创造性。领导的“三北”防护林遥感综合调查课题在空间遥感应用规模、技术难度和时间要求上均取得突破。代表作有《三北防护林遥感综合调查与监测》等 1991 年当选为中国科学院学部委员（院士）
2	郭孔辉	 郭孔辉，出生于 1935 年，汽车设计研究专家，福建省福州市人。1956 年毕业于吉林工业大学。吉林大学教授、汽车工程学院名誉院长。曾任一汽汽车研究所总工程师，吉林工业大学副校长 先后主持完成多项我国汽车行业的基础性科研项目和一汽新型汽车的开发研制工作。被汽车界誉为“将系统动力学与随机振动理论引入汽车振动与载荷研究的领先学者”，我国汽车轮胎力学的主要奠基人，汽车操纵稳定性、平顺性科技领域的主要开拓者和带头人 1994 年当选为中国工程院院士
3	杨裕生	 杨裕生，出生于 1932 年，核试验技术、分析化学专家，江苏省如皋县人。1952 年毕业于浙江大学。中国人民解放军防化研究院第一研究所研究员。曾任中国核试验基地科技委主任。1958 年中国科学院化学研究所分析化学专业研究生，1960 年在苏联科学院地球化学与分析化学研究所进修放射分析化学 创建了我国核试验烟云取样和核武器威力与性能的放化分析诊断技术。提出裂变燃耗、铀同位素全谱、锂燃耗、铀钚分威力等测试原理并指导研究成功。主持完成 20 多次核试验的取样分析任务，提供的大量测试结果成为验证和改进这些武器设计的直接依据。“地下试验弹外活化确定中子弹中子剂量的放化法”和“裂变燃耗的放射化学诊断方法”，分别获国家技术发明二等奖。1996 年发起“中国士兵系统”及其电源的研究，创建了“军用化学电源研究与发展中心”，研究锂－硫电池、超级电容器、液流电池、铅炭电池等新型电源，参与推动我国的氢能与燃料电池、电动汽车增程技术的发展 1995 年当选为中国工程院院士

（续）

序号	姓名	个人简历
4	黄其励	 黄其励，1941年1月15日出生于营口，蒸汽工程领域著长期从事能源和电力领域科学研究、工程应用和技术管理等工作教授级高级工程师，博士生导师，国家电网公司顾问和国家能源集团电力领域首席科学家，中共党员。1964年本科毕业于清华大学热能动力系，1968年硕士毕业于东南大学（原南京工学院）三系；被分配到辽宁发电厂，以后在东北电管局科技处、东北电力技术改进局、锦州发电厂、辽宁省电力工业局、东北电管局、东北公司和东北分部等单位工作，分别任厂长和总工程师。1981年公派赴日本进修，1987年获日本北海道大学工学博士。曾兼任中国电机工程学会、中国动力工程学会、中国工程热物理学会和中国电工学会的常务理事。中国工程院主席团成员，新能源电力系统国家重点实验室、电网安全和节能国家重点实验室以及煤基清洁能源国家重点实验室学术委员会主任委员。获国家科技进步三等奖1项，省部级科技进步奖二十余项 在燃煤清洁高效发电、可再生能源发电、节能环保和能源发展战略等领域做出贡献。主持负责并实施节能降耗、节油、降NO_x排放等重大技术改造工程70余项；主持实施煤粉均匀分配、烟风系统优化及大流量测量等领域20余项工程。主持或参加40余项有关国家能源发展战略的咨询研究，在能源领域可再生能源发展、煤炭清洁利用、多种能源综合协同利用等大能源系统等方面，为国家提出了参考建议 1997年当选为中国工程院院士
5	陈清泉	 陈清泉，1937年1月14日出生于印度尼西亚的马吉朗市，原籍福建省漳州市，电机、电力驱动、电动汽车和智慧能源系统专家。1957年毕业于北京矿业学院，1957—1959年在清华大学进修研究生，1982年获香港大学哲学博士学位，1993年获乌克兰敖德萨理工大学荣誉科学技术博士学位，2008年获英国洛夫堡大学荣誉技术博士学位。英国皇家工程院院士；乌克兰工程科学院院士；匈牙利工程院荣誉院士；香港工程科学院院士及高级顾问；美国电机电子工程师学会会士（IEEE Fellow）；英国工程技术学会资深会员（IET Fellow）；香港工程师学会资深会员（HKIE Fellow）及前会长。香港大学荣誉讲座教授。第十届全国政协委员、中国侨联顾问及中华海外联谊会名誉理事。澳门特区政府科技顾问 在北京未来科学城及国内外其他城市创办院士科创中心提出了电动汽车研究核心和总体指导思想，将汽车技术、电机技术、电力驱动技术、电力电子技术和现代控制理论有机地结合起来，为现代电动汽车学奠定了基础，使现代电动汽车学这一新兴交叉学科从理论到实践形成了一个完整的体系；提出了能源与信息的联系，智慧能源系统，能源计算机、能源银行，以碳平衡原理优化多能源系统。多次获得国际性科技杰出成就奖。世界电动汽车协会的创办人及轮值主席，被誉为“电动汽车三贤士”之一，亚洲最佳创新者之一。撰写的专著《现代电动汽车技术》，总括了现代电动汽车学的体系。多次任重要国际学术会议主席或主旨报告者，兼任国内外著名大学名誉或客座教授，包括美国麻省理工学院、美国加州伯克利大学、英国剑桥大学等。兼任政府、企业的高级科技顾问，国内外专业学术团体领导职务。获英国电机工程师学会国际杰出学术演讲勋章，中国国家科学技术进步奖二等奖，香港工程师学会最高荣誉金勋章，联合国教科文组织下属世界工程师组织联盟的卓越工程成就勋章，中国工程院光华工程科技奖，英国皇家工程院菲利普亲王勋章，被誉为“电动汽车之父” 1997年当选为中国工程院院士

（续）

序号	姓名	个人简历
6	黄崇祺	 黄崇祺，出生于1934年，金属导体专家，江苏省常熟市人，中共党员。1957年8月毕业于东北工学院（现东北大学），同年8月进入第一机械工业部上海电缆研究所工作，研究员级高级工程师，曾任副总工程师，现任特种电缆国家重点实验室专家委员会主任委员、国家科技部“高性能合金导电材料”专项技术总指导、联合国工业发展组织全球创新网络专家委员会委员等职务 主要从事电工用铜、铝及其合金、双金属和再生铜压力加工制品的研究、开发和应用，涉及架空导线及其试验、电气化铁路用接触导线、电工用铝导体及其稀土优化综合处理技术、电工用铜合金和铝合金导体、双金属导线、铝连续挤压、超导电缆、废杂铜直接再生制杆和高性能合金导电材料等。获省部级科技进步一等奖3项、国家科技进步奖二等奖2项、全国科学大会奖2项和第四届上海科技博览会金奖1项。使用非电工级高硅铝实现技术创新，为我国电工铝导体和稀土电工铝导体提高导电率，解决量大面广的国产材料来源，并达到工业化稳定生产，使我国电工铝导体生产达到国际先进水平；创新开发镁铜合金接触线，在我国电气化高速铁路上获得广泛的应用，创国际先进水平；为我国开创铝包钢线、超高压扩径架空导线、高速电气化铁路用接触导线、废杂铜直接再生制杆和以铝节铜的研究、生产和发展做出了贡献 1997年当选为中国工程院院士
7	邬贺铨	 邬贺铨，1943年1月16日出生于广东省广州市，广东省番禺人，通信专家，中共党员。1964年毕业于武汉邮电学院。曾任电信科学技术研究院副院长兼总工程师、中国工程院副院长 长期从事数字和光通信系统研究开发工作。从2003年以来先后作为国家下一代互联网示范工程专家委主任组织IPv6项目研究试验，作为新一代无线宽带移动通信科技重大专项总师，组织3G/4G/5G项目研究开发。近年负责组织重大工程科技咨询项目研究。主持研制的30路PCM（脉冲编码通信）终端设备获1978年全国科学大会奖，主持研制的155M/622M SDH（同步数字系列）光传输系统获1988年国家科技进步二等奖。2002年获何梁何利基金科学与技术进步奖 1999年当选为中国工程院院士
8	李德毅	 李德毅，1944年出生于江苏省泰县，指挥自动化和人工智能专家。1967年毕业于南京工学院，1983年获英国爱丁堡赫瑞-瓦特大学博士学位。总参第61研究所研究员、副所长，中国电子学会副理事长和中国人工智能学会理事长 参加了多项电子信息系统重大工程的研制和开发。最早提出控制流-数据流图对理论和一整套用逻辑语言实现的方法。证明了关系数据库模式和一阶谓词逻辑的对等性，提出云模型和发现状态空间，用于不确定性知识表示和数据控制，在智能控制“三级倒立摆动平衡”实验中取得显著成效。获国家和省部级二等奖以上奖励9项。2004年当选为国际欧亚科学院院士 1999年当选为中国工程院院士

（续）

序号	姓名	个人简历
9	郑南宁	 郑南宁，1952 年 12 月 19 日出生于江苏省南京市，人工智能、计算机视觉与模式识别专家，IEEE Fellow。1975 年毕业于西安交通大学电机工程系，1981 年获西安交通大学工学硕士学位，1985 年获日本庆应大学工学博士学位。任 863 计划信息领域首席科学家、国家信息化第一届专家咨询委员会委员、西安交通大学校长（2003 年 8 月—2014 年 4 月）、西安交通大学人工智能与机器人研究所教授、视觉信息处理及应用国家工程实验室理事长、国务院学位委员会委员、中国自动化学会理事长、中国认知科学学会创会副理事长、国际模式识别协会（IAPR）中国代表、国家科技重大专项“核心电子器件、高端通用芯片及基础软件产品”（即“核高基”）咨询专家委员会主任（2011 年—）、陕西省科学技术协会主席 (2002—2014 年) 等 长期从事人工智能与模式识别、计算机视觉及其先进计算架构的应用基础理论与工程技术的研究，建立的视觉场景理解的立体对应计算模型与视觉注意力统计学习方法成为该领域代表性工作，为构造计算机视觉系统和基于图像信息的智能控制系统，提供了理论指导和关键技术。先后获国家科技进步奖二等奖（1991 年、1996 年）、国家技术发明奖二等奖（2007 年）、国家自然科学二等奖（2016 年）。曾获“做出突出贡献的留学回国人员”（1991 年）、“国家级中青年突出贡献专家”（1992）、“全国优秀教师”（1993）、“中国青年科学家奖”（1996 年）等荣誉称号。首批入选国家“百千万人才工程”（1995 年），1995 年获国家杰出青年基金，2001 年获何梁何利基金科学与技术进步奖 1999 年当选为中国工程院院士
10	陈立泉	 陈立泉，1940 年 3 月 29 日出生于四川省南充市。1964 年毕业于中国科学技术大学。现任中国科学院物理所研究员。曾任亚洲固体离子学会副主席。2004 年至今任中国硅酸盐学会副理事长 在中国率先开展锂电池及相关材料研究。在国内首先研制成功锂离子电池，解决了锂离子电池规模化生产的科学技术与工程问题，实现了锂离子电池的产业化。他曾是物理所高温超导材料研究的负责人和主要研究者，首次发现 70K 超导迹象，研制出液氮温区超导体并首次公布了材料成分。近年来，开展了全固态锂电池、锂硫电池、锂空气电池、室温钠离子电池和固体氧化物燃料电池中的物理化学过程及相关材料的设计、合成、表征、物理和电化学性能及其应用研究。为开发下一代动力电池和储能电池奠定了基础。1987 年被授予“国家有突出贡献中青年专家”称号。曾获国家自然科学一等奖、中科院科技进步特等奖和二等奖，2007 年获国际电池材料协会终生成就奖 2001 年当选为中国工程院院士
11	衣宝廉	 衣宝廉，1938 年 5 月 29 日出生于辽宁省辽阳市。1962 吉林大学化学系毕业，同年考入中国科学院大连化物所研究生，师从郭燮贤院士，学习催化化学。1966 年毕业，留所工作。现任中国科学院大连化物所研究员、全国燃料电池与液流电池标准委员会主任、新源动力股份公司名誉董事长。曾任新源动力公司董事长，863 计划、“十五”电动汽车、“十一五”节能与新能源汽车重大专项总体专家组成员、燃料电池发动机责任专家

（续）

序号	姓名	个人简历
11	衣宝廉	主要从事化学能与电能的相互转化研究，是我国燃料电池开拓者之一。20 世纪 70 年代参加并领导了航天碱性石棉膜型氢氧燃料电池研制；80 年代利用燃料电池技术，实现空气氧氮分离制备纯氮气，电解水制备超纯氢，研制电化学 CO 与 H2，传感器，投放市场，获得良好效益；90 年代，作为项目负责人，领导了科技部“九五”攻关和中科院重大项目“燃料电池技术”，组装 30kW 氢氧燃料电池堆与电池系统用作中巴车动力源；申报 PEMFC 专利 34 件，形成了一整套 PEMFC 自主知识产权，组建新源动力股份有限公司，致力于燃料电池的产业化。“十五”与“十一五”期间，指导城市客车与轿车用燃料电池系统的研发，研制的燃料电池发动机，用于北京奥运会和上海世博会示范运行的燃料电池客车与轿车。获得中科院科技进步一等奖，辽宁省科技发明、科技进步一等奖各一项。出版《燃料电池——原理·技术·应用》专著 2003 年当选为中国工程院院士
12	钟志华	 钟志华，1962 年出生于湖南省湘阴县，车辆工程专家。1988 年毕业于瑞典林雪平（Linkoping）大学，获工学博士学位。曾任国家“十五”、863 计划“先进制造与自动化技术”领域专家委员会委员。曾任同济大学校长，博士生导师，并兼任国务院学位委员会学科评议组成员和教育部科学技术委员会工学部委员等学术职务。现任中国工程院党组成员、副院长 多年来一直从事汽车设计与制造技术的研究与应用，主要研究方向为汽车碰撞安全技术、车身冲压成型技术和模块化轻量化汽车技术。在国内外主持过多项与上述研究方向相关的理论与方法研究、工程软件研发、制造工艺与装备研发和新产品研发等方面的国家级项目、国际合作项目和企业重大研发项目，并提出了多项新理论和新方法，开发了多项新工艺、新装备和新产品。获国家科技进步一等奖和二等奖各 1 项，省部级科技进步一等奖 2 项、二等奖 2 项，部级技术发明和自然科学二等奖各 1 项，发明专利 6 项。获光华工程科技奖（青年奖）、GM（通用汽车）中国科技成就 2000 年度一等奖、湖南省光召科技奖等其他十几项奖励和荣誉称号 2005 年当选为中国工程院院士
13	苏万华	 苏万华，1941 年 11 月 21 日出生于佳木斯市，山东宁津人，内燃动力工程专家，中共党员。1965 年毕业于天津大学动力与自动化系，后在天津大学攻读内燃机专业研究生，1968 年毕业。曾任天津大学内燃机燃烧学国家重点实验室主任。现任天津大学教授，博士生导师，内燃机燃烧学国家重点实验室学术委员会副主任，中国内燃机学会名誉理事长，《内燃机学报》主编，国际刊物《Int.J. Engine Research》和《Int.J. Automotive Technology》编委 长期从事内燃机动力工程的研究和研究生培养工作。20 世纪 80 年代后期，在国内最早提出柴油机电子控制的技术方向，“九五”期间完成电控高压共轨燃油系统研发和小批试制，开发了全电控柴油引燃天然气双燃料发动机。2001 年之后连续作为 973 计划首席科学家，提出“燃烧过程混合率和化学反应率协同控制理论”，并提出全工况多模式复合燃烧技术，即中低负荷实现低温燃烧，高负荷实现高密度低温燃烧。先后开发成功无后处理器满足国四法规的新型柴油机和可变压缩比高热效率国六柴油机。1996 年获中国自然基金会和 GM 联合颁发的首届 GM-CHINA 杰出成就一等奖；2005 年获中国内燃机学会颁发的首届“中国内燃机杰出科技成就奖”；2010 年作为第一完成人获国家技术发明奖二等奖 2011 年当选为中国工程院院士

（续）

序号	姓名	个人简历
14	林忠钦	 林忠钦，出生于1957年。机械工程专家。浙江宁波人。1982年毕业于上海交通大学，1989年获上海交通大学博士学位。教育部长江学者奖励计划特聘教授，国家杰出青年基金获得者，973计划首席科学家。现任上海交通大学校长、党委副书记，第十三届全国政协委员，国务院学位委员会委员、学科评议组机械工程学科召集人，教育部科技委先进制造学部主任 长期从事薄板产品制造工艺与质量控制技术研究，建立了中国汽车工业的制造质量控制技术，为提升中国汽车车身制造质量做出了重要贡献；提出了数字化封样技术，有效缩短了车身的开发周期，提升了开发质量，大幅度降低开发成本。建立了中国的汽车板使用技术，为国产汽车板替代进口板和高强度钢板批量使用做出了重要贡献；研究成果广泛应用于汽车、航空、航天、船舶等行业，创造了显著的社会效益和经济效益。近年来，从事中国制造质量与品牌战略发展研究和中国海洋装备科技发展战略研究，完成了一批国家战略研究报告。获得国家科技进步奖3次、省部级一等奖5次，还获得教育部长江学者奖励计划成就奖，何梁何利基金科学与技术创新奖等 2011年当选为中国工程院院士
15	丁荣军	 丁荣军，出生于1961年，电力电子及控制技术专家，江苏省无锡市人。1984年毕业于西南交通大学电力机车专业，2008年获中南大学工学博士学位。曾任株洲电力机车研究所所长，兼任变流技术国家工程研究中心主任，教授级高级工程师 长期从事轨道交通牵引控制、牵引变流和网络控制技术的创新研究和成果转化，为中国铁路从普载到重载、从常速到高速的突破发展做出了重大贡献。主持交流传动系统及高性能控制技术研究与应用，创建了适合我国国情的标准体系并与国际接轨的技术模式，获2005年国家科技进步二等奖。主持特大功率半导体器件技术研究与应用，构建了我国自主品牌电力电子器件技术体系，获2010年国家科技进步二等奖。共主持7项国家级科研项目，先后获“詹天佑科技成就奖”“茅以升科学技术奖”“新世纪百千万人才工程国家级人选”和“全国劳动模范”等荣誉 2011年当选为中国工程院院士
16	李骏	 李骏，出生于1958年，汽车发动机专家，吉林省长春市人。1989年毕业于吉林工业大学内燃机专业，获博士学位。现任中国汽车工程学会理事长、中国智能网联汽车产业创新联盟专家委员会主任、清华大学汽车工程系教授 他突破设计、燃烧、电控和可靠耐久四项汽车发动机核心技术，建成基础技术研究平台。主持自主研发出重型系列柴油机，使一汽解放卡车重型化；主持自主研发出系列汽油机，使新一代红旗高级轿车有了自主发动机；主持自主研发出柴油机电控高压共轨喷油系统，装备我军第三代中型高机动战术军车。获国家科技进步一等奖、二等奖各1项，省部级一等奖6项，主持完成863计划、973计划课题10项。首批入选国家级新世纪百千万人才工程，先后获全国劳动模范、2012年何梁何利基金科学与技术创新奖 2013年当选为中国工程院院士

（续）

序号	姓名	个人简历
17	孙逢春	 孙逢春，出生于1958年，车辆电动化专家，湖南省常德市临澧县人。1982年毕业于湖南大学工程力学专业。1989年毕业于北京理工大学，获工学博士学位。现任电动车辆国家工程实验室主任，中国汽车工程学会副理事长，中国电工技术学会副理事长。科技部新能源汽车重点专项专家组专家。曾任北京理工大学副校长 我国电动车辆工程科技的主要开拓者之一，长期致力于电动车辆总体设计理论、系统集成与控制、一体化电驱动与传动、充/换电站基础设施及运行健康管理等技术研究。创建了我国“电动车辆—充/换电站—远程实时监控”系统工程技术体系。主持实施了国际奥运史上首次奥运中心区零排放公交系统工程。领导组建了电动车辆国家工程实验室、新能源汽车运行国家监测与管理中心以及北京电动车辆协同创新中心。作为第一完成人获国家技术发明奖二等奖2项、国家科技进步奖二等奖1项、何梁何利基金科学与技术创新奖及省部级奖多项 2017年当选为中国工程院院士
18	吴锋	 吴锋，1951年出生于北京，新能源材料科学家，1981年毕业于太原工学院化工系，获工学硕士学位。曾任863计划功能材料专家组副组长等，被国家科技部聘为973计划二次电池项目连续三期的首席科学家。现任北京理工大学能源与环境材料学科首席教授 国家绿色二次电池与相关材料领域的学科带头人之一，为我国新能源材料和新型二次电池的研发和产业化做出了重要贡献。作为第一完成人获国家技术发明奖二等奖、国家科技进步奖二等奖各1项，省部级科技一等奖多项；还获得何梁何利基金科学与技术进步奖和四项国际奖。国际欧亚科学院院士，亚太材料科学院院士，被美国马萨诸塞大学波士顿分校授予荣誉科学博士学位 2017年当选为中国工程院院士
19	欧阳明高	 欧阳明高，汽车动力系统专家，清华大学教授。1958年10月生于湖北省天门县，籍贯湖北天门。1982年毕业于长沙铁道学院（现中南大学），1984年在大连铁道学院获硕士学位，1993年于丹麦技术大学获博士学位。现任汽车安全与节能国家重点实验室主任 长期从事节能与新能源汽车动力系统研究，提出了发动机电控高压柴油喷射新方法，发明了毫秒级燃油压力波精确调控技术。揭示了高比能量锂离子动力电池热失控诱发与蔓延新机制及抑制途径，发展了质子交换膜燃料电池系统非线性动态建模与状态辨识理论，建立了燃料电池/动力电池能量混合型动力系统设计与最优控制方法。研制出系列新装置与新系统并实现产业化应用。为我国汽车节能减排和新能源汽车发展做出了重要贡献。曾获国家技术发明奖二等奖2项、北京市科学技术奖一等奖，及何梁何利基金科学与技术创新奖等 2017年当选为中国科学院院士

（续）

序号	姓名	个人简历
20	李克强	李克强，汽车智能化专家、清华大学教授、汽车安全与节能国家重点实验室主任。1963 年 1 月出生于四川省资阳市。1995 年毕业于重庆大学，获博士学位 主要从事汽车智能驾驶系统动态设计与控制的理论研究和技术开发，是智能网联汽车“中国方案”技术体系的提出者与推动者。攻克了“控制协同、结构共用、车云融合”三大核心关键技术，先后主持研制“智能安全驾驶”“智能集成驾驶”“智能网联驾驶”三代系统装置，并实现产业化应用，为我国智能汽车系统核心技术突破和产业化做出重要贡献。曾获国家科学技术进步奖二等奖、国家技术发明奖二等奖，以及中国汽车工业科学技术进步奖特等奖等 2021 年当选中国工程院院士 

注：本表资料来源于中国科学院和中国工程院网站，数据统计截至 2023 年底，仅供参考。

对祖国的一腔赤诚，对事业的无限执着，对创新的不懈追寻，对人类的永恒关爱……人一生追求的到底是什么？他们给出了最可敬的答案，致敬共和国院士，让当科学家成为更多孩子的梦想，让未来科学的浩瀚星空群星闪耀。

任务小结

1. 介绍了本茨、戴姆勒、奥托、狄塞尔、福特、杜兰特、斯隆、艾柯卡、保时捷、法拉利、丰田喜一郎、饶斌、孟少农、李书福、王传福等汽车名人的生平事迹及其奋斗历程。

2. 介绍了中国汽车工业两院院士风采。

课后测试

1. 不定项选择题

（1）以下哪两位名人被同称为汽车之父？（　　）

A. 尼古拉斯·奥托　　B. 卡尔·本茨

C. 戈特利布·戴姆勒　　D. 鲁道夫·狄塞尔

（2）1999 年，《财富》杂志将以下哪位名人评为“20 世纪商业巨人”，以表彰他和公司对汽车工业发展所做出的杰出贡献？（　　）

A. 李·艾柯卡　　B. 艾尔弗雷德·斯隆

C. 亨利·福特　　D. 威廉·杜兰特

（3）《我在通用汽车的岁月》是以下哪位名人的自传？（　　）

A. 李·艾柯卡　　B. 路易斯·雪佛兰

C. 艾尔弗雷德·斯隆　　D. 威廉·杜兰特

2. 填空题

（1）饶斌曾任中国第一汽车制造厂________，第一机械工业部部长，中国汽车工业公司董事长，是中国汽车工业的________。

（2）吉利先后收购沃尔沃轿车公司________% 的股权，收购戴姆勒________% 股份，成为戴姆勒公司最大股东。

（3）目前，比亚迪拥有________、CTB 车身电池一体化、________、云辇系统四大高端技术，为用车安全保驾护航。

3. 思考题

从汽车名人的生平事迹和奋斗历程中，你得到什么启示？

附录

附录 A 汽车与人类社会

1. 汽车与人类

从 1886 年德国人卡尔·本茨发明世界上第一辆汽车到现在的 100 多年间，汽车以惊人的速度得到了普及与发展，已经深入到亿万家庭中。2022 年，世界汽车保有量已达 14.5 亿辆，平均千人汽车拥有量达 181 辆，美国则达到 824 辆，我国的数据为 226 辆。2022 年世界汽车总销量达 8163 万辆，我国销量达 2686 万辆，连续 14 年蝉联世界第一。

汽车之所以普遍为人们所接受，是因为汽车具有高速、机动、舒适、使用方便等优点。作为一种代步交通工具，汽车可以“全面铺开”和“门对门”服务，并快速到达目的地，极大地方便了人们的生活，提高了生活质量，这是其他交通工具所无法比拟的，目前美国每年客运量的 80% 以上由汽车承担；作为一种运输工具，汽车大大提高了劳动生产率，英国货运量的 70% 由汽车承担。汽车经过适当改装，可以变为消防车、救险车、垃圾车、应急车、清扫车、扫雪车、油罐车等，大大扩展其用途，因此备受人们青睐。

2. 汽车产业

汽车发展的意义远不在其本身，它将带动与汽车相关的行业同步发展（图 A–1），形成一个庞大的汽车产业，有效地促进国民经济发展，因此许多国家都把汽车产业作为国家支柱产业。我国早在 2004 年 6 月颁布实施的《汽车产业发展政策》中就提出，在 2010 年前将我国的汽车产业发展成为国民经济的支柱产业。

3. 汽车产业可以创造巨大的产值

汽车是世界上唯一的一种零件以万计、产量以千万计、保有量以亿计、售价以万元计的商品，其创造的经济价值很高，能够有力地拉动一个国家的国民经济的综合发展，如日本经济高速发展的 15 年间，汽车工业产值增长了 57 倍，从而带动国民经济增长了 36 倍。

汽车产业的发展，带动了与其相关的材料工业、石油化工、道路桥梁和汽车服务业的全面发展。有资料报道，每年汽车行业约消耗世界钢铁总产量的 24% 左右、铝产量的 25% 左右、橡胶产量的 50% 左右、塑料产量的 10% 左右、石油产量的 46% 左右，从而带动整个产业链的发展。有统计分析指出，汽车产业是一个 1：10 的产业，汽车产业 1 个单位的

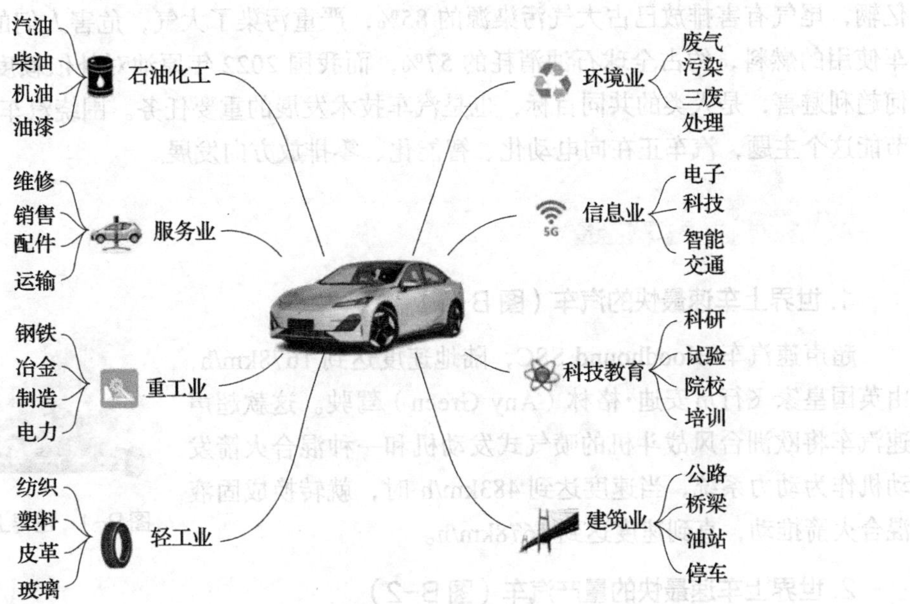

图 A-1 与汽车相关的行业

产出，可以带动整个国民经济总体增加 10 个单位的产出，可见汽车产业对社会、对人类的贡献巨大。

4. 汽车产业可以提供大量的就业机会

由于汽车产业链长，除各相关产业需要大量第一线设计、制造人员外，汽车后服务（销售、维修、配件、油站、停车、银行、保险、理赔、学校、交通管理等）更需要大量人员投入，提供了大量就业机会。目前世界主要汽车生产国汽车产业提供的就业机会，约占全国总就业机会的 20%。在美国及西欧，每 6 个就业岗位就有一个与汽车相关。有专家预测，到 2030 年，我国汽车相关产业从业人数将达 1 亿人以上。

5. 推动社会进步与发展

一辆汽车具有上万个零部件，集声、光、机、电、热、电子、化工、美工于一身，是一种高科技产品，其巨大的市场潜力，使它成为各种高新技术争相应用的强大载体。同时汽车产业是现代企业科学管理的集中体现，是大批量、高效率、专业化、标准化产业的代表，有力推动了社会进步与发展。

汽车的普及，进一步优化了交通，促进了城市和农村道路建设，缩小了城乡差别，目前世界城市化水平已经接近 50%，其中发达国家已经达到 70%~80%。汽车的普及，改善了人们的生活，提高了工作效率，为社会的进步立下了汗马功劳。

6. 汽车公害

事物都是一分为二的，在看到汽车对人类的巨大贡献的同时，也应该看到它的负面影响。世界卫生组织发布的《2023 年全球道路安全现状报告》指出，自 2010 年以来，道路交通死亡人数每年下降 5%，降低至每年 119 万人。截至 2022 年，全世界汽车保有量 14.5

亿辆，尾气有害排放已占大气污染源的85%，严重污染了大气，危害人们的身体健康。汽车使用的燃料，约占全球石油消耗的57%，而我国2022年原油对外依赖度约为70%。如何趋利避害，是人类的共同目标，也是汽车技术发展的重要任务。围绕汽车的安全、降污、节能这个主题，汽车正在向电动化、智能化、零排放方向发展。

附录B 汽车之最

1. 世界上车速最快的汽车（图B-1）

超声速汽车Bloodhound SSC，陆地速度达到1678km/h，由英国皇家飞行员安迪·格林（Any Green）驾驶。这款超声速汽车将欧洲台风战斗机的喷气式发动机和一种混合火箭发动机作为动力系统，当速度达到483km/h时，就转换成固液混合火箭推动，直到速度达到1678km/h。

图B-1 世界上车速最快的汽车

2. 世界上车速最快的量产汽车（图B-2）

SSC Tuatara汽车，双向平均速度508.73km/h，美国超级跑车制造商Shelby Super Cars在2018年正式投产，全球限量生产100台。该车搭载Nelson Racing Engines为其定制开发制造的5.9L V8平面曲轴双涡轮增压发动机，转速红线高达8800r/min。当使用E85乙醇汽油，这具仅重194kg的机器可输出惊人的功率达到1323kW。

图B-2 世界上车速最快的量产汽车

3. 世界上最长的乘用车（图B-3）

"美国梦"是一款基于凯迪拉克Eldorado改装的加长型豪华礼宾车，其长度达到了惊人的30.5m，并配备了26个车轮，前后各配有一台V8发动机，可载70位乘客。通常加长型礼宾车备有吧台或冰箱，而"美国梦"车厢内还配置数个房间、盥洗室等，以及露天游泳池、迷你高尔夫球场，车尾处还有停机坪供轻型直升机降落。

图B-3 世界上最长的乘用车

4. 功率最大的汽车（图B-4）

最大的矿用载货汽车BELAZ 75710是吉尼斯自卸车纪录保持者，采用两台16V 4000 C11柴油发动机，每个发动机的发电能力为1715kW，发动机驱动四台电动机从而带动车轮。

图B-4 功率最大的汽车

5. 加速最快的汽车（图B-5）

道奇Challenger SRT Demon 170从静止加速到96km/h仅需1.66s，搭载6.2L V8机械增压发动机，最大输出功率为753.8kW。

图 B-5　加速最快的汽车

6. 车轮最多的汽车（图 B-6）

意大利制造了一辆承载重量为 3600t 的汽车，有 1152 个车轮，牵引部分有 8 台发动机。该车由电子计算机操纵，通过传感器，能反映每一瞬间汽车重心移动和道路的特点。图 B-6 为我国研制的 2500t 液压遥控自行式动力模块平板，该车长 73.2m，宽 8.125m，有 880 个轮子。

7. 世界上最贵的汽车（图 B-7）

整车由纯金和航空金属打造，跑车外形，发动机功率能达 735kW，其价格为 28.5 亿元，被列入世界吉尼斯纪录。该车属于一位阿拉伯富豪。

8. 最贵的劳斯莱斯汽车（图 B-8）

2021 年 5 月 27 日，劳斯莱斯发布独一无二的旷世之作——专属车身定制车型“浮影”，全球限量 3 台，单车售价高达 2800 万美元（约 1.78 亿元），成为史上最贵的劳斯莱斯汽车。

图 B-6　我国研制的 880 个轮子的汽车

图 B-7　世界上最贵的汽车

图 B-8　最贵的劳斯莱斯汽车

9. 世界上最便宜的量产汽车（图 B-9）

印度塔塔汽车集团于 2009 年推出全球最廉价的 4 门微型汽车 Tata Nano，最终售价在 10 万卢比左右（约 1.8 万元）。

图 B-9　世界上最便宜的量产汽车 Tata Nano

10. 世界上最大的载货汽车（图 B-10）

世界上最大的载货汽车是美国航天局的“爬行者”汽车，长 41.2m，高 34.7m，自重 2722t。当它运载火箭飞船时，总重量为 8100t，只能以 1.6km/h 的速度缓慢地把火箭运往发射场。

11. 行驶里程最长的汽车（图 B-11）

汽车的最高行驶里程纪录是 480 万 km，该纪录是美国纽约州东帕奇格的欧文·戈登在 2013 年使用沃尔沃 P1800S 轿车创造的。

图 B-10　世界上最大的载货汽车

12. 最早的汽车维修厂

1895 年 12 月，法国波尔多的桑克雷尔大街 41 号，由波罗尔开办了世界上最早的汽车修理厂。波罗尔的维修厂设备齐全，还设有所有种类的保养、维修和洗车车间，车辆只需一个晚上即可修理完成。

图 B-11　行驶里程最长的汽车

13. 最早的汽车广告（图 B-12）

1898 年，世界上诞生了第一条汽车广告，广告的标语是“让马儿歇一会儿吧——温顿牌汽车”。不像现在百花齐放的汽车世界，当时汽车最大的竞争对手不是同行，而是马和骡子等牲畜。劝说人们放弃马车，购买汽车成了广告最开始的作用。

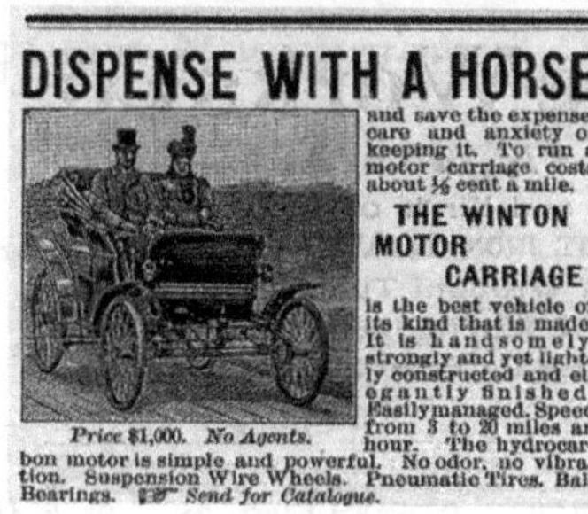

图 B-12　最早的汽车广告

14. 全球销量最多的汽车（图 B-13）

日本丰田汽车公司 1966 年开发出卡罗拉牌轿车，迄今已生产第 12 代，生产量超过 5000 多万辆，创下了历史纪录。

图 B-13　全球销量最多的汽车

15. 最大的汽车城（图 B-14）

美国的底特律城，是美国通用、福特、克莱斯勒三大汽车公司总部的所在地。

16. 最大的汽车市场（图 B-15）

位于美国达拉斯郊区，名叫亨利·布茨奥士无比的汽车市场，占地 3.25 万 m^2，建筑费用达 1300 万美元，摆放各种汽车 1900 辆，曾是最大的汽车市场。

图 B-14　最大的汽车城

图 B-15　最大的汽车市场

17. 最大的停车场

世界上最大的汽车车库经营商美国豪莱车库公司在芝加哥机场开设了一家室内停车场（图 B-16），共 16 层（上面是公寓，该栋大楼共 60 层，楼高 168m，建于 1963 年），可同时停泊 9250 辆轿车，这是世界上最大的室内停车场。美国新泽西州东罗塞福德市大体育场的停车场，进出方便，视野开阔，可一次停放汽车 26500 辆，这是世界上最大的室外停车场（图 B-17）。

图 B-16　最大的室内停车场

图 B-17　最大的室外停车场

18. 最早的汽车牌照规则

1893 年 8 月 14 日，法国最早制定条例，规定："所有的汽车，都必须挂上印有所有人姓名、住址以及登记号码的金属车牌。车牌必须挂在车身左侧，保持在随时可以看见的位置上。"

19. 最早的汽车驾驶资格考试

1893 年 8 月 14 日，根据巴黎警察条例，规定汽车驾驶员要经过考试。考试的内容有驾驶技术、发动机构造原理知识、修理技术等。年龄在 21 岁以上才有考试资格。

20. 最早的汽车驾驶证

1893 年 8 月 14 日，法国开始颁发世界上最早的驾驶证。驾驶证上必须贴有驾驶员的照片，发行官还要在驾驶证上写上准驾车型。

21. 最早的交通信号灯（图 B-18）

1868 年，根据伦敦警察总督理查德·梅因的建议，为防止议员被街上往来频繁的马车撞倒，在伦敦威斯敏斯特区乔治大街和布里奇大街交叉的路口上，安装了世界上最早的交通信号灯。交通信号灯由红色和绿色的旋转方形玻璃灯组成。在它下方，一名手持长杆的警员转换灯的颜色。红色表示"停止"，绿色表示"通过"。同年 12 月 10 日起正式使用。

22. 最早的铅酸蓄电池电动汽车（图 B-19）

1881 年法国工程师古斯塔夫·特鲁夫发明了世界第一辆铅酸蓄电池电动三轮汽车。

23. 中国最早的国产汽车（图 B-20）

中国最早的国产汽车是 1929 年 5 月在沈阳问世的。张学良任命的民生工厂厂长李宜春从美国购买"瑞雪号"汽车整车，然后拆卸，除发动机、后桥、电器设备和轮胎等由国外进口外，对其他零部件都进行重新设计、制造，这样终于制成我国第一辆"民生牌"汽车。此车为 75 型、48kW，载重量为 1.82t，最高车速为 40km/h。

图 B-18　最早的交通信号灯

图 B-19　最早的铅酸电池电动汽车

图 B-20　中国最早的国产汽车

参考文献

[1] 郑锦汤，蔡兴旺. 新能源汽车结构与维修［M］. 3版. 北京：机械工业出版社，2024.
[2] 吴伟斌，杜灿谊. 汽车电器与电子技术［M］. 5版. 北京：机械工业出版社，2023.
[3] 王海林. 汽车构造与原理：上册　发动机［M］. 5版. 北京：机械工业出版社，2022.
[4] 刘仁鑫. 汽车构造与原理：下册　底盘、车身［M］. 5版. 北京：机械工业出版社，2023.
[5] 李克强. 智能网联汽车创新发展的探索与实践［J］. 汽车纵横，2021(1):18-19.
[6] 郑锦汤，蔡兴旺. 汽车概论［M］. 4版. 北京：机械工业出版社，2020.
[7] 蔡兴旺. 汽车文化［M］. 2版. 北京：机械工业出版社，2020.
[8] 李妙然，邹德伟. 智能网联汽车技术概论［M］. 北京：机械工业出版社，2019.
[9] 陈慧岩，熊光明，龚建伟，等. 无人驾驶汽车概论［M］. 北京：北京理工大学出版社，2017.
[10] 熊光明，高利，吴绍斌，等. 无人驾驶车辆智能行为及其测试与评价［M］. 北京：北京理工大学出版社，2015.
[11] 林平. 车标：世界著名汽车标志［M］. 北京：化学工业出版社，2012.
[12] 王传福，罗红斌，陈伟，等. 混合动力车驱动系统：200710106087.0［P］. 2012-07-04.
[13] 程国华，程盛. 追根溯源：百年汽车工业［M］. 北京：机械工业出版社，2007.
[14] DAIMLERCHRYSLER AG KONZERNARCHIV, NIEMANN H. 百年奔驰：Daimler Chrysler Chronik: 1883—1998［M］. 朱华，王梅，KIM N，译. 北京：电子工业出版社，2006.
[15] ECKERMANN E. 从蒸汽机到汽车［M］. 孙伟，译. 北京：电子工业出版社，2006.
[16] 纪宝康. 汽车百科全书［M］. 长春：银声音像出版社，2004.
[17] 衣宝廉. 燃料电池的原理、技术状态与展望［J］. 电池工业，2003 (1)：16-22.
[18] 中国汽车工业史编审委员会. 中国汽车工业史［M］. 北京：人民交通出版社，1996.